佛语禅心

佛禅歌咏集

张培锋 主编

天津出版传媒集团

天津人民出版社

图书在版编目(CIP)数据

佛禅歌咏集 / 张培锋主编. –– 天津：天津人民出
版社, 2017.5
（佛语禅心）
ISBN 978-7-201-11665-5

Ⅰ.①佛… Ⅱ.①张… Ⅲ.①宗教文学-古典诗歌-
诗集-中国 Ⅳ.①I222

中国版本图书馆 CIP 数据核字(2017)第 091233 号

佛语禅心·佛禅歌咏集

FOYUCHANXIN　FOCHANGEYONGJI

张培锋 主编

出　　版	天津人民出版社	
出 版 人	黄　沛	
地　　址	天津市和平区西康路 35 号康岳大厦	
邮政编码	300051	
邮购电话	(022)23332469	
网　　址	http://www.tjrmcbs.com	
电子信箱	tjrmcbs@126.com	

策划编辑	沈海涛	
	韩贵骐	
责任编辑	伍绍东	
装帧设计	汤　磊	

印　　刷	河北鹏润印刷有限公司	
经　　销	新华书店	
开　　本	880×1230 毫米　1/32	
印　　张	13.625	
字　　数	180 千字	
版次印次	2017 年 5 月第 1 版　2017 年 5 月第 1 次印刷	
定　　价	58.00 元	

出版说明

　　佛教在中国两千余年的发展过程中，早已经融入中华文明的发展进程，成为中国传统文化的重要组成部分。在漫长的发展中，涌现出大量的经典以及阐述佛理的文献和为数众多的诗文作品，这些文献一方面是重要的宗教史料，同时其中的很多篇章也是精美的文学作品，它们为中国古代文学的发展注入了新的精神和活力，丰富了古代文学的思想内涵、表现手法，在相当长的时期内，对于整个中国思想文化、社会习俗等，产生了强烈而深远的影响，不了解这些，也就无法真正了解中国古代的文化和文学。很多作品在今天读起来，也仍然具有生命力，富有情趣，可以丰富人们的精神生活，加深对博大精深的中国传统优秀文化的理解。为此，我们面向广大具有中等文化程度以上的读者，编撰了这套试图集中而全面地反映中国古代佛教文学发展面貌的作品集。作品收录的范围基本上涵盖了整个古代时期，个别文集下限到民国前期。

　　这部中国佛教文学作品集总名为"佛语禅心"，由天津大悲禅院智如方丈担任总策划，南开大学文学院张培锋教授担任主编，参与作品集编选工作的主要是南开大学文学院中国古代文学专业的博士生、硕士生。"佛语禅心"系列共计六册，具体编选注释者分别为：

1.《佛典撷英集》，张培锋选注

2.《佛经故事集》，王芳、王虹选注

3.《佛教美文集》，张培锋选注

4.《佛禅歌咏集》，孙可选注

5.《禅林妙言集》，吕继北、罗丹选注

6.《高僧山居诗》，张培锋整理

天津大悲禅院积极支持社会慈善和文化事业，为这部佛教文学作品选的编选和出版也提供了良好的条件。除智如方丈担任全书总策划并亲自写了"总序"之外，大悲禅院还为本书的出版提供了一定的资金支持。书稿在编辑过程中，经过国家权威部门的审定，并几经刊校，我们相信，它定将成为一部面向广大读者的优质的佛教文学读本。

编　者

2016 年 10 月

总　序

　　佛法浩瀚精深,微妙广大。在佛教近三千年的发展过程中特别是传入中国以后的两千余年中,涌现出数量巨大的经典文本和演绎佛法宗旨的文学作品,皆演说佛教精深广博的思想,抒发超尘越世之情怀,这些作品共同构成了汉传佛教的宝藏,而佛教文学则是这座宝藏中的一颗璀璨明珠。

　　佛教文学的概念可以分为狭义和广义两种。从狭义上说,只有佛教经典之中的文学创作才能叫做佛教文学作品,收于《大藏经》中的诸多佛陀本生、譬喻,乃至诸多大乘经典都堪称精美的文学作品;而从广义上说,既包括那些直接宣扬佛教教义的文学作品,也包括那些受到佛教某种影响,或者利用佛教题材以至在某些方面和佛教有关联的作品,都可以视为佛教文学创作。佛教传入中国以来,不仅历代高僧们翻译了大量富有文学价值的佛经,其他诸如古代高僧名士之间的诗文酬唱、论辩演说乃至一句一偈甚或禅门之一棒一喝,皆包含深厚的文学意蕴,是中国古代文学遗产中价值巨大的无数瑰宝中不可忽视的一部分。中土的佛门龙象、历代大德以及广大的信徒,继承并发扬了佛教本有的文学传统,在中国文化的背景下,创造出数量众多、内容丰富、形式多样的佛教文学作品,其创作和传播之所以经久不衰,主要原因在于教团内外的广大信众对三世诸佛、诸大菩萨和佛陀教法有着强烈、热诚的信仰之心,文学创作则是表达这种信仰的极其方便、有效的手段。用这样的心灵创作出来的文学作品,必然是杰出的作品,因为它是从吾人真心自然流现出来的,所谓"心光朗照","法喜充满"。一个人在这种状态下写出的作品,较之那些矫揉造作的作品要高明很多。历史上很多高僧似乎并没有在文学方面投入太多精力,但是他们写出的作品却相当高明,甚至可以说难以企及,其道理即在于此。

比如佛典翻译文学中艺术水平相当高的"本生""譬喻"故事经典,不仅生动、风趣,而且具有普遍的训喻意义,它们赞美、宣扬了佛陀在无量的时空中自利利他、大慈大悲的伟大精神和勇于牺牲、济度有情的动人业绩,读来令人感动不已。大乘佛教经典的翻译更不乏《妙法莲华经》《维摩诘经》《首楞严经》等语言典雅、义理丰厚的精彩译笔,这些佛典本身已成为中国古代语言艺术的经典和宝库。唐宋以来,禅宗丛林以及好佛士大夫之中更有许多文学修养非常高的人。他们本来就能诗善艺,运用佛门偈颂等形式以及中国传统诗文手法,演说佛法,表达志向,即使从一般诗文艺术角度看,他们的文字也达到了相当高的水平,堪称清新隽永,字字珠玑,列于历史上优秀的文学作品之中而毫无逊色。佛门中的论辩、说理文字更是文字晓畅,析理透彻,议论滔滔,颇有气势,显示出高超的论辩技巧;禅门语录则随机说法,头头是道,也显示出禅门大德高超的语言技能。明清以来的清言小品乃至名山古刹之楹联对句,皆渗透着"超以象外"的禅意,参悟人生,得意忘言,灵犀一点,心照不宣。总之,佛教文学在整个中国古代文学发展和佛教自身发展中占有双重的重要地位,是中华传统文化的宝贵遗产之一,值得我们高度重视和珍惜。

天津大悲禅院近年来在扩建寺院、营造、建设良好的寺院环境的同时,也高度重视精神文化的建设,力求为弘扬祖国传统文化、为当代中国社会的健康发展和人们精神境界的提升做一些力所能及的奉献。有鉴于佛教文学的重要作用,我们诚邀长期致力于佛教文学研究、成果卓著的南开大学文学院博士生导师张培锋教授担纲,主持编辑一套中国佛教文学作品丛书,定名为"佛语禅心",参与编写者为南开大学主攻佛教文学专业的博士生、硕士生。按照全书的设计体例,本套丛书共包含 6 册,分别为:

1.《佛典撷英集》

从佛教藏经中选择出最精彩、最精华的佛经全文或段落,体现佛教经典文辞之精、义理之美。一册在手,了解最基本的佛法佛理。

2.《佛经故事集》

精选譬喻类、本生类、传记类等佛教典籍,揭示其中体现的佛理,阐扬大乘佛教之菩萨精神,同时体现翻译佛典对于中国古代叙事文学的深刻影响。

3.《佛教美文集》

精选历代僧俗阐发佛教之散文作品,包括论、序、记、赋、传、疏等各类文体,体现中国古人对佛教之深刻理解与发挥,展现佛教文道合一之精神。

4.《佛禅歌咏集》

精选历代僧俗阐发佛理之韵文作品,包括诗词、偈颂、歌赞等各类文体,以见佛教思想与中国古代诗歌的完美融合,展现佛教诗禅一体之精神。

5.《禅林妙言集》

精选禅门语录、灯录及格言、楹联等体裁作品,阐发其中的佛理禅意,既有明心见性之道,亦有为人处世之法,展现佛教真俗不二之宗旨。

6.《高僧山居诗》

以民国时期忏庵居士所编《高僧山居诗》为蓝本,对历代高僧山居诗详加注释,揭示其中深刻佛理,突出高僧大德绝尘离俗同时又融修行于日常生活之精神。

以上六册作品,基本涵盖了中国佛教文学的主要体裁和经典作品。编者对所选文本皆做了精细校勘和注释,力求简明扼要、准确无误而又深入浅出。通过文本的注释和解读,一方面揭示中国佛教文学的巨大成就,另一方面起到宣传和普及佛法的作用。本套丛书的这种设计、编撰思想应该说是很有新意的,期待它的出版能够为广大读者提供一份精美的精神食粮,也为促进和推进中国佛教文学的研究提供一种有益的帮助借鉴。

我们一向认为,佛教信仰是一种理智的信仰,绝非盲从迷信。要做到智信而非迷信,将佛教文学融入到佛陀教育之中是其中重要的一环。学佛必须明理,明理就需要逐渐提高学佛者的文化层次,让人们浸润其中,陶冶性情,潜移默化,选读佛教文学中这些精华的作品则是发挥这种作用的一种良好而有效的途径。张培锋教授和各位编写者为这部丛书的完成付出了巨大的精力和不懈的努力,在此深表谢意!是为序。

湛山门下　智如

2016 年 10 月 8 日农历九月初八

目录

9

11

12

13

14

16

《庐山东林[1]杂诗》

[晋]慧远[2]

崇岩吐清气,幽岫[3]栖神迹。希声奏群籁[4],响出山溜滴[5]。有客独冥游[6],径然忘所适[7]。挥手抚云门,灵关安足辟[8]。流心叩玄扃[9],感至理弗隔。孰是腾九霄,不奋冲天翮[10]?妙同趣自均,一悟超三益[11]。

【注释】

[1]东林:东林寺,位于江西九江县南庐山西北麓,始建于东晋,乃江州刺史桓伊为慧远所建,因慧远在此讲经念佛而名声大噪,被视为净土宗的发源地,我国佛教八大道场之一。

[2]慧远(334~416),东晋高僧。俗姓贾,雁门楼烦(山西崞县)人,十三岁游学许昌、洛阳,博通六经、老庄之学。二十一岁,听讲《般若经》,感叹"儒道九流皆糠秕",遂剃度出家。慧远精于般若性空之学,二十四岁即登讲席,并作《三报论》《沙门不敬王者论》等,影响深远。又与刘遗民等百余同道创立"白莲社",专以念佛为修行法门,共期往生西方净土,被尊为我国净土宗初祖。

[3]幽岫(xiù):深山中的岩洞。

[4]希声:老子《道德经》:"大方无隅,大器晚成。大音希声,大象无形。""视之不见名曰夷,听之不闻名曰希。""希声"指一种至大至美的声音,虽然没有具体的音高声调,用耳朵"听之

1

不闻"，不能用语言描述形容，却包含统摄了一切具体的声音。籁(lài)：从孔穴里发出的声音，泛指一般的声响，《庄子》中按声音的来源不同分为天籁、地籁、人籁。"希声奏群籁"说明至大的"希生"中包含了各种具体的声音。

[5]山溜滴：山间的水流滴落下来。山溜：山间向下倾注的细小水流。

[6]冥游：夜游。

[7]径然：径直前行貌。适：这里指目的地。全句说径直向前走，忘记了本来要去的地方。

[8]云门：急流的出口，因水气状如云雾，故称。灵关：谷口。辟：同"避"，退避、躲避。本联写沿途所遇。

[9]扃(jiōng)：门户。玄扃，玄关，此处指入道之关。

[10]翮(hé)：鸟的翅膀。

[11]三益：指直(公平正直)、谅(诚实)、多闻(见多识广)，孔子说应该和具备这三种品质的人交朋友。语本《论语·季氏》："孔子曰：益者三友，损者三友。友直，友谅，友多闻，益矣。……"本句点出全诗主旨，内心的证悟超越一切从外界获得的帮助教益。

《咏怀诗》

[晋]史宗[1]

有欲苦不足，无欲亦无忧。未若清虚者，带索[2]披玄裘[3]。浮游[4]一世间，泛若不系舟[5]。方当毕尘累[6]，栖志老山丘。

[1]史宗,生卒年不详,身多疮痍,栖憩无定所,出没不定,时讴唱以自适,应对论辩,机捷无滞,因常着麻衣,世号"麻衣道士"。

[2]索:绳索或锁链。

[3]玄裘:黑色的毛皮衣服。"带索披玄裘"比喻虽然身穿华贵的衣服,依旧无法摆脱烦恼的束缚。

[4]浮游:在水里或空中飘流游动,泛指自在遨游。

[5]不系舟:语出《庄子·列御寇》:"巧者劳而知者忧,无能者无所求,饱食而遨游,泛若不系之舟,虚而遨游者也。"指不被牵系的小船,比喻自由自在,无所牵挂,兼有漂泊无定的意味。

[6]尘累:尘劳的牵累。

《形影神》之《神释》

[晋]陶渊明[1]

大钧[2]无私力,万理自森著[3]。人为三才[4]中,岂不以我故!与君[5]虽异物,生而相依附,结托善恶同,安得不相语!三皇大圣人,今复在何处?彭祖[6]寿永年,欲留不得住。老少同一死,贤愚无复数。日醉或能忘,将非促龄[7]具?立善常所欣,谁当为汝誉?甚念伤吾生,正宜委运[8]去。纵浪[9]大化中,不喜亦不惧,应尽便须尽,无复独多虑。

【注释】

[1]陶渊明(352~427):字元亮,又名潜,私谥"靖节",世称靖节先生,浔阳柴桑(今江西九江市)人,历任江州祭酒、建威参军、彭泽县令等职,后归隐田园,采菊钟松,悠然自得,一生留下"白衣送酒""不为五斗米折腰"等故事,被视为安贫乐道、高洁清正的代表,得后人广泛推崇。他也是我国第一位大量创作田园诗的人,被誉为"古今隐逸诗人之宗"。

[2]大钧:"钧"是制陶器所用的转轮,因其周而复始,带动陶器旋转成型,使人联想到自然造化万物,正如《文选》李善注:"应劭曰:'阴阳造化,如钧之造器也。'"遂以"大钧"代称天或自然。

[3]森著:一一罗列明示。

[4]三才:《易·说卦》中称天、地、人为三才。

[5]君:指神。

[6]彭祖:传说中的老寿星,封地名彭,故称彭祖。据说他"常食佳芝,善导引行气"(刘向《列仙传》),从夏朝一直活到至商朝末年,寿命八百多岁。

[7]促龄:寿命短促。

[8]委运:随顺自然,听凭天命。

[9]纵浪:犹放浪。

《过瞿溪石室饭僧》

[晋]谢灵运[1]

迎旭[2]凌绝嶝[3],映泫[4]归溆浦[5]。钻燧[6]断山木,掩岸堇[7]石户。结架非丹甍[8],藉田资宿莽[9]。同游息心客[10],暖然[11]若可睹。清霄扬浮烟,空林响法鼓。忘怀狎鸥鲦[12],摄生驯兕虎[13]。望岭眷灵鹫[14],延心念净土[15]。若乘四等[16]观,永拔三界[17]苦。

【注释】

[1]谢灵运(385~433):祖籍陈郡阳夏(今河南太康县)人,东晋名将谢玄之孙,小名客,世袭康乐公,人称谢客、谢康乐。南北朝时期杰出的文学家,我国"山水诗派"的主要开创者。

[2]旭:初升的太阳,清晨的阳光。

[3]嶝(dèng):嶝道,可供攀登的山间小道。

[4]泫(xuàn):露水。

[5]溆浦:水名,源出湖南省溆浦县东南,流入沅江。

[6]燧:"燧(suì)"是一种青铜凹面镜,又名"火镜",和钻一样是取火的工具。古人用钻来钻木,使其摩擦发热,爆出火星,或者用"燧"聚集日光,引燃木头来取火。

[7]掩:遮没,遮蔽。堇(jìn):用泥土涂塞。

[8]甍(méng):朱红的屋脊。

[9]宿莽:经冬不死的草。

[10]息心客:指僧人。"息心"是梵语"沙门"的古译,谓勤修善法,息灭恶行。

[11]暧(ài)然:昏暗不明貌。

[12]鲦(tiáo):一种小鱼,狭长洁白,常成群游于水面。

[13]摄生:养生,保养身体。兕(sì)是一种大型野兽,类似野牛,皮厚,可以制甲。兕虎,即兕与虎,泛指猛兽。

[14]灵鹫:本指印度的"耆(qí)阇(dū)崛山",因山顶形似秃鹫(一说山中栖有大量鹫鸟)而又名灵鹫山、灵山、鹫峰、灵岳等,是释迦牟尼演说多部重要经典的圣地。佛教传入之后,我国许多地方的山和寺院借用其名,例如福建福清之北的鹫峰、浙江杭县的飞来峰亦名灵鹫山,西湖边的灵隐寺又名灵鹫寺等。

[15]净土:本指佛居住、教化众生的清净国土,无有烦恼污秽,清净庄严。有些净土在遥远的他方世界,例如药师佛的东方净琉璃世界、阿弥陀佛的西方极乐世界等。《维摩诘所说经》云:"若菩萨欲得净土,当净其心;随其心净,则佛土净。"可知净土不一定远离人间。诸佛净土中,以阿弥陀佛的西方极乐世界最为著名,发展出以往生极乐世界为目的的"净土宗",因此诗文中的"净土"有时专指西方极乐世界。

[16]四等:即四平等心,佛教指慈、悲、喜、舍四种无量心。

[17]三界:有情众生生存的空间,从下到上依次为欲界、色界和无色界,总称"三界"。欲界是部分天道和其他五道众生的居处,从地狱的最底层——阿鼻地狱,直到天界的第六重——他化自在天,众生男女杂居,有食、性等各种欲望。色界在欲界之上,包括十八重天,众生皆为化生,没有男女之别和淫、食等欲望,只存清净色身。无色界有四重天,是天界的最高层,其中没有任何物质,众生也是只具心识,不再有色身。三界皆未脱离六道轮回,故称其苦。

《志公药方》

[梁]宝志[1]

不嗔[2]心一具,常欢喜[3]二两,慈悲行三寸,忍辱根四橛[4],智慧性五升,精进[5]意六合,除烦恼七颗,善知识[6]八分。

【注释】

[1]宝志(418~514):南朝僧人,又作宝志、保志,世称志公和尚。金城(今江苏句容)人,俗姓朱。年少出家。师事道林寺僧俭,修习禅业。南朝宋泰始年间(466~471),往来于都邑,居无定所,时或赋诗,其言每似谶记,四民遂争就问福祸。齐武帝以其惑众,投之于狱。然日日见师游行于市里,若往狱中检视,却见师犹在狱中。帝闻之,乃迎入华林园供养,禁其出入。而师不为所拘,仍常游访龙光、罽宾、兴皇、净名等诸寺。至梁武帝建国,始解其禁。师每与帝长谈,所言皆经论义。于天监十三年十二月示寂,世寿九十六。

[2]嗔:又作嗔恚、嗔恨、嗔怒等,指恼怒、怨恨一类的情感,佛教以之为引起烦恼,使众生沉沦苦海的"三毒"之一。

[3]欢喜:快乐、高兴,佛教中特指众生于顺情之境中感到身心喜悦,或听闻佛法及诸佛名号,而心生欢悦,乃至信受奉行。

[4]根:有本源、禀性、机能、潜力等多重含义,因草木之根能够生发枝干花果,故而得名,这里偏指机能、潜力。橛:量词,

犹殴,截。

[5]精进:本义为锐意进取、积极向上,佛教修行中提倡勇
猛精进、对治放逸懈怠,故以之为脱离生死苦海、到达安乐彼
岸的"六波罗蜜"之一。

[6]善知识:又作善友、胜友等,指正直且充满德行智慧,能
够教人走上正道之人。

《服药忌口》

[梁]宝志

少语第一宝,忍辱[1]无价珍,莫说他人过,终归自损身,骂
他还自骂,嗔佗[2]还自嗔,譬如木中火,钻出自烧身[3]。

【注释】

[1]忍辱:忍受一切侮辱损害而不生苦恼怨恨,也是"六波
罗蜜"之一。

[2]佗:同"他""它",指其他人、别的事。

[3]《禅门诸祖师偈颂》称梁武帝问志公和尚:"如何修行得
永劫不失人身?"志公答:"贫道有一药方,往五蕴山中采取。"
遂述《志公药方》,并说了《服药忌口》,和药材的加工方法:"右
件药,用聪明刀向平等砧上细剉去。却人我根,入无碍臼中。以
金刚杵捣一千下。用波罗蜜为丸。每日取八功德水服一丸,即
得永劫不失人身。"

《传法偈》

[梁]菩提达摩[1]

吾本来兹土,传法救迷情。一华[2]开五叶,结果自然成[3]。

【注释】

[1]菩提达摩:印度高僧,于南北朝时来到中土,曾面见梁武帝,因话不投机离去,后入嵩山少林寺,面壁坐禅九年,影子留在墙壁上,成"达摩影石",一生充满传奇色彩,留下"一苇渡江""只履西归"等传说,被尊为中土禅宗初祖。

[2]华:同"花"。

[3]据说这首偈子是达摩灭度前留下的,还说"至吾灭后二百年,衣止不传",《景德传灯录》称达摩圆寂于后魏孝明帝太和十九年(495年),二百年后正是武则天时期,禅宗传至六祖慧能,开始"不再传衣,唯传心印",不再以祖师衣钵作为传法的凭证,禅宗,特别是慧能的"南宗禅"开始蓬勃发展,逐渐形成曹洞、临济、云门、沩仰、法眼五个主要宗派,盛极一时,似乎都应验了达摩的预言。

《有物先天地》

[梁]傅大士[1]

有物先天地。无形本寂寥。能为万象[2]主。不逐四时[3]凋。

【注释】

[1]傅大士(497~569)：又称善慧大士，名翕，字玄风，号善慧，婺州义乌县双林乡(今属浙江义乌)人，十六岁娶妻，生二子。胡僧嵩头陀见之曰："我与汝毗婆尸佛所发誓，今兜率宫衣钵见在，何日当还？"因命傅大士临水视其影，见头上圆光宝盖，是佛菩萨的象征。大士笑曰："炉鞴(bèi)之所多钝铁，良医之门足病人，度生为急，何思彼乐乎？"后人据此认为他是弥勒菩萨化身。傅大士躬耕居于松山顶，舍田宅营办法会，创建双林寺，世寿七十三岁时，趺坐而终。

[2]万象：宇宙间的一切景象、事物。

[3]四时：指春、夏、秋、冬四季。傅大士描述了无始以来即恒常存在，不生不灭，无形无相，但能融摄天地万物的真如佛性，与老子对道的形容"有物混成，先天地生。寂兮寥兮，独立而不改，周行而不殆，可以为天下母"如出一辙。

《空手把锄头》

[梁]傅大士

空手把锄头，步行骑水牛。人从桥上过，桥流水不流[1]。

【注释】

[1]禅籍中经常出现类似的句子，例如"石女夜生儿""青山常举足""白日不移轮""玉兔常当午""明星当午现"等。看来不可思议，实是要人超越凡俗思维的界限，打破对于一切概念分别的执着，真正进入圆融无碍的境界。

《四相[1]偈》

[梁]傅大士

《生相》

识托浮泡起，生从爱欲来。昔时曾长大，今日复婴孩。星眼随人转，朱唇向乳开[2]。为怜迷觉性，还却受轮回。

《老相》

览镜容颜改，登阶气力衰。咄哉今已老，趋拜[3]复还亏。身似临崖树,心如念水龟。尚犹耽有漏[4],不肯学无为。

《病相》

忽染沉疴疾[5],因成卧病身。妻儿愁不语,朋友厌相亲。楚痛抽千脉,呻吟彻四邻。不知前路险,犹尚恣贪嗔[6]。

《死相》

精魄随生路,游魂入死关[7]。只闻千万去,不见一人还。宝马空嘶立,庭花永绝攀,早求无上道,应兔四方山[8]。

【注释】

[1]四相:一般指显示诸法生灭变迁的生、住、异、灭,此处指生、老、病、死,佛教称为"四苦",据说释迦牟尼见此四苦之相而生出家修道之志。

[2]形容婴孩受到招引逗弄,眼随人转和吃奶的情景。

[3]趋拜:趋走拜谒,泛指请安、问候时所行礼节。

[4]有漏:指世间之事。漏,有流失、漏泄之意,为烦恼之异名,世间之一切有为法,都是包含烦恼的"有漏法"。

[5]沉疴(kē)疾:难治的重病。

[6]贪嗔:贪欲和嗔恚,详见《不见朝垂露》注释[5]。

[7] 古人以为,"魄"是依附于人的形体而存在的精气、精神,人死之时,精魄随着肉体的死亡而消逝,"魂"则脱离肉体,入于鬼门关,接受阎罗的审判,准备下一次转世轮回。

[8]四方山：四面之山，代指众生轮回的现实世界。

《临终诗[1]》

[陈]智恺[2]

千月本难满，三时理易倾。石火无恒焰，电光宁久明[3]。遗文空满笥[4]，徒然昧后生[5]。泉路方幽噎[6]，寒陇[7]向凄清。一随朝露[8]尽，惟有夜松声。

【注释】

[1]智恺示寂前患上疾病，知大限将至，不再治疗，但索纸题此诗，而后放笔，与诸名德握手语别，端坐俨思而卒。

[2]智恺(kǎi)(518~568)：南朝陈高僧。俗姓曹，《续高僧传》称其"素积道风，词力殷赡"，曾翻译讲解《摄论》《俱舍论》等，五十一岁示寂。

[3]石火：敲击石头迸发出的火花，闪现极为短暂。电光：闪电的光，只能持续很短的时间，和"石火"一样，常被用来比喻转瞬即逝，不能长久的事物。

[4]笥：竹子制成的容器。

[5]昧：迷乱、迷惑。后生：较后出生的人，后辈、下一代。

[6]泉路：黄泉路，通往阴间的路。幽噎：谓声音微细低沉，常用来形容水流或哭泣声。

[7]寒陇：孤寂寒冷的坟墓。陇，同"垄"，指坟墓。

[8]朝露：早晨的露水，会随着太阳升起，温度升高而消失，

因露水短暂易逝,佛经中常以之比喻万物之生灭无常、瞬息变化,最著名的当属《金刚经》最后的四句偈:"一切有为法,如梦幻泡影。如露亦如电,应作如是观。"

《五苦[1]诗》

[北周]亡名[2]

《生苦》

可患身为患,生时忧共生。心神恒独苦,宠辱横相惊。朝光[3]非久照,夜烛几时明。终成一聚土,强觅千年名。

《老苦》

少时欣日益,老至苦年侵[4]。红颜既罢艳,白发宁久吟。阶庭惟仰杖,朝府不胜簪[5]。甘肥与妖丽,徒有壮时心。

《病苦》

拔剑平四海,横戈[6]却万夫。一朝床枕上,回转仰人扶。壮色随肌减,呻吟与痛俱。绮罗虽满目[7],愁眉独向隅[8]。

《死苦》

可惜陵云[9]气，忽随朝露终。长辞白日下，独入黄泉中。池台既已没，坟垄向应空[10]。惟当松柏里，千年恒动风。

《爱离[11]》

谁忍心中爱，分为别后思。几时相握手，呜噎不能辞[12]。虽言万里隔，犹有望还期。如何九泉下，更无相见时。

《五盛阴[13]》

先去非长别，后来非久亲。新坟将旧冢，相次似鱼鳞。茂陵[14]谁辨汉，骊山讵识秦[15]？千年与昨日，一种并成尘。定知今世土，还是昔时人。焉能取他骨，复持埋我身。

【注释】

[1]五苦：佛教认为众生轮回六道，身心为诸苦所逼，主要的有"八苦"：生、老、病、死、爱别离、怨憎会（与怨恨憎恶的人或事物相会）、求不得（欲求得不到满足）、五盛阴，诗人择其中之五为题材，作此组诗。亦有经论将生、老、病、死合为一苦，与其他四苦并称"五苦"。

[2]亡名：释亡名，生卒年不详，北朝周僧。俗姓宋，本名阙

殂,南郡(今湖北)人,出身望族。少即有遁世之心,梁元帝时以文名,深受礼遇,梁亡后入蜀为僧。后历多人掌权,均对他颇为敬重,甚至极力游说他入朝为官,亡名固辞不应,终生为僧。

[3]朝光:早晨的阳光。

[4]日益:日日成长。年侵:年纪渐老。说人年少时常因年龄增长而欢喜,老了以后则因年龄增长而烦恼。

[5]阶庭:台阶前的庭院。朝府:府朝,官署。说人年老之后要依靠拐杖才能走到庭院中,头发稀疏,插不上簪子了。

[6]戈:一种古代兵器,青铜制成。

[7]绮(qǐ)罗:泛指华贵的丝织品,"绮罗满目"表明了富贵优越的生活。

[8]向隅:"隅(yú)"指角落,"向隅"就是面对着屋子的一个角落,足见落寞与无可奈何。

[9]陵云:直上云霄,多形容志向远大或意气高超。

[10]池台:池苑楼台。坟垄:坟墓。向:一向,向来。谓人生时居住的庭院楼阁已湮没不存,死后尸身很快腐烂,坟墓中也是空无一物。

[11]爱离:即"爱别离苦",指因与所亲爱的人或事物被迫分离,无法共处而产生的苦恼。

[12]呜噎:犹呜咽,低声哭泣。辞:告别,辞别。言与所亲爱的人分别时,悲痛得难以言语。

[13]五盛阴:即"五阴盛苦",又作"五阴盛苦"。"五阴"又名"五蕴",有积聚、盖覆之义,包括色、受、想、行、识五法,众生之身皆由此五法积聚而成。若此"五阴"过于炽盛,盖覆真性,众生便会生出种种颠倒迷惑、分别执著,以致造作诸业,流转生

16

死,不得解脱,是为"五阴盛苦"。

[14]茂陵:汉武帝刘彻的陵墓,在今陕西省兴平县东北。

[15]骊山:又作"骊岳",位于陕西省临潼县东南,是秦始皇安葬之处。讵(jù):表示反问,岂能,难道。

《戏题"方圆动静"四字诗》
[隋]昙延[1]

方如方等[2]城,圆如智慧日[3]。动则识波浪[4],静类涅槃室[5]。

【注释】

[1]昙延(516~588):隋代僧人。俗姓王,蒲州桑泉(山西临晋)人。十六岁闻妙法师讲《涅槃经》开悟,剃度出家。初隐于中朝山,撰《涅槃义疏》,道声日著,有"昙延菩萨"之称,深得北周武帝尊崇,后武帝废佛,昙延劝谏不听,隐遁太行山。隋定天下,昙延奏请度僧千余人,并参与译经工作,大力宣扬佛教。

[2]方等:方者方正、广大,等者平等、平均,本指宣说广大平等之义理的大乘经典,这里形容城之方正宽广,平等无碍。

[3]智慧日:谓智慧如太阳一般圆融完满,普照万物,破除愚痴阴暗。

[4]水之波纹动荡不息,似凡人心中之妄念纷飞不断,故常以波浪比喻动荡不定的心性。且水、波虽有二名,实为一物,波的本质为水,水之动态为波,反映了事物之间"不一不异"的微妙关系。

[5]涅槃:梵语音译,意为彻底断除一切烦恼与生死之因果,达到终极的觉悟境界,不生不灭、超越时空,是佛教修行的重要目的,意译为寂灭、灭度等,后世多将僧侣之死称为涅槃。"涅槃室"是僧侣等待圆寂的地方,自然安静非常。

《赠程处士》

[唐]王绩[1]

百年长扰扰[2],万事悉悠悠。日光随意落,河水任情流。礼乐囚姬旦[3],诗书缚孔丘。不如高枕枕,时取醉消愁[4]。

【注释】

[1]王绩(约585~644):隋末唐初诗人,字无功,号东皋子,绛州龙门(今山西河津)人,大儒王通的弟弟,仕隋为秘书省正字,唐初以前官待诏门下省,后因醉失职,归隐山林,诗风质朴自然,意境悠远。

[2]扰扰:纷乱、烦乱之貌。

[3]姬旦:即周公,姓姬名旦,周文王第四子,西周初期著名的政治家、军事家、思想家,曾辅佐周武王、周成王,平定叛乱,营建东都,制礼作乐……为周王朝的建立和巩固做出巨大贡献,亦被尊为儒家文化的奠基人。

[4]王绩嗜酒如命,能饮五斗不醉,又因侍中陈叔达每日供其他酒一斗而得"斗酒学士"之名,后来由于醉酒丢掉官职,亦不后悔。他深知人生百年倏忽而过,不必庸人自扰,像姬旦、孔

丘一般,被自己苦心经营的诗书礼乐制度所累,倒不如寄情美酒来得自在,流露出任运潇洒的禅者气魄。

《谒并州大兴国寺诗》

[唐]李世民[1]

回銮[2]游福地,极目[3]玩芳晨。梵钟[4]交二响,法日转双轮[5]。宝刹[6]遥承露,天花[7]近足春。未佩兰犹小,无丝柳尚新。圆光[8]低月殿,碎影乱风筠[9]。对此留余想,超然离俗尘。

【注释】

[1]李世民(598~649):庙号"唐太宗",唐高祖李渊次子,唐朝的第二位皇帝,我国历史上有名的贤君,曾开创"贞观之治"的繁盛局面,却也因发动"玄武门之变"、诛杀兄长李建成等事件遭受非议。李唐王朝推尊太上老君李耳为宗祖,以道教为"本朝家教",对其他宗教也持宽容鼓励的态度。李世民敕建佛寺,设斋布施,广度僧尼,还自称"菩萨戒"弟子,对西行求法归来的玄奘法师尊崇非常,大力支持他译经讲经,甚至劝他还俗,共事朝政,被玄奘婉言谢绝亦不愠怒。

[2]回銮:帝王或后妃出行。古人称帝王及后妃的车驾为"銮驾",故名。

[3]极目:用尽目力远眺。

[4]梵钟:佛寺里的大钟。

[5]法日:众生听闻佛法之日。轮:指法轮,状若车轮,本是

古印度的一种武器,后成为佛教常用法器,有圆满、旋转、摧碾等义,象征佛法圆满无缺,能够碾碎众生烦恼,如车轮旋转般永不停息。

[6]宝刹:"刹(chà)"是梵语"刹多罗"的简称,意为土地或国土、世界,亦指庙前的佛塔、幡杆等,后多指寺庙一类佛教场所。因佛经中谓佛土遍布珍宝,故称"宝刹",兼示尊敬。

[7]天花:佛或高僧说法精妙,感动天界神灵,撒下香花以示供养和皈依。

[8]圆光:月光,亦指菩萨头顶上的圆轮金光。

[9]筠:竹子,"风筠"谓风中之竹。

《咏兴国寺佛殿前幡[1]》

[唐]李世民

拂[2]霞疑电落,腾[3]虚状写[4]虹。屈伸烟雾里,低举白云中。纷披乍依回[5],掣曳[6]或随风。念兹轻薄质,无翅强摇空。

【注释】

[1]幡:一种垂直悬挂的长条旗子,佛教常用法器。原为武人在战场上统领军旅、显扬军威之物,佛教取之象征佛菩萨之威德庄严。

[2]拂:扫过,掠过。

[3]腾:上升,凌驾。

[4]写:描画,摹写。首联写幡的形态,掠过云霞时疾如闪电

20

降落,升腾入虚空则状若彩虹。

[5]纷披:和缓貌。依回:往复回环。

[6]掣曳:牵引。

《答"用心时"偈》

[唐]法融[1]

闭目不见色,内心动虑[2]多。幻识假成用,起名终不过[3]。知色不关心,心亦不关人。随行有相转,鸟去空中真[4]。

恰恰用心时,恰恰无心用。曲谭名相[5]劳,直说无繁重。无心恰恰用,常用恰恰无。今说无心处,不与有心殊[6]。

【注释】

[1]法融(594~657):唐代禅僧,牛头宗初祖。俗姓韦,十九岁出家,后入江宁牛头山幽栖寺北岩下别立禅室,潜修禅观,四方法侣百余人从之,世称"牛头法融"。唐贞观年间,禅宗四祖道信闻之,以期法门相授,由是法席大盛,自成一派。

[2]动虑:不断波动、变化的思虑。

[3]空幻的认识虚假地起着作用,最终不过被人加上种种名称。

[4]相随心转,真心却从未改变,恰如鸟儿飞去,天空依旧湛蓝如故。

[5]曲谭:曲折地言说。"谭"同"谈",谈说、称说。名相:"名"

指事物的名称、概念，是耳所能闻，"相"为事物的形象、状态，是眼所能见，"名"可诠显相状，故曰"名相"，其本质虚妄不实，凡夫却常常执着于斯，生起颠倒迷惑。

[6]眼见外物，心生认识是人们通常抱有的想法，法融禅师却认为即使"闭目不见色"，心中的波动思虑也不会停息，生出"幻实"和种种名称、概念、分别，这些"名相"又因凡夫不肯直说而显得烦琐难懂，与大道渐行渐远。只要"无心"，止息散乱的"动虑"，大道自然显明。

《劝念佛偈[1]》

[唐]善导[2]

渐渐鸡皮鹤发，看看行步龙钟[3]，假饶金玉满堂，难免衰残老病。任尔千般快乐，无常[4]终是到来，唯有径路修行，但念阿弥陀佛。

【注释】

[1]本偈选自《莲修必读》，"晚明四大高僧"之一云栖袾宏称此偈为傅大士所作，详见《云栖大师山房杂录》卷二《骷髅图说》。

[2]善导(613~681)，唐代僧人，净土宗第二祖。俗姓朱，山东临淄(一说安徽盱眙)人，号终南大师。幼年出家，后接触《观无量寿经》，乃专心念佛，笃勤刻苦，遂得念佛三昧，于定中亲见净土之庄严，后入长安，于光明、慈恩等寺传净土法门。善导

一生持律精严,远避名利,自奉甚俭,书写《阿弥陀经》十余万卷。并彩画净土变相三百多壁,修葺营造寺塔多处。众皆仰慕其德,称之"弥陀化身"。

[3]龙钟:年迈衰老,行动不便的样子。

[4]无常:传说中的勾魂之鬼,有黑白两位,会在人阳寿尽时出现,把人的魂魄勾走,带到阴司接受阎罗王的审判,决定下一世的去向。

《在西国怀王舍城[1]》

[唐]义净[2]

游,愁。赤县[3]远,丹思抽[4]。鹫岭寒风驶,龙河[5]激水流。既喜朝闻[6]日复日,不觉年颓[7]秋更秋。已毕耆山[8]本愿诚难住,终望持经振锡往神州[9]。

【注释】

[1]王舍城:中印度摩羯陀国的都城,旧址位于恒河中游,是佛陀传教的中心地之一,附近有着名的释尊说法地灵鹫山等,相传佛陀入灭后的第一次经典结集即在此举行。"西国"可能指义净游历过的其他西域国家。

[2]义净(635~713):唐代译经僧。俗姓张,字文明,河北涿县人,一说齐州(山东历城)人。幼年时落发出家,仰慕法显、玄奘之西游,十五岁即萌生远行求法之志。咸亨二年(671),在数十同道皆反悔的情况下,独自经由广州,取海路到达印

度，一一巡礼鹫峰、鸡足山、鹿野苑、祇园精舍等佛教圣迹后，住那烂陀寺勤学十年，后又至苏门答腊游学七年。历时二十五年，遍游三十余国，回国时，携梵本经论约四百部、舍利三百粒至洛阳，武则天亲至上东门外迎接，敕住佛授记寺。后致力于佛经汉译，共译出经典 56 部，共 230 卷，是我国"四大译经家"之一。

[3]赤县："赤县神州"的简称。战国时，齐人驺衍(一作邹衍)创立"大九州"学说，称："中国名曰赤县神州。赤县神州内自有九州，禹之序九州是也，……中国外如赤县神州者九，乃所谓九州也。"后人遂以"赤县神州""赤县"借指中原或中国。

[4]丹思抽：抒发诚挚的思念。丹，由色彩之红引申为情感的赤诚。"抽"有抒发、显露之意，《楚辞·九章·抽思》："与美人之抽思兮，并日夜而无正。"蒋骥注："抽思，犹言剖露其心思。"

[5]龙河：印度的尼连禅河，是恒河的支流，因河中有龙而又名"龙河"。释迦牟尼出家后，曾在河畔静坐思惟，修苦行六年，后舍苦行，入河中沐浴，净身后接受牧牛女难陀波罗的乳糜供养，到河对岸的菩提树下发愿而成道。

[6]朝闻：此处指听闻佛法真谛。《论语·里仁》云："朝闻道，夕死可矣。"说如果早上得闻圣贤大道，晚上就死去也不遗憾，后有成语"朝闻夕死"。

[7]年颓：岁月流逝，年华老去。

[8]耆山：即"耆阇崛山"，详见《过瞿溪石室饭僧》注释[14]。

[9]持经振锡：持经，受持佛教经典。振锡，摇振锡杖，使发响声，借指弘扬佛法。

《无相颂》[1]（之二）

[唐]慧能[2]

心平何劳持戒，行直何用修禅！恩则孝养父母，义则上下相怜，让则尊卑和睦，忍则众恶无喧，若能钻木出火，淤泥定生红莲。苦口的是良药，逆耳必是忠言，改过必生智慧，护短心内非贤。日用常行饶益，成道非由施钱，菩提只向心觅，何劳向外求玄。听说依此修行，西方只在目前。[3]

【注释】

[1]无相：没有形相，或指具有一切相，但不停留于其中某一相，不被任何具体形相牵绊束缚。《六祖坛经》提出"无相为体"，"无相者，于相而离相"，"外离一切相，名为无相。能离于相，即法体清净。此是以无相为体"，"无相之体，法身之谓也"，教导修行者脱离世间万物的虚幻形象，获得清净法体，体悟真实自性。

[2]慧能（638~713）：又作惠能，唐代禅僧，中国禅宗第六祖，世称"六祖慧能"。俗姓卢，祖籍河北范阳（今涿县），其父谪官至岭南新州（今广东新兴县东），后生慧能。父早亡，家贫，慧能常采薪汲水，奉养寡母。一日负薪至市，闻客诵《金刚经》，心即开悟，前往拜谒五祖弘忍，弘忍惊异其禀性非凡，使入碓房舂米，后五祖令众人各述一偈以传衣授法，慧能不识字，但请童子代书偈曰："菩提本无树，明镜亦非台，本来无一物，何处

惹尘埃?"五祖闻之,识其为能传大法者,乃夜召入室,潜授衣法,并遣其连夜南归,隐于四会、怀集之间。仪凤元年(676)至南海,遇印宗法师于法性寺,遂依之出家,受具足戒。翌年,移住于韶阳曹溪宝林寺,弘扬"直指人心,见性成佛"之顿悟法门。与北方的神秀并称"南顿北渐、南能北秀"。弟子法海汇编其教说为《六祖法宝坛经》,盛行于世,成后世禅宗之宗经。唐玄宗先天二年示寂,谥号"大鉴禅师"。

[3]西方指西方极乐世界。针对世人称念阿弥陀佛,求生西方极乐世界的做法,慧能说:"东方人造罪,念佛求生西方。西方人造罪,念佛求生何国?"指出净土就在真实自性之中,只是"凡愚不了自性,不识身中净土,愿东愿西"。到达净土的关键也在于心,"心地但无不善,西方去此不遥。若怀不善之心,念佛往生难到",只要"念念见性,常行平直",便可"到如弹指,便覩(dǔ,古同'睹')弥陀"。

《无相颂[1]》(之三)

[唐]慧能

迷人修福不修道,只言修福便是道,布施供养福无边,心中三恶元来造。拟将修福欲灭罪,后世得福罪还在,但向心中除罪缘,名自性中真忏悔。忽悟大乘真忏悔,除邪行正即无罪,学道常于自性[2]观,即与诸佛同一类。吾祖惟传此顿法[3],普愿见性同一体,若欲当来[4]觅法身,离诸法相心中洗。努力自见莫悠悠[5],后念忽绝一世休[6],若悟大乘得见性,虔恭合掌至心求。

【注释】

[1]达摩初到中土,见到笃信佛教的梁武帝,梁武帝问他:"朕一生造寺度僧、布施设斋,有何功德?"达摩回答:"实无功德。"慧能向弟子解说此事,称梁武帝造寺度僧、布施设斋"名为求福",得到的是福德,"不可将福便为功德","功德在法身中,不在修福"。上一首《无相颂》告诉人们修行与生活不矛盾,这一首则是提醒人们不可完全将修行归于世俗。

[2]自性:自体本来具有的特性,真实不变、清净无杂,佛教认为一切众生皆有佛性,自性是一切法的本质,"见性"(彻见自心之佛性)即可成佛。

[3]顿法:直达佛法真谛、迅速成就之法,历来为佛门中人推崇,传统"判教"思想中多以"圆顿"为完满教法的特征。世人常用"南顿北渐"概括慧能的南宗禅和神秀的北宗禅,似乎"顿法"是慧能的首创。其实别的僧人同样肯定顿悟,神秀《观心论》即有"超凡证圣,目击非遥,悟在须臾,何烦皓首"。《六祖坛经》中,慧能示众云:"善知识!本来正教,无有顿渐,人性自有利钝。迷人渐修,悟人顿契。自识本心,自见本性,即无差别,所以立顿渐之假名。"指出顿、渐皆是"假名",为适应人的不同根性而立,本质没有任何差别。

[4]当来:将来,来世。

[5]悠悠:懒散,不尽心。

[6]比慧能年长二十余岁的善导法师集记《往生礼赞偈》,云:"若如上念念相续,毕命为期者,十即十生,百即百生。"谓念念相续(口中念佛连续不绝)可以延长"毕命为期者"(即将

寿终之人)的性命。若是"后念忽绝",自然不算"念念相续",无法延长寿命。

《答法达[1]偈》

[唐]慧能

心迷法华转[2],心悟转法华,诵经久不明,与义作雠家[3]。无念念即正,有念念成邪,有无俱不计,长御白牛车[4]。

【注释】

[1]法达:洪州僧人,七岁出家,常诵《法华经》。

[2]法华:即《法华经》,全名《妙法莲华经》,共7卷28品,由南北朝时的西域高僧鸠摩罗什翻译而成,是佛教天台宗立说的主要依据,在中国影响很大。

[3]雠家:仇家。"雠(chóu)"同"仇"。

[4]白牛车:语出《法华经·譬喻品》,比喻能使众生成佛的根本法门。经中说有一大长者,与诸子共居大宅。一日,大宅起火,诸子正在宅中玩耍,浑然不觉危险,不肯离开。长者知道他们喜好珍奇之物,便说门外有羊车、鹿车和牛车可供游戏,诸子闻言,争出火宅。到达安全之地后,长者念自身财富无边,不该把下劣小车给孩子,便赏赐给诸子一辆高广庄严的大白牛车。车可以带人载物,比喻佛法能够度化众生出离苦海,羊车、鹿车、牛车便是各种不同的法门,佛陀适应众生的根基喜好,以各种方便之力引导众生修学,然后授以成佛的根本法门,是

为"大白牛车"。

法达自言"念《法华经》已及三千部",心怀骄慢,慧能却告诉他"空诵但循声,明心号菩萨""但信佛无言,莲华从口发",佛经不是一般的语言,不可执着于口头念诵。法达悔过,坦言自己"未解经义,心常有疑",请求慧能解说经中义理。慧能不识字,听法达读诵了部分《法华经》便开始解说,告诉他佛的知见只在自心,更无别佛,不须向外寻求。法达又提出疑问:"若然者,但得解义,不劳诵经耶?"慧能说:"经有何过,岂障汝念?只为迷悟在人,损益由己。口诵心行,即是转经;口诵心不行,即是被经转。"若自心领悟,便能从佛经中汲取营养,推动自己的修行,若自心不悟,执着于名相文字,佛经也会成为修行的障碍。

《惠能没伎俩》
[唐]慧能

惠能没伎俩[1],不断百思想,对境心数起,菩提作么长[2]。

【注释】
[1]伎俩:技能,本领。
[2]作么:怎么。《六祖坛经》记载,有僧举卧轮禅师偈曰:"卧轮有伎俩,能断百思想,对境心不起,菩提日日长。"慧能闻之,说此偈"未明心地",若依之而行"是加系缚",并示此偈。

《永嘉证道歌[1]》（节录）

[唐]玄觉[2]

　　君不见，绝学无为闲道人，不除妄想[3]不求真，无明实性即佛性，幻化空身即法身[4]，法身觉了无一物，本源自性天真佛，五阴[5]浮云空去来，三毒水泡虚出没。

　　证实相[6]，无人法[7]，刹那灭却阿鼻[8]业，若将妄语诳众生，自招拔舌尘沙劫[9]。顿觉了，如来禅[10]，六度万行[11]体中圆，梦里明明有六趣[12]，觉后空空无大千[13]。

　　放四大[14]，莫把捉，寂灭性中随饮啄[15]，诸行无常一切空，即是如来大圆觉[16]。决定说，表真僧，有人不肯任情征，直截根源佛所印[17]，寻枝摘叶我不能。

　　觉即了，不施功，一切有为法不同，着相[18]布施生天福，犹如仰箭射虚空。势力尽，箭还坠，招得来生不如意，无为实相门，一超直入如来地。

　　心镜明，鉴无碍，廓然莹彻周沙界，万象森罗影现中，一颗圆光非内外。豁达空，拨因果，莽莽荡荡招殃祸，弃有着空病亦然，还如避溺而投火。

一性圆通[19]一切性,一法遍含一切法,一月普现一切水,一切水月一月摄,诸佛法身入我性,我性同共如来合,一地具足一切地,非色非心非行业。

了了见,无一物,亦无人,亦无佛,大千沙界海中沤[20],一切圣贤如电拂[21],假使铁轮[22]顶上旋,定慧圆明终不失。

【注释】

[1]《永嘉证道歌》全文共有247句,每句多为7字,共1814字(一说267句1817字),采用古体诗的体裁,以4句或6句为一解,共51解,一般认为撰述于神龙五年(705),是玄觉禅师的代表作,被视为禅文学之绝唱。

[2]玄觉(665~713):因避清康熙帝玄烨之讳又称"元觉",唐代僧人。俗姓戴,名烈,字明道,温州(浙江省)永嘉人,号永嘉玄觉。幼年出家,遍习三藏,与天台宗五祖左溪玄朗交谊甚厚,又曾参谒六祖慧能,得慧能印可并留住一宿,时人称之"一宿觉"。后住温州龙兴寺弘法,学者云集,左溪玄朗贻书邀其栖隐山林,玄觉以"山世一如、喧静互用"拒绝。先天二年跌坐而寂,世寿四十九,敕谥"无相"。

[3]妄想:妄者,不实。"妄想"指充满虚妄分别的不实之想,众生以虚妄颠倒之心看待事物,因此产生种种错误的认识,以及颠倒分别。

[4]法身:佛之真身,本具法性,常住不动,不生不灭,无形无相,而又遍及虚空,无有障碍。

[5]五阴:又名"五蕴",有积聚、盖覆之义,包括色、受、想、

行、识五法,众生之身皆由此五法积聚而成。

[6]实相:实者,非虚妄之义。"实相"即指一切万法真实不虚的本来体相。

[7]人法,人与法。"无人法"即指破除对人与法的执着。

[8]阿鼻:阿鼻地狱,意译"无间地狱",为"八大地狱"之一,位于诸狱之最底层,犯五逆十恶重罪之人堕之,恒受剧苦,无片刻解脱。"阿鼻业"即指死后当堕阿鼻地狱的巨大恶业。

[9]"劫"是古代印度的时间单位,表示很长的时间。"尘沙劫"说劫之数目多如尘沙,是不可胜计的长久时间。

[10]如来禅:指佛教经典中记载的禅法,为如来所行,或由如来直传。

[11]六度:又称"六波罗蜜",是大乘佛教中菩萨欲成佛道,所必须实践的六种修行,参见赵州从谂《十二时歌》注释[31]。万行:一切的修行之法。

[12]六趣:即"六道",从下到上依次为地狱,饿鬼,畜生,阿修罗,人,天,是众生轮回流转的六种道途。众生各因所作之业而趣(趋向,归向)之,故又谓"六趣"。

[13]大千:"三千大千世界"的简称。古代印度人以四大洲及日月诸天为一小世界,合一千小世界为小千世界,合一千小千世界为一中千世界,合一千中千世界为一大千世界,小千、中千、大千并提,为"三千大千世界"。

[14]四大:地、水、火、风,佛教认为它们是构成世间一切物质的四大要素。

[15]饮啄:饮水啄食,比喻逍遥自在的生活。《庄子·养生主》:"泽雉十步一啄,百步一饮,不蕲畜乎樊中。"成玄英疏:

"饮啄自在,放旷逍遥,岂欲入樊笼而求服养!"

[16]圆觉:圆满之觉性,谓如来所证之理性具足万德,圆满周备,又以一切众生皆具觉性,自无始已来常住不变,清净圆满。

[17]印:印可,认可。

[18]着相:执着于表相。

[19]圆通:性体周遍为圆,妙用无碍为通,圆通指圆融无碍的境界,或与他物圆融无碍。

[20]沤(ōu):水泡。

[21]电拂:电光拂过,此处形容转瞬即逝,不可追寻。

[22]铁轮:铁铸的车轮,地狱中挤压恶鬼的刑具。

《江中诵经》

[唐]张说[1]

实相归悬解[2],虚心暗在通。澄江明月内,应是色成空[3]。

【注释】

[1]张说(yuè)(667~730):唐代政治家、文学家。字道济,一字说之,洛阳人,早年参加制科考试入仕,官至丞相,封燕国公,执掌文坛三十年,为唐开元前期一代文宗,与许国公苏颋齐名,人称"燕许大手笔"。

[2]悬解:了悟。

[3]"色"指一切有形有相的物质,佛教认为世间万物皆为

因缘假合，本质为空，正如《心经》所云："色不异空，空不异色，色即是空，空即是色。"

《山夜闻钟》

[唐]张说

夜卧闻夜钟，夜静山更响。霜风吹寒月，窈窕虚中[1]上。前声既舂容[2]，后声复晃荡[3]。听之如可见，寻之定无像。信知本际[4]空，徒挂生灭[5]想。

【注释】

[1]虚中：石钟乳之别名。

[2]舂(chōng)容：悠扬洪亮。

[3]晃荡：摇曳，摇动，闪烁不定。

[4]本际：本意为最初的、根本的边际，这里指真理的根源、万物之根本。

[5]生灭：世间万物本来并非实有，皆由因缘和合而生，因因缘离散而灭，有生必有灭。

《送童子下山》

[唐]金乔觉[1]

空门[2]寂寞汝思家，礼别云房[3]下九华。爱向竹栏骑竹马[4]，懒于金地聚金沙[5]。添瓶涧底休招月,烹茗瓯中罢弄花。[6]好去不须频下泪,老僧相伴有烟霞。

【注释】

[1]金乔觉(696~794):新罗僧人,本为古新罗国(今朝鲜半岛东南部)王金氏近族。公元719年渡海来唐,驻锡九华,发下"众生度尽,方证菩提,地狱未空,誓不成佛"之宏愿,苦心修行75载,99岁圆寂,肉身不腐,金身尚存于九华山,被视为地藏菩萨的化身,俗称金地藏。

[2]空门:此处指寺院。佛教以"空"为重要教义,以"空观"(体悟诸法皆空的道理)为基本法门,是为"空门",是天台宗的"四门"(四种悟入佛教真理的门径)之一,后常被用来代称佛法、寺院等与佛教相关的东西。

[3]云房:僧道或隐者所居住的房屋。

[4]竹马:儿童游戏时当马骑的竹竿。李白《长干行》:"妾发初覆额,折花门前剧。郎骑竹马来,绕床弄青梅。"描写男女童"两小无猜"的生活。

[5]金地聚金沙:通过日常的不懈修行获得成就。金地,形容佛土之庄严美好,详见《望牛头寺》注释[5]。"聚沙"出自《妙法莲华经·方便品》:"若于旷野中,积土成佛庙,乃至童子戏,聚沙为佛塔。如是诸人等,皆已成佛道。"后人常以"聚沙成塔"比喻积少成多,用点滴积累换来巨大收获。

[6]添瓶涧:有水的山涧,可从中取水添加到瓶子中。瓶中之水也常用来比喻佛法,详见《僧目空山》注释[1]。烹茗瓯(ōu):煮茶或沏茶的器皿。这一联是金乔觉告诫童子下山后不

要沉迷于水中月、瓶中花一般短暂虚幻的世俗之事。

《青溪》

[唐]王维[1]

言入黄花川，每逐清溪水。随山将万转，趣途[2]无百里。声喧乱石中，色静深松里。漾漾泛菱荇[3]，澄澄映葭苇[4]。我心素已闲，清川澹[5]如此。请留盘石上，垂钓将已矣。

【注释】

[1]王维（701~761，一说699~761）：唐代著名诗人、画家。字摩诘，河东蒲州（今山西运城）人。开元进士，后官至尚书右丞，故亦称"王右丞"。王维幼年丧父，母亲师事名僧大照普寂三十余年，王维亦笃信佛教，"摩诘"显示出对维摩诘居士的敬仰，更与多位僧人有所交往，长年吃斋，"丧妻不娶，孤居三十年"（《新唐书》），许多作品禅意十足，有"诗佛"之美誉。

[2]趣途：经过的路途。"趣"同"趋"。

[3]菱、荇（xìng）：水生植物名。

[4]葭（jiā）苇：芦苇。

[5]澹（dàn）：恬静，淡薄，安定。

《夏日过青龙寺谒操禅师》

[唐]王维

　　龙钟一老翁,徐步[1]谒禅宫。欲问义心[2]义,遥知空病空[3]。山河天眼[4]里,世界法身[5]中。莫怪销炎热,能生大地风。

【注释】

[1]徐步:缓步。

[2]义心:因迷于事或迷于理而产生的疑惑不决之心。

[3]空病:执着于空。

[4]天眼:天道之眼,能见六道众生诸物,以及众生未来生死之相,不论远近、前后、内外、昼夜、上下皆悉能见。

[5]法身:佛之真如法性之身,是佛的真身。

《登辨觉寺》

[唐]王维

　　竹径从初地[1],莲峰出化城[2]。窗中三楚尽,林上九江平。软草承跌坐[3],长松响梵声[4]。空居法云[5]外,观世得无生[6]。

【注释】

[1]初地:菩萨修行要经过十个重要阶位,称为"十地",初

地是"十地"的第一地，一般认为至于初地，即得证入法界，渐开佛境。此处形容环境之高妙脱俗。

[2]化城：《法华经》中的著名譬喻，谓欲达藏宝之处，必须经过漫长的险路，众人疲惫欲返，导师遂以方便之力，在道路中幻化出一座城，使众人看到希望，继续前进，多用来比喻短暂存在，虚幻不实的东西。这里形容城之高大富丽，如佛经中的"化城"一般。

[3]趺坐：全称"跏(jiā)趺(fū)坐"，即双腿交盘，把足背(趺)放在另一条腿上的坐姿，因姿势不同分为金刚坐、降魔坐、半跏趺坐、全跏趺坐等。据说释迦牟尼打坐说法，皆用"趺坐"，佛教徒认为趺坐安稳且不易疲倦，是修行者的标准坐姿，寺庙中佛像、菩萨像大多是这种坐姿。

[4]梵声：念佛诵经之声。

[5]法云：佛说法如云，遍及一切众生。

[6]无生：没有生灭，不生不灭，是世间一切事物的真实本质。因世间万物的本质皆空，没有实体，无生灭变化可言，遂称"无生"，又作"无起""无生灭""无生无灭"等。

《答湖州迦叶司马问白是何人》

[唐]李白[1]

青莲居士[2]谪仙人[3]，酒肆藏名三十春。湖州司马何须问？金粟如来[4]是后身。

【注释】

[1]李白(701~762):字太白,号青莲居士,唐代最负盛名的诗人之一。生于碎叶(今巴尔喀什湖南面的楚河流域),幼时随父迁居绵州昌隆(今四川江油一带)。李白性格豁达不羁,虽有兼济之志,但一生仕途不顺,诗歌风格雄奇豪放,清新俊逸,有"诗仙"之美誉。

[2]李白号"青莲居士",对于此号的由来,一般看法是李白出生在绵州昌隆的"青莲乡",《四川通志》卷二十七:"青莲乡在县西南,接江油县西北界,一名漫波渡。相传李白母浣纱于此,有鲤跃入篮中,烹食之遂孕而生白。"也有人指出这一名号与李白的佛教信仰有关,"青莲"就是青色的莲花,在佛典中经常出现,很受推崇,《涅槃经》云"如水生花中青莲华为最",《智度论》亦有"一切莲华中,青莲为第一"。且青莲叶片修广,青白分明,有贵人眼目之相,常被喻为佛之眼。李白以"青莲居士"为号,当有以高洁的青莲花自况之意,也显示了自己在家修行的居士身份。

[3]谪,贬谪,被降职或流放。"谪仙人"就是被贬谪到人间的仙人,多形容才华横溢,风采卓绝之人。唐代孟棨《本事诗》云:"李太白初自蜀至京师,舍于逆旅。贺监知章闻其名,首访之。既奇其姿,复请所为文。出《蜀道难》以示之。读未竟,称叹者数四,号为'谪仙'。"自此之后,"谪仙人"几乎成了李白的专称。

[4]金粟如来:维摩诘居士的前身。维摩诘是古印度著名的佛教居士,与释迦牟尼同处一个时代,为大富长者之身,有妻子家庭,却能"不舍道法而现凡夫事""不断烦恼而入涅槃",在

世俗生活中修成正果。看来李白和王维一样，都对维摩诘颇为敬仰。

《庐山东林寺夜怀》

[唐]李白

我寻青莲宇[1]，独往谢城阙[2]。霜清东林钟，水白虎溪[3]月。天香生虚空，天乐鸣不歇。宴坐[4]寂不动，大千[5]入毫发。湛然冥真心[6]，旷劫断出没[7]。

【注释】

[1]青莲宇：指佛寺。

[2]谢：辞别。城阙：都城，京城。

[3]虎溪：东林寺前的一条小溪，相传慧远法师送客从不越过虎溪，否则山中之虎便会高声吼叫。

[4]宴坐：安身默然静坐，亦为坐禅的代名词。

[5]大千："大千世界"的简称。

[6]湛然：清澈、安然之貌。

[7]旷劫：很久远的过去。"旷"乃久远之义。

《僧伽[1]歌》

[唐]李白

　　戒得长天秋月明,心如世上青莲色。意清净,机棱棱,亦不减,亦不增,瓶里千年舍利骨[2],手中万岁猢狲藤。嗟予落魄江淮久,罕遇真僧说空有。一言忏尽波罗彝[3],再礼浑除犯轻垢[4]。

【注释】

[1]僧伽(628~710):唐代西域僧。葱岭北何国人,一说碎叶人,俗姓何。唐龙朔(661~663)初年,来西凉府,又游历江淮之地,居止于楚州龙兴寺。后于泗州临淮县(安徽)信义坊得金像一尊,上有古香积之铭记及普照王佛之铭,遂建临淮寺。师屡次显现神异,尝现十一面观音形,人益信重,世称观音大士化身。

[2]舍利骨:佛陀之遗骨,后亦指高僧死后焚烧所遗的骨头。

[3]波罗彝:僧尼所犯之极重罪,一般说有杀、盗、淫、大妄语等,犯者永除僧籍,被教团放逐,死后必堕地狱。

[4]轻垢:轻微的违反戒律、染污清净的行为。

《望牛头寺》

[唐]杜甫[1]

牛头见鹤林[2]，梯迳[3]绕幽深。春色浮山外，天河宿殿阴。传灯无白日[4]，布地有黄金[5]。休作狂歌老，回看不住心[6]。

【注释】

[1]杜甫(712~770)：字子美，常自称"少陵野老"，唐代大诗人。原籍襄阳(今属湖北)，后迁居巩县(今属河南)，晋代名将杜预的后人，初唐诗人杜审言之孙。杜甫诗歌兼备众体，对后世诗歌创作产生了极其深远的影响，但以关注现实、沉郁顿挫的独特风格最为人所称道，有"诗圣"之美誉，与李白合称"李杜"，作品亦被称为"诗史"。

[2]牛头：牛头山。鹤林：鹤林寺。此句谓从山上望见寺院。

[3]梯迳：亦作"梯径"，石级小路。

[4]传灯：传法。佛法能破一切昏暗愚昧，好似明灯，佛法不断传承，亦如灯火相续不灭，故曰"传灯"。全句说佛法传播不息，好像常处黑暗之中、不见白昼的人们不停地传续灯火照明一样。

[5]布地有黄金：古印度舍卫城中有一位给孤独长者，夙怜孤独，好行布施，他皈依佛陀后，想要购买祇(qí)陀太子的花园为佛陀建造精舍。祇陀太子提出条件，要在园中用黄金铺地才肯出售，给孤独长者闻言，用大象驮来黄金，铺满整个花园，

太子为其诚心所感,让出花园,并将园中林木布施给佛陀,花园以二人名字命名为"祇树给孤独园",是佛教最早的精舍之一。《佛说阿弥陀经》称阿弥陀佛的极乐世界以"黄金为地",并有七宝池,"池底纯以金沙布地"。故用"黄金布地"形容佛土庄严美好,或信徒奉佛之心虔诚。

[6]不住心:犹"无住心",无所住着,心不住于一切处之心。《金刚经》云:"应无所住,而生其心。"

《宿赞公[1]房》

[唐]杜甫

杖锡[2]何来此,秋风已飒然[3]。雨荒深院菊,霜倒半池莲[4]。放逐宁违性[5],虚空不离禅。相逢成夜宿,陇月[6]向人圆。

【注释】

[1]赞公:唐代僧人,与杜甫过从甚密。苏轼《雪斋》诗云:"纷纷市人争夺中,谁信言公似赞公。"王文诰辑注曰:"唐大云寺主,谪在秦州,老杜与之往还,所谓'与子成二老,来往亦风流'(杜甫《寄赞上人》)者此也。"又《读杜心解》谓:"赞亦房相之客。""房相"就是房琯,唐玄宗、肃宗两朝宰相,与杜甫交情深厚,创作本诗的前一年,房琯兵败受贬,杜甫因上疏救之而触怒了唐肃宗,出为华州司功参军,次年即弃官入秦州,遇到同被贬谪的赞上人。

[2]杖锡:"杖"在此做动词,"杖锡"即手持锡杖,象征僧人

43

的到来。

[3]飒(sà)然:萧索冷落貌。

[4]"雨荒"二句写秋季寒霜冷雨之中,菊花凋落,莲花枯败的景象。

[5]宁:岂,难道。"放逐"句:贬谪放逐难道能改变我辈的本性?

[6]陇月:高丘上的月亮。陇,通"垄"。

《江庭》

[唐]杜甫

坦腹江亭暖,长吟野望时。水流心不竞[1],云在意俱迟。[2]寂寂春将晚,欣欣物自私[3]。故林归未得,排闷[4]强裁诗。

【注释】

[1]竞:争竞,角逐,比赛。

[2]"水流"二句:诗人说自己的心境平和,无意与流水相争,与天上的白云一样闲适自在,丝毫不计较迟速。

[3]"欣欣"句:诗人说万物欣欣向荣,却都与自己无关,故嗔怪之"自私"。

[4]排闷:排遣烦闷。

《呈石头和尚偈》

[唐]庞蕴[1]

日用事无别,唯吾自偶谐[2]。头头非取舍,处处勿张乖[3]。朱紫谁为号[4],丘山绝点埃[5]。神通并妙用,运水及搬柴。

【注释】

[1]庞蕴(? ~808):唐代著名在家禅者,世称庞居士、庞翁。字道玄(一作道元),衡阳(湖南)人。曾拜谒石头希迁、马祖道一等高僧,机锋迅捷,得众人仰慕,被尊为"东土维摩"。

[2]《景德传灯录》载,庞蕴拜谒石头希迁禅师,希迁说:"子自见老僧已来,日用事作么生?"庞蕴答:"若问日用事,即无开口处。"复呈此偈。希迁看后很满意,又说:"子以缁耶?素耶?"问庞蕴愿意出家还是在家,庞蕴表示"不剃染"。"日用"二句是庞蕴对希迁问他"日用事作么生"的回答,说生活中的事情,我与大家没有分别,只是我与自己作伴,相谐无间罢了。

[3]张乖:乖张,怪僻,背离,不相合。"头头"二句说自己处处不存取舍、乖张之心。

[4]朱紫:红色与紫色,《论语·阳货》:"恶紫之夺朱也。"何晏《集解》引孔安国曰:"朱,正色;紫,间色之好者。恶其邪好而夺正色。"后因以"朱紫"喻正与邪、是与非、善与恶。全句说善恶只是某些人强加的名号。

[5]丘山:山林。陶渊明《归田园居》:"少无适俗韵,性本爱丘山。"全句说自己居于山林,断绝俗世的尘埃。

《杂诗》(节选)

[唐]庞蕴

　　未识龙宫莫说珠,识珠言说与君殊。空拳[1]只是婴儿信,岂得将来诳老夫。

　　无贪胜布施,无痴胜坐禅。无瞋胜持戒,无念[2]胜求缘。尽见凡夫事,夜来安乐眠。寒时向火坐,火本实无烟。不忌黑暗女[3],不求功德天[4]。任运[5]生方便,皆同般若船[6]。若能如是学,功德实无边。

　　余有一宝剑,非是世间铁。成来更不磨,晶晶白如雪。气冲浮云散,光照三千彻。吼作师子声[7],百兽皆脑裂。外国尽归降,众生悉磨灭。灭已复还生,还生作金镴[8]。带将处处行,乐者即为说[9]。

　　诸佛与众生,元来[10]同一家。不识亲尊长,外面认假爷。优昙[11]不肯摘,专采葫芦花。葫芦花未落,常被三五拽[12]。如斯之等类,轮转劫恒沙[13]。

　　淼淼长江水,周而还复始。昏昏三界人,轮回亦如此。轮回改形貌,长江色不异。改貌劳神识,终须到佛地[14]。

【注释】

[1]空拳：空手作拳，以诳骗小儿。《大宝积经》曰："如以空拳诱小儿，示言有物令欢喜，开手拳空无所见，小儿于此复号啼。如是诸佛难思议，善巧调伏众生类，了知法性无所有，假名安立示世间。"

[2]无念：没有妄念。

[3]黑暗女：黑暗天女，又作黑暗天，来源于古印度神话，肮脏丑陋，到处予人灾祸。

[4]功德天：功德天女，又作吉祥天、吉祥天女等（亦有经典并列功德天女与吉祥天女，可见二者有别），是黑暗天女的姐姐，端庄美丽，处处施人福德。

[5]任运：随顺诸法自然而运作，不假人为造作。

[6]般若船：般若智慧能帮助众生度越生死苦海，达于菩提彼岸，故称"般若船"。

[7]师子：同"狮子"，因其为百兽之王，勇猛无畏，能伏一切，故常以之喻佛。佛说法称为师子吼、狮子吼。

[8]金镢(jué)：金穴，藏金之窟，喻豪富之家。镢，同"穴"。

[9]作者以宝剑比喻生来本具的清净自性，自性就是佛性，是万法之根本，包含着无穷的神通变化。

[10]元来：当初，本来。

[11]优昙：指优昙花，是一种珍贵而且非常罕见的花。《南史》："优昙华乃佛瑞应，三千年一现，现则金轮出世。"今以"昙花一现"形容美好事物的短时间出现，即本于此。

[12]抽：取下。

[13]恒沙："恒河沙"之略，比喻数量多得无法计算。"轮转

劫恒沙"就是说未觉悟的众生将在六道中轮转数不清的劫数。

[14]全诗以长江水说明众生经历周而复始的轮回,自性始终不灭,亦无变改。

《闻钟》

[唐]皎然[1]

古寺寒山上,远钟扬好风。声余月树[2]动,响尽霜天[3]空。永夜[4]一禅子,泠然[5]心境中。

【注释】

[1]皎然(约720~约800):唐代僧人。长城人,俗姓谢,字清昼,南北朝时"康乐公"谢灵运的十世孙。个性清和,文章俊丽,号称"释门伟器",在禅学、诗学、茶学等方面都有很深的造诣。

[2]月树:月中桂树。

[3]霜天:深秋的天空。

[4]永夜:长夜。

[5]泠(líng)然:形容清越激扬的声音。

《寻陆鸿渐[1]不遇》

[唐]皎然

移家虽带郭,野径入桑麻。近种篱边菊,秋来未着花。扣门无犬吠,欲去问西家。报道山中去,归来每日斜。

【注释】

[1]陆鸿渐:陆羽,字鸿渐,唐代著名的茶学专家,人称"茶圣",皎然的好友。

《哀教》

[唐]皎然

本师[1]不得已,强为我著书。知尽百虑遣[2],名存万象拘。如何工言子[3],终日论虚无。伊人独冥冥[4],时人以为愚。

【注释】

[1]本师:根本教师,一般用来称呼佛教教主释迦牟尼佛,或为弟子对自己师父的尊称。

[2]遣:抒发。

[3]工言子:巧嘴善辩,花言巧语的人。

[4]伊人:此人,这个人。冥冥:不知不觉貌。

《支公[1]诗》

[唐]皎然

支公养马复养鹤[2],率性无机多脱略[3]。天生支公与凡异,凡情不到支公地。得道由来天上仙,为僧却下人间寺,道家诸子论自然,此公唯许逍遥篇[4]。山阴诗友[5]喧四座,佳句纵横不废禅。

【注释】

[1]支公:即支遁,东晋高僧、佛教学者,陈留(河南开封)人,或谓河东林虑(河南彰德)人,俗姓关,字道林,后从师改姓,世称支道人、支道林、支公等。他家世事佛,早悟非常之理,二十五岁出家,隐居会稽的余杭山中,亦曾游历京师建康,与名士谢安、王羲之、许洵、孙绰等清谈论道,备受推崇,是魏晋时期般若学"六家七宗"之一。

[2]史籍记载,有人送来一匹好马,支遁精心饲养,却从来也不骑,面对讥笑,他说:"我爱它的神骏,就这样畜养着吧。"又有人送来一双鹤,支遁非常喜欢,生怕它们飞走,便剪短了它们翅膀上的长羽毛,鹤欲飞而不能,扭转长颈看自己残破的羽翼,似颇为懊恼,支遁说:"鹤有凌霄之姿,怎肯给人做玩物,徒为耳目观赏呢?"待鹤的翅膀长好,便放它们飞去了。

[3]无机:任其自然,没有心计。脱略:轻慢不拘。

[4]"许"有赞许、推崇之义。"逍遥篇"指《庄子》的第一篇《逍遥游》,支遁兼学老庄,曾作《逍遥论》,在对《逍遥游》的解读中引入佛教般若思想,"标揭新理,才藻惊绝",群儒旧学莫不叹服,连王羲之都"披衿解带,流连不能已"(《高僧传》)。

[5]山阴诗友:晋代"书圣"王羲之曾居会稽山阴,"山阴诗友"即指王羲之和与他交游的文人雅士们。

《寻僧二首》

[唐]顾况[1]

方丈玲珑花竹闲,已将心印[2]出人间。家家门外长安道[3],何处相逢是宝山[4]。

弥天释子[5]本高情,往往山中独自行。莫怪狂人游楚国[6],莲花只在淤泥生[7]。

【注释】

[1]顾况(约 727~820):字逋翁,苏州海盐(今浙江海盐)人,至德二年(757 年)进士,官著作郎。性情淡泊疏散,颇好诙谐,白居易初到长安,持诗稿前来拜谒,顾况视封皮之名,曰:"长安百物贵,居大不易。"待读到"野火烧不尽,春风吹又生"之句,又感叹道:"有句如此,居天下有甚难! 老夫前言戏之耳。"顾况对王公贵族同样轻侮戏弄,后因作诗嘲讽权贵被贬饶州司户参军。晚年隐居茅山,自号"华阳山人"(一说"华阳真逸")。

[2]心印:传统佛教中以"三法印"——"诸行无常、诸法无我、涅槃寂静"作为判断是否为佛教的标准。禅宗主张不立文字,以心传心,只用心来印证佛法,传授佛禅真谛,是为"心印",单传心印,即可"直指人心,见性成佛"。

[3]长安道:都城长安的道路,泛指繁华富庶,众人向往之处。

[4]宝山:遍布珍宝的山。诗人可能没有寻到高僧,却找到了佛禅的真谛——"心印"。以心来印证佛法,不受时间、地点的局限,日常生活中就可以体悟大道,仿佛门外就是众人向往的"长安道",所到之处,皆是宝山。

[5]弥天释子:本指东晋高僧释道安,他编纂了我国第一部佛典目录《综理众经目录》,并开创了出家人以"释"为姓的做法,沿用至今。道安在襄阳时,著名史学家习凿齿前来拜谒,自报名号:"四海习凿齿。"道安答曰:"弥天释道安。"世人称赞道安巧妙的回答,"弥天"之名由此叫响。前秦的符坚攻取襄阳,得释道安和习凿齿,喜曰:"吾以十万师取襄阳,得一人半,安公一人,习凿齿半人也。"

[6] 狂人游楚国:《论语·微子》有:"楚狂接舆歌而过孔子曰:'凤兮凤兮,何德之衰!'"邢昺疏:"接舆,楚人,姓陆名通,字接舆也。昭王时,政令无常,乃披发佯狂不仕,时人谓之楚狂也。"后人常用此典故,以"楚狂"比喻佯狂避世乱之人。

[7]慧能《无相颂》云:"若能钻木出火,淤泥定生红莲。"谓尘俗世界中亦可修禅。

《赠琮公》

[唐]韦应物[1]

山僧一相访,吏案正盈前。出处似殊致[2],喧静两皆禅。暮春华池宴,清夜高斋眠。此道本无得,宁复有忘筌[3]。

[1]韦应物(737~792):唐代诗人,京兆长安(今陕西西安)人,早年任"三卫郎",为唐玄宗的侍卫,官终苏州刺史,世称"韦苏州",诗作多写田园风物与隐逸生活,风格简淡高远。

[2]殊致:不相同,不一致。

[3]忘筌:语出《庄子·外物》:"筌者所以在鱼,得鱼而忘筌;蹄者所以在兔,得兔而忘蹄。"筌,通"荃",捕鱼竹器。蹄,捕兔网。人们捕捉到鱼或兔子,便忘记了使用过的筌、蹄,说明只要抓住根本的目的,无须执着于原先凭借的工具、方法、手段。《唐语林》云:"韦应物立性高洁,鲜食寡欲,所居焚香扫地而坐。"如此虔心向佛,却没有妨碍他在朝为官,因为他明白修行在心,不在行迹,身处喧嚣嘈杂的环境也可修禅。有人觉得他在实践庄子的"得鱼忘筌",韦应物却说修行"本无得",不是向外求得什么,正如六祖慧能所言:"菩提自性,本来清净,但用此心,直了成佛。"而"自性"只能"自度",不需要也不可以借助别的工具,何用刻意去"忘"?

《听嘉陵江水声,寄深上人》

[唐]韦应物

凿崖泄奔湍,称古神禹迹[1]。夜喧山门店,独宿不安席。水性自云静,石中本无声。如何两相激,雷转空山惊。贻[2]之道门旧,了此物我情[3]。

[1]神禹就是上古治水英雄大禹。嘉陵江水流迅猛湍急，江畔山崖高峻奇险，如刀砍斧凿一般，仿佛是大禹治水之时，开凿山崖泄洪留下的。

[2]贻：遗留，赠送。道门旧：道门旧友，指深上人。

[3]水性清静，石亦无声，二者相激，却发出雷鸣一般的响声，形象地阐释了佛教的"缘起性空"的理论，"缘起"是说世间一切事物，都由种种因缘（内因与外缘）和合而生，"性空"是说由种种因缘合成的事物，其性本空，无有真实的自体。

《东林寺酬韦丹刺史[1]》

[唐]灵澈[2]

年老心闲无外事，麻衣草座亦容身。相逢尽道休官[3]好，林下何曾见一人[4]。

【注释】

[1]韦丹：唐代名臣，字文明，大书法家颜真卿的外孙，曾任容州刺史等职，廉洁公正，政绩斐然，后遭诬陷革职，不久含冤去世，唐宣宗考察历代功臣，韦丹被推为功臣第一人，方得平反。唐代范摅《云溪友议》记载，灵澈居洪州大悲寺和庐山东林寺时，韦丹时任江南西道观察使兼洪州刺史，两人结为忘形之交，时有诗歌唱和。一次，韦丹寄诗给灵澈，表达了退官归隐之意，灵澈深有感触，回复此诗作答。

[2]灵澈(约746~816)：中唐律宗僧人，俗姓汤，字源澄，会稽(今江苏苏州)人。《宋高僧传》称其"禀气贞良，执操无革，而吟咏性情尤见所长"，与刘禹锡、刘长卿等文人交往甚密，时有唱和，享誉诗坛。

　　[3]休官：辞去官职。

　　[4]诗的第二联流传广远，几成俗谚，其他诗人亦多有模仿，罗虬《比红儿诗》即有"十年东北看燕赵，眼冷何曾见一人"。可惜多数人并不知道句子的来源，直到宋代，诗的作者才渐渐明晰起来，胡仔《苕溪渔隐丛话》引欧阳修《集古录》云："'相逢尽道休官好，林下何曾见一人！'俗相传以为俚谚。庆历中，许元为发运使，因修江岸，得斯石(灵澈此诗之刻石)于池阳江水中，始知为灵澈诗也。"

《闻李处士[1]》

[唐]灵澈

　　时时闻说故人死，日日自悲随老身。白发不生应不得，青山长在属何人[2]。

【注释】

　　[1]处士：本指有才德而隐居不仕的人，亦泛指没做过官的士人。

　　[2]诗人将"不得不生"的白发与万年长在的青山相对比，凸显出人生的无常。

《答僧偈》(二首)

[唐]法常[1]

摧残枯木倚寒林,几度逢春不变心。樵客遇之犹不顾,郢人[2]那得苦追寻。

一池荷叶衣无尽,数树松花食有余。刚被世人知住处,又移茅舍入深居。[3]

【注释】

[1]法常(752~839):唐代禅僧。俗姓郑,湖北襄阳人,幼年出家,初于马祖道一处参学,觉悟后隐居大梅山静修,世称"大梅法常"。大梅山(浙江鄞县)位于浙江省鄞县东南四十公里,上有大梅树,是汉代著名隐士梅福曾居之地。

[2]郢人:郢(yǐng)是古代城邑名,《庄子·徐无鬼》说有个郢地之人,鼻尖上沾了点白灰,找来一个姓石的匠人帮他把白灰去掉,匠人抡起斧子,呼呼有风,把白灰全部削掉,鼻子却丝毫无伤,郢人亦面色如常。宋元君听说此事,请匠人再来表演一次,遭到拒绝。匠人说:"我确实曾经这样做过,但是郢人已经死了,再没有人能与我配合,帮助我施展技术了。"后世便以"郢人"比喻好友、知己。

[3]《五灯会元》记载,唐代贞元年间,盐官齐安禅师门下有个僧人,进入大梅山采木做拄杖,因迷路偶遇法常,上前问道:

56

"和尚在此多少时?"法常答:"只见四山青又黄。"又问:"出山路向甚(什)么处去?"法常说:"随流去。"僧人回去后禀告此事,盐官齐安说:"我在江西时曾遇见一位不凡的僧人,后来却不知消息,莫非就是他么?"遂令僧人去请法常出山相聚,法常婉言谢绝,以此二偈答之。《抚州曹山本寂禅师语录》称南州帅南平钟王闻曹山本寂禅师有道,派人用隆重的礼节邀请他,本寂不赴,写了法常的第一首偈交给使者。

《大林寺[1]桃花》

[唐]白居易[2]

人间四月芳菲[3]尽,山寺桃花始盛开。长恨春归无觅处,不知转入此中来。

【注释】

[1]大林寺:位于江西庐山的大林峰下,相传为东晋慧远的徒孙昙诜(361~440)创建,因昙诜于讲经台东南广植花木,繁茂如林,故名大林。

[2]白居易(772~846):字乐天,号香山居士,唐代著名诗人。祖籍太原,后迁居下邽(今陕西渭南东北)。贞元进士,历官秘书省教书郎、江州司马等。诗歌题材广泛,形式多样,语言平易通俗,与元稹常相常和,共同倡导新乐府运动,世称"元白"。

[3]芳菲:花草盛美之貌。

《题孤山寺山石榴花示诸僧众》

[唐]白居易

山榴花似结红巾,容艳新妍占断[1]春。色相故关行道地[2],香尘[3]拟触坐禅人。瞿昙弟子[4]君知否,恐是天魔女化身[5]。

【注释】

[1]占断:全部占有,占尽。

[2]色相:万物显现于外,可以眼见的形相。广义的"色"包括一切有形象,占有空间的物质,"色"之相貌形状就是"色相",并非专指人的容貌或者女色。行道:修道。

[3]香尘:带有香味的尘土,或指俗世的香气,亦是佛教"六尘"之一,与鼻根相对应。尘者,染污,谓其能染污情识,遮蔽真性,如尘土一般,佛教将色、声、香、味、触、法列为"六尘",分别由眼、耳、鼻、舌、身、意"六根"入人之身,扰乱蒙昧本性。

[4]瞿昙弟子:佛弟子。"瞿昙"又作"乔达摩",是印度"刹帝利"种中的一个姓,释迦牟尼俗家的本姓。"刹帝利"在印度"四种姓"中排名第二,掌握政治和军事权力,地位尊贵。

[5]"天魔"为欲界最高层——第六天的魔王,名波旬,他见人学佛,害怕自己的随从减少,便率眷属作乱障碍佛道,扰人修行。"天魔女"是天魔的女性眷属,多美艳诱人。这首诗同样是写花,却与上一首是完全不同的角度。

《正月十五日夜东林寺学禅，偶怀蓝田杨主簿，因呈智禅师》

[唐]白居易

　　新年三五[1]东林夕，星汉迢迢钟梵迟[2]。花县[3]当君行乐夜，松房[4]是我坐禅时。忽看月满还相忆，始叹春来自不知。不觉定中[5]微念起，明朝更问雁门师[6]。

【注释】

[1]新年三五：正月十五日。

[2]星汉：天河，银河。迢迢：遥远之貌。钟梵：钟声、梵呗(歌咏唱赞，或配合曲调诵经)，俱为佛寺中常闻之音。

[3]花县：县的美称。西晋潘岳任河阳令，于县中遍种桃李，传为美谈，人称"河阳一县花"。

[4]松房：周围植松的房舍，多为僧人住地。

[5]定中：入于禅定之中，应将心定止于一境，不使生起别的念头。

[6]雁门师：佛门师父，此处当指智禅师。佛的三十二相中有"指间缦网相"，谓手足指间有缦网交络，张指则现，不张则不现，如雁如鹅，故称佛为"雁王"，佛门即是"雁门"。

《和李澧州题韦开州经藏诗》

[唐]白居易

　　既悟莲花藏,须遗贝叶书[1]。菩提无处所,文字本空虚。观指非知月[2],忘筌是得鱼[3]。闻君登彼岸,舍筏[4]复何如。

【注释】

　　[1]贝叶书:佛经。贝叶指贝多罗树叶,印度人常将佛经书写在这种树叶上。

　　[2]观指非知月:"指月"为佛教著名譬喻。《楞严经》卷二:"如人以手指月示人,彼人因指,当应看月,若复观指,以为月体,此人岂唯亡失月轮,亦亡其指。"谓有人用手指指月亮给别人看,对方却"观指不观月",错将手指当成了月亮。"月"好比佛法,"指"比喻传法的工具、途径,诸经论中多以"指月"警示对文字、名相等"工具"的执著。

　　[3]忘筌是得鱼:见韦应物《赠琮公》注释。

　　[4]舍筏:结筏渡河,到达彼岸后便该丢弃筏子。佛门中用筏比喻佛法,《金刚般若波罗蜜经》云:"如来常说:'汝等比丘,知我说法,如筏喻者,法尚应舍,何况非法。'"既至涅槃彼岸,佛法尚且应当舍去,他物自不待言,以此破除对于佛法及他物的执着。

《赠药山高僧惟俨[1]二首》

[唐]李翱[2]

练得身形似鹤形[3]，千株松下两函经。我来问道无余说，云在青天水在瓶[4]。

选得幽居惬野情，终年无送亦无迎[5]。有时直上孤峰顶，月下披云笑一声[6]。

【注释】

[1]药山惟俨(751~834)：唐代著名禅僧。绛州(今山西新绛)人，俗姓韩。17岁出家，后谒石头希迁、马祖道一，得大悟。尝住湖南沣州的药山，四众云集，宗风大振，太和八年(834)示寂，世寿84(一说太和二年十二月示寂，世寿70)，敕谥"弘道大师"。

[2]李翱(772~841)：唐代思想家、文学家。字习之，陇西成纪(今甘肃天水)人，贞元十四年(798)进士，官至山南东道节度使、检校户部尚书。他娶了韩愈的侄女为妻，与韩愈过从甚密，是唐代"古文运动"的重要成员，其"复性说"更开后世理学之先河。他曾撰《去佛斋论》批评佛教，却又与药山惟俨等僧人有所交往。

[3]鹤形：鹤的形态，形容人似仙鹤一般清瘦俊逸，风度不凡。

[4]《景德传灯录》记载，李翱前来拜谒惟俨禅师，问："如何是道？"禅师用手指指上下，说："会么？"李翱答："不会。"惟俨说："云在天，水在瓶。"李翱欣悦满足，恭敬顶礼，并作本诗。禅宗讲究"不立文字，以心传心"，惟俨禅师因李翱不能领悟，无奈做出"云在天，水在瓶"的提示，云在天际，水在瓶中，形式不一，本质却没有分别，地位不同，却都是任运自如，安然自在。大道亦如此，天上地下，无处不在，包含众形，与万物合一。

[5]送、迎指送往迎来一类尘俗的应酬之事。

[6]同据《景德传灯录》，李翱又问："如何是戒、定、慧？"惟俨禅师说："贫道这里无此闲家具。"李翱不明其旨，禅师曰："太守欲得保任此事，直须向高高山顶坐，深深海底行，闺阁中物舍不得，便为渗漏。"禅师一夜登山经行，因云开见月而大笑一声，周围九十多里的居民都听到了，第二天早上询问到药山，徒众云："昨夜和尚山顶大笑。"惟俨禅师"选得幽居惬野情"，摆脱了世俗困扰，以及种种佛教戒律的束缚，将"高高山顶坐，深深海底行"的修行变为现实。云开见月，象征妄念散去，显出妙明真心，禅师找到自然与佛法的共鸣，更将自己完全融入自然，和王维的"独坐幽篁里，弹琴复长啸。深林人不知，明月来相照"有异曲同工之妙。

《戏赠灵澈上人》

[唐]吕温[1]

僧家亦有芳春兴，自是禅心无滞境[2]。君看池水湛然时，何曾不受花枝影[3]。

【注释】

[1]吕温(约772~811):字和叔,一字化光,唐河中(今山西永济)人。贞元末登进士,得王叔文重用,任左拾遗。曾被派出使吐蕃,滞留经年,没有参与王叔文发动的"永贞革新",王叔文失势后亦未受牵连。元和三年(808)秋,因与宰相李吉甫有隙,贬道州刺史,后徙衡州,世称"吕衡州"。《旧唐书》称其"天才俊拔,文彩赡逸,为时流柳宗元、刘禹锡所称",有《吕衡州集》。

[2]无滞:没有障碍滞留,通行无阻。

[3]禅宗以"无念"为宗,《六祖坛经》云:"何名无念?若见一切法,心不染着,是为无念。用即遍一切处,亦不着一切处。但净本心,使六识出六门,于六尘中无染无杂,来去自由,通用无滞,即是般若三昧,……""无念"并非隔绝万物,而是要使心识"来去自由,通用无滞",见一切法、遍一切处全都来去自由,不带丝毫的缠绵执著,亦不影响自身的清净本质。恰如池水映出花枝的影子,却依旧澄澈湛然。

《听僧吹芦管[1]》

[唐]薛涛[2]

晓蝉鸣咽暮莺愁,言语殷勤十指头。罢阅梵书聊一弄,散随金磬泥清秋[3]。

【注释】

[1]芦管：芦笳，古代的一种管乐器，以芦叶为管，管口有哨簧，管面有音孔，下端范铜为喇叭嘴状，吹时用指启闭音孔，以调音节。

[2]薛涛(约768~832)：唐代女诗人。字洪度，长安(今陕西西安)人，随做官被贬的父亲迁居四川成都，父亲早亡，薛涛迫于生活加入乐籍，据说与韦皋、元稹有过恋情，后脱乐籍，终身未嫁。她曾自己制作桃红色小笺用来写诗，后人仿制，称"薛涛笺"。一生作诗五百多首，九十余首流传至今，是"蜀中四大才女"之一。

[3]金磬：金磬之声。"磬(qìng)"是古代的一种打击乐器，状如曲尺，用玉、石或金属制成，悬挂于架上，击之则鸣。泥：有装点之意。芦管与磬声相伴，共同构成清秋时节萧瑟空明的境界。

《杏园》

[唐]元稹[1]

浩浩长安车马尘，狂风吹送每年春。门前本是虚空界，何事栽花误世人。

【注释】

[1]元稹(779~831)：字微之，河南(今河南洛阳)人，唐朝著名诗人。幼年家贫，后中进士，历官左拾遗、监察御史等。因得

罪宦官与守旧官僚而遭到贬斥,后转而依附宦官。

诗风艳丽浅近, 与白居易常相唱和, 共同倡导新乐府运动,世称"元白""元轻白俗",有《元氏长庆集》。

《智度师二首》

[唐]元稹

四十年前马上飞,功名藏尽拥禅衣。石榴园下擒生[1]处,独自闲行独自归。

三陷思明三突围[2],铁衣抛尽衲禅衣[3]。天津桥[4]上无人识,闲凭栏干望落晖[5]。

【注释】

[1]擒生:生擒(敌人)。

[2]"思明"即史思明,与安禄山同为"安史之乱"的领导者。诗句说当年的智度师英勇善战,曾三次从安史叛军中突围出来。

[3]铁衣:古人打仗时穿的战衣,多由铁片制成,故名。"衲"在此做动词,意为补缀。详见《世间何事最堪嗟》注释[3]。

[4]天津桥:古浮桥名,旧址在今河南洛阳市西南。隋炀帝大业元年迁都,以洛水比照天上的银河,并在河上建桥,取名"天津",意为"天河津梁",隋末战争中被毁。唐代在原址上重建,是洛阳城中游人如织的繁华景点。

[5]元稹笔下的智度师，想必曾是一位骁勇善战的武将，现在却甘愿抛却旧日功勋，做一名平凡的僧人。

《鱼鼓[1]颂》

[唐]从谂[2]

四大由来造化功，有声全贵里头空。莫嫌不与凡夫说，只为宫商调不同。

【注释】

[1]鱼鼓：木鱼的别称。佛教常用法器，以木制成，内部空洞，叩之有声，据说因鱼昼夜张目，常醒不眠，故以木刻其形叩击，提醒修行者勿存懈怠之心。鱼鼓分两种，一是团圆形，二首一身之龙，龙头相向，共衔一珠，多在诵经中使用；一是长鱼形，悬挂于长廊中，做集合大众之用，又名"鱼梆"。

[2]从谂(778~897)：唐代禅僧，南泉普愿法嗣。俗姓郝，曹州郝乡(今山东曹县西北)人，法号从谂。幼时出家，未受戒时便赴池阳(今安徽省池州市)参南泉普愿，深得器重，复往嵩山琉璃坛受戒，之后重回南泉普愿身边，依止二十年。八十岁时，应众之请住赵州(今河北赵县)观音院，世称"赵州从谂"。四十年间，大行教化，促进了禅宗在北方地区的发展，留下多则脍炙人口的公案故事。昭宗乾宁四年示寂，世寿一百二十，敕谥"真际大师"。

《金佛不度炉》

[唐]从谂

金佛不度炉,木佛不度火。泥佛不度水,真佛内里坐[1]。

【注释】

[1]说明佛像并不是真佛,任何材质的佛像都会在一定的条件下毁灭,唯有内心的佛性常住身中,永不变坏。

《十二时[1]歌》

[唐]从谂

鸡鸣丑,愁见起来还漏逗[2]。裙子褊衫[3]个也无,袈裟形相些些有。裈[4]无腰,裤无口,头上青灰三五斗。比(原作"北")望[5]修行利济人,谁知变作不唧溜[6]。

平旦[7]寅,荒村破院实难论。解斋粥米全无粒,空对闲窗与隙尘。唯雀噪,勿人亲,独坐时闻落叶频。谁道出家憎爱断,思量不觉泪沾巾。

日出卯,清净却翻为烦恼。有为功德被尘幔[8],无限田地未曾扫。攒眉多,称心少,叵耐[9]东村黑黄老。供利不曾将得来,放驴吃我堂前草。

食时辰,烟火徒劳望四邻。馒头槌子[10]前年别,今日思量空咽津[11]。持念[12]少，嗟叹频，一百家中无善人。来者只道觅茶吃，不得茶嗔[13]去又瞋。

禺中[14]已，削发谁知到如此。无端被请作村僧，屈辱饥凄受欲死。胡张三，黑李四，恭敬不曾生些子。适来忽尔到门头，唯道借茶兼借纸。

日南午，茶饭轮环无定度[15]。行却南家到北家，果至北家不推注[16]。苦沙盐，大麦醋，蜀黍米饭薑莴苣。唯称供养不等闲[17]，和尚道心须坚固。

日昳未[18]，这回不践光阴地。曾闻一饱忘百饥，今日老僧身便是。不习禅，不论义，铺个破席日里睡。想料上方兜率天[19]，也无如此日炙背。

晡[20]时申，也有烧香礼拜人。五个老婆三个瘿[21]，一双面子黑皱皱[22]。油麻茶，实是珍，金刚不用苦张筋[23]。愿我来年蚕麦熟，罗睺罗儿[24]与一文。

日入[25]酉，除却荒凉更何守。云水高流定委无，历寺沙弥镇长有[26]。出格言[27]，不到口，枉[28]续牟尼子孙后。一条拄杖粗梨藜[29]，不但登山兼打狗。

黄昏戌，独坐一间空暗室。阳焰灯光永不逢，眼前纯是金州漆[30]。钟不闻，虚度日，唯闻老鼠闹啾唧。凭何更得有心情，思量念个波罗蜜[31]。

人定[32]亥，门前明月谁人爱。向里惟愁卧去时，勿个衣裳着甚盖。刘维那[33]，赵五戒[34]，口头说善甚奇怪。任你山僧囊罄空[35]，问着都缘总不会[36]。

半夜子，心境何曾得暂止。思量天下出家人，似我住持能有几。土榻床，破芦[37]废，老榆木枕全无被。尊像不烧安息香[38]，灰里唯闻牛粪气。

【注释】

[1]古人将一昼夜平分为十二个时辰,以十二地支(子、丑、寅、卯、辰、巳、午、未、申、酉、戌、亥)命名,一时辰相当于现在的两个小时。子时是晚上23点到凌晨1点,丑时是凌晨1点到3点,依此类推。十二时辰皆有别称,反映了每个时辰中代表性的自然现象、人畜活动,例如丑时又叫"鸡鸣",卯时为"日出",辰时为"食时",古人常将二称连用,做"鸡鸣丑""日出卯""食时辰"等,本歌即是如此。

[2]漏逗:疏漏,疏忽。

[3]褊衫:一种僧尼服装,开脊接领,斜披在左肩上,类似袈裟。

[4]裈(kūn):裤子的一种。

[5]比望:本来希望。

[6]不唧溜:不机灵,不聪明。

[7]平旦:清晨。

[8]慢:遮蔽。

[9]叵耐:亦作"叵(pǒ)奈",可恨,不可容忍。

[10]𥺝(duī):麻团一类的食品。

[11]津:津液,唾液。

[12]持念:受持、忆念正法。

[13]噇(chuáng):大吃大喝。

[14]禺中:将近中午的时候。

[15]无定度:没有着落。

[16]推注:推辞,拒绝。

[17]等闲:轻易,随便。

[18]昳(dié):太阳偏西,日落。"日昳未"指未到日落的时候。

[19]兜率天:天界的第四重,分内外两院,外院为欲界天,内院是"补处菩萨"(即将成佛者)的居处,今为"未来佛"弥勒菩萨净土,弥勒于此天宣说佛法,住此天满四千岁,将会下降人间成佛。

[20]晡(bū):傍晚,夜。

[21]老婆:泛称老年妇女。瘿(yǐng):囊状肿瘤,多生于颈部,这里指长着瘿的人。

[22]皴(cūn):肌肤粗糙或受冻开裂。

[23]张筋:耗费筋力。

[24]罗睺罗是佛陀的儿子,也是佛十大弟子之一,以"密行第一"著称。此处禅师以佛陀自居,说与他一文的是罗睺罗"儿",表现了对村人的轻蔑。

[25]日入:太阳落下去。

[26]云水:云与水,亦指云游四方之人。镇长:经常。本联说云游天下的高僧不会久留,寺中常有的是平庸无为的沙弥。

[27]出格言:独具一格,超群出众的见解、言论。

[28]柱:徒然,白费。

[29]梾(là):木名。藜(lí):草本植物,老茎可做成手杖,质轻而坚实。

[30]金州漆:漆黑一团。

[31]波罗蜜:梵语音译,又作"波罗蜜多",意译为事究竟、

70

度无极、到彼岸,谓菩萨之大行能究竟一切自利利他之事,度诸法之广远,乘此大行能由生死之此岸到涅槃之彼岸。大乘佛教中,菩萨欲成佛道须行"六波罗蜜"——布施、持戒、忍辱、精进、禅定、智慧。

[32]人定:夜深人静时。

[33]维那:寺院中统理诸僧杂事、庶务的人。

[34]五戒:五戒是信佛的在家男女受持的五种基本戒条,这里指受持五戒的人。

[35]罄(qìng)空:尽空,多指财物。

[36]说刘维那、赵五戒等人不肯布施山僧,问起来佯装不知。

[37]芦:芦席,芦苇编成的席子。

[38]安息香:一种香料,由安息香树的树脂汁块制成,多产于印度、苏门答腊等地。

《无处青山不道场》

[唐]佚名禅师

无处青山不道场,何须策杖礼清凉[1]。云中纵有金毛现[2],正眼观时非吉祥[3]。

【注释】

[1]清凉:清凉山,五台山的别称。因山上常年积有坚冰,夏仍飞雪,无炎暑,故称清凉。

[2]金毛：金毛狮子，文殊师利菩萨的坐骑。五台山是文殊菩萨的道场，文殊菩萨与其眷属、诸菩萨众一万人俱，常在其中演说佛法。金毛狮子现于云中，说明文殊菩萨降临。

[3]《五灯会元》记载，赵州从谂禅师游五台山时，见一大德作此偈，从谂问曰："作么生（做什么才）是正眼？"大德无对。师自此道化被于北地，行脚至河北赵州，应众之请住观音院。

《观影元非有》

[唐]王梵志[1]

观影元非有，观身一是空。如采水底月，似捉树头风。揽之不可见，寻之不可穷。众生随业[2]转，恰似梦寐中[3]！

【注释】

[1]王梵志：隋唐诗人，生卒年月、具体事迹不详，诗多俚语俗事，浅显简明却蕴含佛理，颇受唐宋僧俗人士推崇，宋代之后作品渐渐散佚，近代才在敦煌文献中陆续发现写本。传说他从林檎树的巨大树瘿中出生，被树的主人、隋代卫州黎阳（今河南浚县）人王德祖抚养长大，遂沿用其姓氏籍贯，初名梵天，后改梵志，七岁始能言语，是菩萨显化。

[2]业：佛教把人的一切思想行为统称为"业"，又因业的善正邪好坏而分为"善业"和"恶业"，善业能够感召"善果"，也就是好的结果，反之亦然。

[3]众生未觉悟时，不断造作诸业，感召不同的果报，投生

"六道"中的某一道,经历生、老、病、死,流转不息,一旦开悟,明白世间万物均为四大假合,赖因缘际会而生,本质如影、水底月、树头风一般空虚不实、稍纵即逝,"业"也不例外。回头再看众生因造业而流转生死,又在六道中不断造业,轮回不息的过程,恍若一梦,正如《金刚经》结尾的偈语所言:"一切有为法,如梦幻泡影。如露亦如电,应作如是观。"

《梵志翻着袜》

[唐]王梵志

梵志翻着袜[1],人皆道是错。乍可刺你眼,不可隐我脚[2]。

【注释】

[1]翻着袜:反穿着袜子。

[2]隐:受伤,痛苦。旧时袜子以布缝制而成,一面光洁平整,一面布料粗糙,还藏着线头、针脚,人们为了美观,都将粗糙的一面穿在里头,不顾自己脚的感受。梵志反其道而行之,宁可让他人看不惯,也不让自己的脚受伤。世人皆言其错,却不知正、反、里、外、美、丑……世间一切的"二元对立",都是人为的割裂分别,本是一体,有何对错可言?

《我不乐生天》

[唐]王梵志

我不乐生天[1]，亦不爱福田[2]。饥来一钵[3]饭，困来展脚眠。愚人以为笑，智者谓之然。非愚亦非智，不是玄中玄。[4]

【注释】

[1]生天：投生"天道"，成为"天人"。天人居于清净高远的天界，在"六道"之中地位最尊，拥有很长的寿命，很大的神通和非常优越的生活条件。

[2]福田：众生布施供养三宝，或做其他善事能得到福报，犹如农夫在田地中播下微小的种子，秋季便可收获大量的果实，故称"福田"。

[3]钵：又作钵盂，是僧尼常用的食器。圆形、平底，整体稍扁，由铁、陶土等制成，颜色大小均有定制。僧尼出外化缘时，以手托钵来接受他人的饮食。

[4]天人没有脱离六道轮回，寿命虽长，却也有结束的一天，会在寿命将尽时现"天人五衰"之相。天人若不明因果，造恶耗尽福报，同样会在死后投生其他道中，甚至堕落下三涂。人多将投生天作为修行目的，殊不知此中真相，故称其愚。智者不乐"生天"，却没有消除对"智"与"愚"的执着，只有"非愚亦非智"，超脱一切分别计较，长抱"饥来一钵饭，困来展脚眠"的平常心，才是生活与修行的真谛。

《一住寒山万事休》

[唐]寒山[1]

一住寒山[2]万事休,更无杂念挂心头。闲书石壁题诗句,任运还同不系舟[3]。

【注释】

[1]寒山:唐代隐士,姓名不详,居于浙江天台始丰县西七十里的寒岩幽窟中,遂得名寒山。平日衣衫褴褛,面貌枯瘁,特立独行,世人谓之"贫子""风狂之士",与国清寺僧丰干、拾得相善。寒山好吟诗唱偈,语言通俗直白,多含佛理,后人集其作品三百余首,编成《寒山诗》,流传广泛,被视为唐代白话诗的主要代表。亦有学者认为寒山是一个诗僧群体,并非一具体人物。

[2]句中的"寒山"可能指寒岩,诗人平日栖身的地方。《宋高僧传》谓寒山"隐天台始丰县西七十里,号为寒、暗二岩"。

[3]任运:指随顺诸法的自然运动,不加入人为的造作干涉。不系舟:见《咏怀诗》注释[4]。

《世间何事最堪嗟》

[唐]寒山

世间何事最堪嗟[1],尽是三途[2]造罪楂。不学白云岩下客,一条寒衲[3]是生涯。秋到任他林落叶,春来从你树开花。三界横眠闲无事,明月清风是我家[4]。

【注释】

[1]嗟:叹息,感叹。

[2]三途:又作"三涂",指血途、刀途、火途,是畜生、饿鬼、地狱"三恶道"的别名。血途指畜生道,因畜生常相互撕咬,或被刀割流血;刀途指饿鬼道,因饿鬼常不得饮食,或遭刀剑棍杖相逼;火途指地狱道,因地狱多建在极寒极热之处,众生饱受冰冻之苦或猛火烧煎。

[3]衲:衲衣的简称,后泛指僧衣。"衲"本义为补缀,僧人少欲知足,拾取他人丢弃的破旧衣服、布料等,拼接缝补成衣服穿着,遂名"衲衣",亦作"百衲衣",形容补缀之多。

[4]本诗体现了寒山理想的修行方式,与王梵志的《我不乐生天》旨趣如出一辙。

《众星罗列夜明深》

[唐]寒山

众星罗列夜明深,岩点孤灯月未沈。圆满光华不磨莹[1],挂在青天是我心。

【注释】

[1]磨莹:磨治光亮。诗人用天空中极致圆满光华,无须任

76

何打磨的月亮比喻自心,以及自心本具的佛性,亦有其他作品表达了同样的主旨,例如:千年石上古人踪,万丈岩前一点空。明月照时常皎洁,不劳寻讨问西东。寒山顶上月轮孤,照见晴空一物无。可贵天然无价宝,埋在五阴溺身躯。

《鹿生深林中》

[唐]寒山

鹿生深林中,饮水而食草。伸脚树下眠,可怜[1]无烦恼。系之在华堂[2],肴膳极肥好。终日不肯尝,形容转枯槁。

【注释】

[1]可怜:可喜,可美。

[2]华堂:华美的殿堂。

《蒸砂拟作饭》

[唐]寒山

蒸砂拟作饭[1],临渴始掘井[2]。用力磨碌砖,那堪将作镜[3]。佛说元平等,总有真如[4]性。但自审思量,不用闲争竞[5]。

【注释】

[1]蒸砂拟作饭:语出《楞严经》,谓蒸沙石,欲其成饭,不论

蒸多久,得到的也只有热沙。

[2]临渴始掘井:感到口渴才开始挖井,比喻平时不做准备,事到临头才想办法。

[3]磨砖、作镜:典故出自《景德传灯录》,谓研磨砖瓦,想要做成镜子。与"蒸砂作饭"类似,常比喻不能认清事物的本质,或一开始就沿着错误的方向努力,终是徒劳无功。

[4]真如:真,真实不虚;如,如常不变。诸法实相,即宇宙万有的本体,恒常如此,不变不异,不生不灭,不增不减,不垢不净,即无为法。亦即一切众生的自性清净心,亦称佛性、法身、如来藏、实相、法界、法性、圆成实性等。

[5]争竞:争执、计较,或为名利而奔走争胜。

《不见朝垂露》

[唐]寒山

不见朝垂露[1],日烁[2]自消除。人身亦如此,阎浮是寄居[3]。切莫因循[4]过,且令三毒[5]祛。菩提即烦恼[6],尽令无有余[7]。

【注释】

[1]朝垂露:同"朝露",早晨的露水。

[2]烁:闪耀,照射。

[3]阎浮:亦作"阎浮提",须弥山南方大洲名,是人居住的地方。寄居:寄住在他乡或别人家里,此处表明人身短暂易逝,阎浮世界并非人的永恒居所。

[4]因循:疏懒,怠惰,闲散。

[5]三毒:贪、嗔、痴,即贪欲(执着于凡俗欲望,贪得无厌)、嗔恚(恼怒、怨恨)、愚痴(心性迷暗迟钝,无明无智)三种烦恼。佛教认为所有的烦恼皆是毒,而这"三毒"是其他一切烦恼的根源,会严重损害众生身命及修行解脱。

[6]菩提:梵语 bodhi 的音译,意为觉、智、知、道,即断绝世间烦恼、成就涅槃的智慧。佛之菩提为无上究竟,故称阿耨多罗三藐三菩提,译为"无上正等正觉"。

[7]有余:指对于事理等的诠释没有究竟至极,尚有余存未尽之处。诗人相信"菩提即烦恼",对于菩提的执着亦是一种烦恼,也应该断除,才算达到彻底"无有余"的境界。

《欲识生死譬[1]》

[唐]寒山

欲识生死譬,且将冰水比。水结即成冰,冰消返成水。已死必应生,出生还复死。冰水不相伤,生死还双美[2]。

【注释】

[1]譬(pì):譬喻,即比喻、比方,使用实例、寓言等对抽象的教义加以说明,使之更容易理解。

[2]冰与水存在形式不一,本质却没有任何差别,更可以在一定的条件下相互转化,诗人借之说明生死轮回的真相。

《自古多少圣》

[唐]寒山

自古多少圣,叮咛教自信[1]。人根性[2]不等,高下有利钝。真佛不肯认,置功枉受困。不知清净心,便是法王[3]印。

【注释】

[1]教自信:教导人要相信自己。

[2]根性:指众生本具的禀性、特质,众生之本性可生善恶诸业,犹植物之根为能生发花果,故曰"根性"。

[3]法王:佛之尊称,因佛为法门之主,能自在教化众生。

《常闻汉武帝》

[唐]寒山

常闻汉武帝,爱及[1]秦始皇。俱好神仙术,延年竟不长。金台[2]既摧折,沙丘[3]遂灭亡。茂陵与骊岳,今日草茫茫。

【注释】

[1]爱及:以及,以至于。"爰(yuán)"在此为助词,起调节语气的作用,无实在意义。

[2]金台:指黄金台,又称金台、燕台。故址在今河北省易县

东南北易水南,相传为战国燕昭王筑,置千金于台上,延请天下贤士,故名。

[3]沙丘:古地名,在今河北省广宗县西北大平台,相传殷纣在此广筑苑台,作酒池肉林,淫乐通宵;战国时赵武灵王被围,饿死于沙丘宫;秦始皇巡视途中病逝于沙丘平台。

《无去无来本湛然》

[唐]拾得[1]

无去无来本湛然[2],不拘内外及中间。一颗水精绝瑕翳[3],光明透满出人间。

【注释】

[1]拾得:唐代僧人,姓名不详。幼时被丰干禅师(详见《寒山住寒山》注释[1])从赤城道中捡回,以为无家弃儿,遂取名"拾得",由国清寺僧抚养长大。平日在厨房中洗濯器皿,言行癫狂,与寒山为友,常收僧众的菜滓残食,盛于竹筒中,待寒山来时同负之而去。宋僧释大观有《拾得收菜滓赞》:"一机不副,截断千差。瓶泻妙答,缀齿粘牙。何如在国清寺进而,偷佛饭食菜滓。"今传《寒山集》中,附有拾得偈语若干首。

[2]湛然:清澈之貌。

[3]瑕翳:玉的瑕疵、斑痕、黑点,比喻事物的缺点、毛病。诗歌以清澈无瑕,光明遍照的水精比喻本自具足的佛性,与寒山的《众星罗列夜明深》如出一辙。

《左手握骊珠》

[唐]拾得

左手握骊珠[1]，右手执慧剑[2]。先破无明[3]贼，神珠自吐焰。伤嗟愚痴[4]人，贪爱[5]那生厌。一堕三途间，始觉前程险。

【注释】

[1]骊珠：骊龙是传说中的一种黑龙，颌下有珍贵的宝珠，名"骊珠"，比喻珍贵的人或物。

[2]慧剑：喻指高妙的智慧，谓其如利剑，能斩断所有的烦恼魔障。

[3]无明：暗钝之心无照见诸法事理之明，一种愚痴无智的状态。

[4]愚痴：心性迷暗迟钝，无明无智，惑于凡尘事理，不得做出正确的判断，无法出离烦恼，是佛教"三毒"之一。

[5]贪爱：贪恋世间的种种欲望，执着难舍，以致受诸苦恼，辗转生死。

《常饮三毒酒》

[唐]拾得

常饮三毒酒，昏昏都不知。将钱作梦事，梦事成铁围[1]。以苦欲舍苦，舍苦无出期。应须早觉悟，觉悟自归依。

【注释】

[1]铁围：佛教之世界观以须弥山为中心，其周围共有八山八海围绕，最外侧为铁所成之山，称铁围山。即围绕须弥四洲外海之山。或谓大中小三千世界，各有大中小之铁围山环绕。

《得此分段身》
[唐]拾得

得此分段身[1]，可笑好形质。面貌似银盘，心中黑如漆。烹猪又宰羊，夸道甜如蜜。死后受波咤[2]，更莫称冤屈。

【注释】

[1]分段身：分段生死之身。"分段"为区别之意，凡夫轮回六道，因所受果报不同而投胎到不同的身体中，寿命、形体等多有差别，故称"分段生死"，其身为"分段身"。

[2]波咤(zhà)：苦难，折磨。

《无事闲快活》
[唐]拾得

无事闲快活，唯有隐居人。林花长似锦，四季色常新。或向岩间坐,旋瞻见桂轮[1]。虽然身畅逸,却念世间人[2]。

【注释】

[1]桂轮:月亮。

[2]许多禅诗表现的都是自己的所思所为,"独善其身"的意味很浓,拾得却没忘"兼济天下","念世间人",体现出大乘佛教的普度思想。

《寒山住寒山》

[唐]拾得

寒山住寒山,拾得自拾得。凡愚岂见知,丰干[1]却相识。见时不可见,觅时何处觅。借问有何缘,却道无为力。

【注释】

[1]丰干:又作"封干",唐代天台山国清寺僧人。身长七尺余,剪发齐眉,着布衣,白日舂米供众僧粥食,夜则吟咏不辍,言语无准,多以"随时"二字答人之所问。曾口唱道歌,乘虎直入松门,众僧惊惧,自此遂为众所崇重,与寒山、拾得相善,世称"国清三隐"。丰干云游时,遇将任台州太守的闾丘胤,询问国清寺是否有贤达的僧人,丰干告诉他寒山和拾得就是文殊、普贤菩萨的化身。闾丘胤到任后,来到国清寺,对着正在厨房里干活的寒山、拾得便拜,二人笑曰"丰干饶舌",扬长离去,遁入寒岩。后人便以"丰干饶舌"比喻多嘴、唠叨,却也说明

丰干发现了寒山与拾得的真正身份——文殊与普贤菩萨的化身。

《我诗也是诗》

[唐]拾得

我诗也是诗,有人唤作偈[1]。诗偈总一般,读时须子细[2]。缓缓细披寻[3],不得生容易[4]。依此学修行,大有可笑事。

【注释】

[1]偈:佛典中的一种有韵文辞,通常以四句为一首,富声韵节奏之美,与我国传统的诗歌有相通之处。

[2]子细:同"仔细"。

[3]披:翻开,翻阅。寻:考索,探求。

[4]容易:犹言轻慢放肆。拾得要人仔细研读思考他的诗,不得升起轻慢放肆之心。

《凌雪腊梅》

[唐]希运[1]

尘劳迥脱事非常[2],紧把绳头做一场。不是一番寒彻骨,争得梅花扑鼻香?

[1]希运(？~850)：唐代僧人。福州闽县人，姓氏不详。聪慧博学，相貌殊异，额肉隆起肉珠，幼年出家于洪州黄檗山，人称"黄檗希运"。后受人启发赴洪州谒百丈怀海，大开心眼，得百丈所传心印，声誉弥高。河东节度使裴休镇宛陵，建寺，迎请说法，以师酷爱旧山，故凡所住山，皆以黄檗称之。大中四年示寂，年寿不详。谥号"断际禅师"。

[2]尘劳：烦恼的异名，烦恼会染污真性，故称"尘"，又会劳乱身心，增添疲惫烦恼，故曰"劳"。迥脱：彻底超脱。"迥"为副词，表示程度深，"甚"或"全"之义。全句说修行以求解脱是一件不平常的大事。

《塞上[1]宿野寺》

[唐] 雍陶[2]

塞上蕃僧老，天寒疾上关。远烟平似水，高树暗如山。去马朝常急，行人夜始闲。更深听刁斗，时到磬声间[3]。

【注释】

[1]塞上：边境地区，亦泛指北方长城内外。杜牧《江南春》云"千里莺啼绿映红，水村山郭酒旗风。南朝四百八十寺，多少楼台烟雨中"，使人感觉寺庙多建在温润的江南，其实在干冷的塞外边地，亦有不少佛寺存在。

[2]雍陶(约789~873)：字国钧，成都人，工于词赋。

[3]刁斗:古代行军用具,铜质,斗形有柄,白天作炊具,晚上击以巡更。此处当指晚间击打刁斗的声音,与有缘的钟磬声交织,别有一番滋味。

《闻释子栖玄欲奉道因寄》

[唐]许浑[1]

欲求真诀[2]恋禅扃[3],羽帔方袍尽有情[4]。仙骨[5]本微灵鹤远,法心潜动毒龙惊[6]。三山未有偷桃计,四海初传问菊名[7]。今日劝师师莫惑,长生难学证无生[8]。

【注释】

[1]许浑(约791~约858):晚唐著名诗人,字用晦,一作仲晦,润州丹阳(今属江苏)人,武后朝宰相许圉师第六代孙。文宗太和年间进士,历任润州司马、虞部员外郎,睦、郢二州刺史,晚年闲居润州丁卯桥村舍,自编《丁卯集》。诗皆近体,句法圆熟,多写到水,有"许浑千首湿"之讽。

[2]真诀:妙法,秘诀。

[3]扃,门闩一类的东西,古人关闭门户的工具。"禅扃"指佛寺之门,或者僧房。

[4]羽帔:羽毛制作的披肩,常为神仙或道士所用。方袍:僧人所穿的袈裟,因平摊为方形,故名。有情指有情识的众生,拥有感觉、情感、意识,不同于草木金石、山河大地等无情之物。此句说僧人道士同为有情众生,本质没有分别。

[5]仙骨:道教指成仙的资质。

[6]佛典中多有高僧以佛法制服毒龙的记载,人们亦常以
"毒龙"比喻贪、嗔、痴"三毒"以及其他障碍觉悟的妄念,王维
《过香积寺》中有"安禅治毒龙"。此句说人们多不具"仙骨",
无法以肉身修行得道,驾鹤登仙,却能用禅心消灭妄念,获得
觉悟。

[7]三山指蓬莱、方丈、瀛洲,传说中的海上三神山,上有仙
人及不死之药。偷桃也是古代神话,说王母娘娘的蟠桃三千年
一结果,吃下能长生不老,东方朔三次偷食,被贬人间。"问菊"
出自刘禹锡的《送义舟师却还黔南》:"如莲半偈心常悟,问菊
新诗手自携。"诗歌赞扬了义舟博学多才,使名不见经传的义
舟逐渐为人们所知。此句言神仙之事缥缈虚妄、遥不可及,僧
人的事迹真实切近、影响深远。

[8]最后一联点明创作主旨,劝栖玄不去奉道,继续学佛。

《题禅院》

[唐]杜牧[1]

舴艋船一棹百分空[2],十岁青春不负公[3]。今日鬓丝禅榻[4]畔,
茶烟轻飏落花风[5]。

【注释】

[1]杜牧(803~852):唐代诗人、散文家,字牧之,号樊川居
士。京兆万年(今陕西西安)人,名相杜佑之孙。太和进士,历

88

官监察御史,黄州、池州、睦州刺史中书舍人等职。晚年居长安南樊川别墅,着有《樊川文集》。诗作情思俊爽,有"小杜"之名,以区别于杜甫,与李商隐同为晚唐诗歌的代表人物,合称"小李杜"。

[2]觥船:亦作"觥舡",容量大的饮酒器。棹:船桨。

[3]首联是作者回想年轻时候,与朋友自在泛舟,尽情畅饮的情形。载酒泛舟一向被视为人间至乐,早在东晋,名士毕卓就说过:"得酒满数百斛船,四时甘味置两头,右手持酒杯,左手持蟹螯,拍浮酒船中,便足了一生矣。"

[4]禅榻:又称禅床,坐禅的席位。

[5]茶烟:沏茶时冒起的白雾。飏:飞扬,飘扬,吹起。如今的作者鬓发如丝,独居禅舍,不复当年的潇洒风流,却在茶烟袅袅、风吹落花中找到了宁静与安详,不能不说是禅修的功劳。

《百丈山》

[唐]李忱[1]

大雄[2]真迹枕危峦[3],梵宇层楼耸万般。日月每从肩上过,山河长在掌中看。仙峰不间三春秀,灵境何时六月寒。更有上方人罕到,暮钟朝磬碧云端。

【注释】

[1]李忱(chén)(810~859):庙号唐宣宗,唐朝第十八位皇帝。他是唐宪宗的儿子,唐武宗的皇叔,曾为避武宗的迫害而

出家。在位十三年，年号大中。唐宣宗勤于政事，为唐朝带来一段时间的安定繁荣，史称"大中之治"。

[2]大雄：佛之德号，因佛具大智力，能降伏魔障，如伟大的英雄一般，故称。我国寺院中的正殿一般称为大雄宝殿。

[3]危峦：险峻的山峦。

《示众偈》

[唐]智真[1]

心本绝尘何用洗，身中无病岂求医。欲知是佛非身处，明鉴[2]高悬未照时。

【注释】

[1]智真，扬州人，俗姓柳，谒章敬怀晖后自悟，后往福州长溪，受邑人之请于龟山开禅法，世称"龟山智真"。咸通六年（865）去世，谥"归寂禅师"。

[2]明鉴：明亮的镜子。

《值武宗澄汰偈[1]》

[唐]智真

敕命[2]如雷下翠微[3]，风前垂泪脱禅衣。云中有寺不容住，

90

尘里无家何处归？

明月分形处处新，白衣[4]宁坠解空人[5]。谁言在俗妨修道，
金粟曾为长者身。

忍仙林下坐禅时，曾被歌王割截支[6]。况我圣朝无此事，只
今休道亦何悲。

【注释】

[1]“澄汰”本意为澄去泥滓，汰除沙砾。“武宗澄汰”指唐
武宗会昌年间的灭佛运动。唐武宗李炎听信道士赵归真排毁
佛教之言，于会昌五年(845)下诏废佛，毁诸经像，废天下佛寺
四千余所，迫僧尼二十六万余人还俗，是我国佛教史上的几
次法难中规模最大的，史称“会昌法难”。本偈是有感于会昌
法难而作。

[2]敕命：帝王的诏令。

[3]翠微：指青翠掩映的山腰幽深处，泛指青山。

[4]白衣：指俗人，在家人。印度人以鲜白之衣为贵，除僧侣
之外皆着白衣。

[5]解空人：解悟万法皆空的人，得道高僧。

[6]《贤愚经》说，过去久远劫时，释迦牟尼为一仙人，与弟
子们在山林中修行忍辱。一日，国王歌利(歌王)带着群臣与女
眷们到山林中游玩，诸女见仙人端坐思惟，心生尊敬，遂坐其
前，听所说法。歌王见仙人与诸女共处，拔剑截断仙人的两手、
两脚、耳鼻，想试试仙人是否真能忍辱。仙人面色如常，说若自

己忍辱之心至诚不虚，则"血当为乳，身当还复"，言罢血化为乳，身体平复如故。歌王惭愧惊怖，忏悔己罪，并且常请"忍辱仙人"入宫中供养。

《偈》

[唐] 良价[1]

也大奇！也大奇！无情说法不思议[2]。若将耳听终难会，眼处闻时方可知[3]。

【注释】

[1] 良价(807~869)：唐代禅僧，曹洞宗初祖。俗姓俞，越州会稽(今浙江会稽)人，幼年出家，二十一岁受具足戒，遍参诸方，后因过水睹影而大悟。大中末年，在江西新丰山授徒传道，后盛化于洞山(江西宜春市宜丰县北部)，与弟子曹山本寂共倡五位君臣等说，宗风大振，世称"曹洞宗"。咸通十年二月圆寂，寿六十三，敕谥"悟本禅师"。

[2] 无情：草木金石、山河大地一类没有情识，不具备感觉、情感、意识的众生。《五灯会元》载，良价参谒云岩昙晟禅师，问："无情说法，该何典教？"云岩曰："岂不见《弥陀经》云，水鸟树林，悉皆念佛念法。"师于此有省，乃述此偈。《弥陀经》全称《佛说阿弥陀经》，是释迦牟尼称赞阿弥陀佛和西方极乐世界功德庄严，劝众生发愿往生彼国的经典，中有鸟、树演说佛法的内容：彼国常有种种奇妙杂色之鸟……是诸众鸟，昼夜六时

出和雅音,其音演畅五根、五力、七菩提分、八圣道分如是等法。其土众生闻是音已,皆悉念佛、念法、念僧。彼佛国土,微风吹动,诸宝行树及宝罗网出微妙音,譬如百千种乐同时俱作,闻是音者皆自然生念佛、念法、念僧之心。

[3]无情说法看来不可思议,却正体现了我国大乘佛教佛性周遍万物的理念,正所谓"青青翠竹,尽是法身,郁郁黄花,无非般若",亦如苏轼诗云:溪声便是广长舌,山色岂非清净身。夜来八万四千偈,他日如何举似人。

《过水睹影[1]》

[唐]良价

切忌从他觅,迢迢与我疏[2]。我今独自往,处处得逢渠。渠今正是我,我今不是渠[3]。应须恁么[4]会,方得契如如。

【注释】

[1]禅宗经典记载洞山良价"因过水睹影,大悟前旨",并述此偈。

[2]迢迢:道路遥远貌。疏:同"疏",疏远。

[3]渠:他,它。"渠今"一联从字面上看,说影子是我,而我不是影子,佛教谓世间的一切事物都在刹那生灭,片刻也不停住,这一论断早已得到现代科学的证明。影子被人的眼睛看到,映射到脑海中,虽然只经过很短的时间,人的身体细胞却已经发生了微妙的生长变化。所以说影子反映的是"我",但

"我"却不再是刚才的"我",不能被刚才的影子所反映。

[4]恁么:什么,怎么样。

《颂》(二首)

[唐]良价

学者恒沙无一悟,过在寻他舌头路。欲得忘形泯踪迹,努力殷勤[1]空里步。

嗟见今时学道流[2],千千万万认门头[3]。恰似入京朝圣主,只到潼关[4]即便休。

【注释】

[1]殷勤:关注,急切。

[2]学道流:学道的人。

[3]门头:本指家庭或者商户门口的牌匾等物,禅林中有看守山门,司掌开闭、清扫等工作的"门头行者"。此处指由师承关系形成的门户、派别。

[4]潼关:古关隘名,位于今陕西省潼关县东南。潼关在通往京师的路上,僧人借此说明若僵化地守着门户之见,便无法获得佛法的真谛。

《辞北堂[1]书》颂(二首)

[唐]良价

未了心源[2]度数春,翻嗟浮世谩逡巡[3]。几人得道空门里,独我淹留在世尘。谨具尺书[4]辞眷爱,愿明大法报慈亲。不须洒泪频相忆,譬似当初无我身。

岩下白云常作伴,峰前碧障[5]以为邻。免干世上名与利,永别人间爱与憎。祖意[6]直教言下晓,玄微[7]须透句中真。合门[8]亲戚要相见,直待当来证果因[9]。

【注释】

[1]北堂:母亲。本义为古代居室东房的后部,是妇女盥洗之所,代称主妇或母亲的居处,亦可代指母亲。

[2]心源:犹心性,佛教视心为万法之源,故称。

[3]逡巡:徘徊,滞留,迟疑,犹豫。

[4]尺书:书信,古代书籍信件刻写在竹木简牍上,规定长度为一尺,故名。

[5]障:遮蔽物,这里指山。

[6]祖意:禅门祖师之意,教外别传,不立文字,以心传心的禅旨。

[7]玄微:深远微妙的义理。

[8]合门:全家,全家族。

[9]当来:将来。"合门"一联说待证得因果至理之后再与全家亲戚相见。

《月中宿云居寺上方》

[唐]温庭筠[1]

虚阁披衣坐,寒阶踏叶行。众星中夜少,圆月上方明。霭[2]尽无林色,暄余有涧声。只应愁恨事,还逐晓光[3]生。

【注释】

[1]温庭筠(812~866):本名岐,字飞卿。太原祁(今山西祁县)人,晚唐著名诗人、词人。唐初宰相温彦博之后裔,文思敏捷,能八叉手而成八韵,有"温八叉"之称。但因恃才不羁,好讥刺权贵,多次举进士不第,终生不得志,官终国子监助教。诗歌辞藻华丽,浓艳精致,多写闺情,词作注重文采声情,成就更大,被尊为"花间派"鼻祖。

[2]霭(ǎi):云气,烟雾。

[3]晓光:清晨的日光。

《赠琴棋僧歌》

[唐]张瀛[1]

我尝听师法一说,波上莲花水中月。不垢不净是色空,无法无空亦无灭。我尝听师禅一观,浪溢鳌头蟾魄[2]满。河沙[3]世界尽空空,一寸寒灰冷灯畔。我又听师琴一抚,长松唤住秋山雨。弦中雅弄若铿金[4]，指下寒泉流太古[5]。我又听师棋一着，山顶坐沈红日脚。阿谁称是国手人[6]，罗浮道士赌却鹤，输却药。法怀斟下红霞丹，束手[7]不敢争头角。

【注释】

[1]张瀛：生卒年不详，约唐懿宗咸通初年(860)前后在世，仕广南刘氏，官至曹郎。

[2]蟾魄：月亮的别名。传说月中有蟾蜍，故常以"蟾"借指月亮、月光。

[3]河沙："恒河沙"之略，恒河是印度的一条大河，河中之沙数不胜数，比喻数量多得无法计算。

[4]铿金：音色铿锵，有金属声。

[5]"铿金"一联说禅师抚琴之音时而铿锵如金石，时而古雅清冽如寒泉。

[6]阿谁：疑问代词，犹言谁、某人。国手人：一国中某项技艺最为出众的人。

[7]束手：捆绑双手，表示停止抵抗。

《与临濡县行者》

[唐]智闲[1]

丈夫咄[2]哉！久被尘埋。我因今日，得入山来[3]。扬眉示我，因兹眼开[4]。老僧手风，书处龙钟。语下有意，的出樊笼[5]。

97

【注释】

[1]智闲(?~898):唐代禅僧,南岳派下沩山灵祐法嗣。青州(山东益都)人。遍参诸方,但未开悟,后入南阳武当山,居慧忠国师遗迹,一日扫除草木,闻瓦砾击竹之声,忽然省悟。住香严山弘扬禅风,世人称之香严禅师、香严智闲。光化元年示寂,谥号"袭灯禅师",遗有偈颂二百余篇。

[2]咄:表嗟叹。

[3]智闲禅师在临濡县遇到一位行者,感叹行者是位久被沉埋的大丈夫,因今日自己偶然入山才得相见。

[4]禅宗讲"言语道断",认为高深的禅理是言语不足以表达的,所以禅师们常用棒喝、扬眉、瞬目等言语之外的方式来交流或者启发学人。临濡县行者扬眉以示智闲,智闲开眼相对,在无言中勘验了对方的修为,达成深深的默契。

[5]的:确实,准定。"老僧"二句:智闲说自己年事已高,手不停颤抖,写下的偈颂也是"老态龙钟",但若临濡县行者能够领悟其中的意思,便可冲出樊笼,获得觉悟。

《本来照[1]》

[唐]智闲

拟心开口隔山河,寂默无言也被呵[2]。舒展无穷又无尽,卷来绝迹已成多[3]。

【注释】

[1]照:照见。智闲禅师有"三照语","本来照"是照见众生本来具有的自性。

[2]拟:揣度,推测。呵:责骂,呵斥。此二句说若用语言表达自性,则与真实面貌相距甚远,如隔山河一般,若将自性理解为"寂寞无言"同样错误,会受到祖师的呵斥,可见自性是超越语言表达层面的。

[3]"舒展"二句说自性若舒展开来,则周遍十方,无穷无尽,若收卷起来,却又了不可寻,用"绝迹"来形容尚显多余。

《寂照[1]》

[唐]智闲

不动如如[2]万事休,澄潭彻底未曾流[3]。个中正念常相续[4],月皎天心云雾收。

【注释】

[1]寂:寂静之意。"寂照"是照见自性寂静不动的特点。

[2]如如:如于真如之理,即永恒不变、平等不二,不起颠倒分别的绝对境界。

[3]全句说自性如澄清的潭水,未曾流动。

[4]个中:此中,其中。正念:正确的、与佛法相符合的念头,是佛教"八正道"之一。"个中"二句说若保持正念相续不断,则能排除干扰,彻见如如不动的真实自性,如云雾散去,皎洁明月高挂天心。

《常照》[1]

[唐]智闲

四威仪[2]内不曾亏,今古初无间断时。地狱天堂无变异,春回杨柳绿如丝[3]。

【注释】

[1]常:恒常不变。"常照"是照见自性恒常不变的特点。

[2]四威仪:指行、住、坐、卧皆具端庄、如法的仪态,不损威德,行如风、立如松、坐如钟、卧如弓,是僧尼必须遵守的。佛门有"三千威仪,八万细行",但都不出行、住、坐、卧四者,故特别提出。

[3]前三句说真实自性不会因为威仪动作的不同,从古到今时间的流逝,或者天堂地狱等地点环境的转换而有丝毫的改变。

《渔者》

[唐]贯休[1]

风恶波狂身似闲,满头霜雪背青山。相逢略问家何在,回指芦花满舍间。

【注释】

[1]贯休(832~912):唐末五代僧人。俗姓姜,字德隐,一字德远,婺州兰溪(浙江金华)人。七岁出家,精通禅理,且诗、画、书法兼善。所绘之水墨罗汉相貌古野,自言为梦中所见,篆隶草书亦独具风格,时称姜体,人称"唐之怀素",尝参谒吴越王钱镠、前蜀蜀主王建,均受礼遇。尝有句云:"一瓶一钵垂垂老,万水千山得得来。"故又称"得得来和尚"。干化二年示寂,世寿八十一。

《野居偶作》

[唐]贯休

高淡清虚即是家,何须须占好烟霞[1]。无心于道道自得,有意向人人转赊[2]。风触好花文锦[3]落,砌横流水玉琴斜。但令如此还如此,谁羡前程未可涯[4]。

【注释】

[1]烟霞:烟雾、云霞,泛指山水盛景、红尘俗世。

[2]赊:距离远。

[3]文锦:文彩斑斓的织锦。

[4]涯:边际、极限,此处为动词,有边际、有极限。

《乞食僧》

[唐]贯休

擎[1]钵貌清羸[2]，天寒出寺迟。朱门[3]当大路，风雪立多时。
似月心常净，如麻事不知。行人莫轻诮[4]，古佛尽如斯[5]。

【注释】

[1]擎(qíng)：举起，向上托。

[2]清羸(léi)：瘦弱困惫之像。

[3]朱门：刷着红漆的大门，是富贵人家的象征。杜甫《自京
赴奉先县咏怀五百字》："朱门酒肉臭，路有冻死骨。"

[4]轻诮(qiào)：轻蔑地嘲笑，讽刺。

[5]斯：指示代词，此、这样。

《闻迎真身[1]》

[唐]贯休

四海无波八表臣[2]，恭闻今岁礼真身。七重锁未开金钥，五
色光先入紫宸[3]。

丹凤楼台飘瑞雪，岐阳草木亚香尘[4]。可怜优钵罗花树[5]，
三十年来一度春。

【注释】

[1]"迎真身"当指唐懿宗咸通十四年(873)三月,迎送陕西法门寺的真身佛指舍利到皇宫中供奉。

[2]古人认为中国四境有东、南、西、北海环绕,是为"四海",后以之代称天下。"八表"意为八方之外,极远的地方。此句说天下各处平静无事,八方邻国臣服,形容社会安定、国力强盛。

[3]紫宸:天子所居的宫殿,泛指宫廷。"七重锁"一联形容舍利耀眼的光芒。

[4]丹凤楼:皇帝所居之处;京城的别称。岐阳,岐山之南,周朝的发源地。

[5]优钵罗花:即青莲花,代表佛法。唐朝历任君王都有一不成文的规矩,每三十年迎请一次法门寺的佛指舍利入宫供奉,故贯休感叹佛法三十年才得兴盛一次。

《学道先须且学贫》

[唐]居遁[1]

学道先须且学贫,学贫贫后道方亲。一朝体得成贫道,道用还如贫底人[2]。

【注释】

[1]居遁(约835~923):俗姓郭,抚州(今江西抚州)人。十四岁出家,后往嵩岳受戒,此后策杖四方,遍参诸僧,后应请住

龙牙,世称"龙牙居遁"。将示寂时,有大星陨落于方丈前。

[2]底:犹"的"。《释氏要览》引《指归》云:"道则通物之称也,属三乘圣人所证之道也,谓我寡少此道,故曰贫道。"可知出家人自称"贫僧""贫道",是谦虚,也是在提醒自己去除骄慢,不断精进。禅宗所说之贫,更有贫无一物、无心、无念、无住的意味,正如龙牙居遁另一首颂中所言:"悟了还同未悟人,无心胜负自安神。从前古德称贫道,向此门中有几人。"

《颂》

[唐]居遁

一得无心便道情,六门[1]休歇不劳形。有缘不是余朋友,无用双眉却弟兄。

【注释】

[1]六门:又名"六根",指眼、耳、鼻、舌、身、意六种感觉器官,及其感觉、认识能力。

《焰里寒冰结》

[唐]本寂[1]

焰里寒冰结,杨花[2]九月飞。泥牛吼水面,木马逐风嘶。

[1]本寂(840~901):唐代禅僧,曹洞初祖洞山良价的入室弟子。俗姓黄,泉州莆田人,少业儒,十九岁出家,二十五岁寻谒洞山,得见良价,深得器重。后于江西抚州吉水山开法,因志慕修道曹溪的六祖慧能,而改山名为"曹山",法席大兴,"洞山之宗,至师为盛"(《五灯会元》),昭宗天复元年圆寂,谥"元证禅师"。

[2]杨花:柳絮,一般在春天飘落。整首偈看来不合情理,却反映了禅家所追求的打破一切限制、融通自在的理想境界。

《颂》(二首)

[唐]本寂

觉性[1]圆明无相身,莫将知见妄疏亲[2]。念异便于玄体昧[3],心差[4]不与道为邻。

情分万法沈[5]前境,识鉴[6]多端丧本真。如是句中全晓会,了然无事昔时人[7]。

【注释】

[1]觉性:脱离一切迷妄,获得觉悟的真实自性。

[2]妄疏亲:妄加分别,用疏远或者亲近的不同态度对待。

[3]昧:违背。全句说心存相异的念头,即与玄妙的道体相背离。

[4]心差：心存差别。

[5]沈：通"沉"，灭绝，消失。

[6]识鉴：识别、鉴定。

[7]昔时人：从前之人，指自己的本来面目，真实自性。

《寄禅师》

[唐]韩偓[1]

他心明与此心同，妙用忘言理暗通。气运阴阳成世界，水浮天地寄虚空[2]。劫灰聚散铢锱黑[3]，日御奔驰茧栗红[4]。万物尽遭风鼓动，唯应禅室静无风[5]。

从无入有云峰聚，已有还无电火销。销聚本来皆是幻，世间闲口漫嚣嚣[6]。

【注释】

[1]韩偓（842~923）：晚唐五代诗人，乳名冬郎，字致尧（一作致光），自号玉山樵人，京兆万年（今陕西西安）人，诗人李商隐的外甥。10岁时即席赋诗送给李商隐，满座皆惊，李商隐作诗赞曰："十岁裁诗走马成，冷灰残烛动离情。桐花万里丹山路，雏凤清于老凤声。"龙纪年间进士，历任翰林学士、中书舍人等。诗作多写艳情，或感时伤乱，有《香奁集》流传。

[2]对于天地的构造，古人主要提出"浑天说"和"盖天说"两种观点，早期"浑天说"认为地球不是孤立地悬在空中，而是

106

浮在水上,可以随水移动。《晋书·天文志》引《浑天仪注》云:"天如鸡子,地如鸡中黄,孤居于天内,天大而地小。天表里有水,天地各乘气而立,载水而行。"

[3]劫灰:劫火的余灰。佛教认为世界在经历成、住、坏、空"四劫",即形成、存续、坏灭、空无四个阶段的变化,循环不息。"坏劫"时,世界会被水、火、风三灾完全毁灭,其中能烧掉一切的大火称为"劫火"。铢、锱皆是古代的很小的重量单位,比喻微小的东西,据说汉武帝见过黑色的劫灰。释慧皎《高僧传》云:"汉武穿昆明池,底得黑灰,以问东方朔。朔云不委,可问西域人。后(竺)法兰既至,众人追以问之。兰云:'世界终尽,劫火洞烧,此灰是也。'"

[4]日御:太阳,一说是古代神话中为太阳驾车的神。"茧栗"本指初生的牛角,言其形状细小,如蚕茧、栗子一般,借指牛犊或其他动植物的幼崽幼苗。本句写世间万物的生生不息,二三两联描绘了宇宙生成发展的过程。

[5]佛教中有"八风"——利、衰、毁、誉、称、讥、苦、乐,此八物为世间人所爱憎,能扇动人心,故名"八风"。本句中的"风"兼指自然之风与佛教的"八风"。

[6]嚣嚣:喧哗之貌。

《赠礼佛名者》[1]

[唐]韦庄[2]

何用辛勤礼佛名,我从无得到真庭[3]。寻思六祖传心印,可是从来读藏经？

【注释】

[1]礼佛名者：受"净土"思想影响，顶礼、诵持阿弥陀佛名号的人。

[2]韦庄(约836~910)：五代前蜀诗人、词人。字端己，长安杜陵(今陕西西安附近)人，诗人韦应物的第四代孙。早年屡试不第，年近六十方考取进士，任校书郎。后入蜀投奔前蜀皇帝王建，任掌书记、左散骑常侍、吏部侍郎兼平章事。后期以作词为主，风格清丽，有《浣花词》流传，与温庭筠同为"花间词派"代表作家，并称"温韦"。

[3]真庭：神仙的殿庭，比喻真谛之所在。

《上归州刺史代通状[1]二首》

[唐]怀浚[2]

家在闽山西复西，其中岁岁有莺啼。如今不在莺啼处，莺在旧时啼处啼。

家在闽山东复东，其中岁岁有花红。而今不在花红处，花在旧时红处红。[3]

【注释】

[1]通状：旧时下级呈送上级的一种公文。

108

[2]怀浚,生卒年不详,秭归(今湖北秭归)人,《太平广记》称其"知来藏往,皆有神验。爱草书,或经、或释、或老,至于歌诗鄙琐之言,靡不集其笔端。与之语,即阿唯而已,里人以神圣待之"。归州刺史于公以"惑众"之罪把他抓住审问,怀浚作此二诗,代替通状呈上。郡守觉得奇异,释放了他。

[3]莺非旧时之莺,花也不是旧日之花,却在旧时鸣叫、开放,"啼"与"红"代表了不生不灭的佛性,莺与花则代表世间万物,虽生灭变化无常,却都在用自己的方式体现着不生不灭的佛性。

《我有一布袋》

[唐]契此[1]

我有一布袋,虚空无罣碍[2]。展开遍十方,入时观自在[3]。吾有三宝堂,里空无色相。不高亦不低,无遮亦无障。学者体不如,求者难得样[4]。智慧解安排,千中无一匠。四门四果[5]生,十方尽供养。吾有一躯佛,世人皆不识。不塑亦不装,不雕亦不刻。无一滴灰泥,无一点彩色。人画画不成,贼偷偷不得。体相本自然,清净非拂拭。虽然是一躯,分身千百亿。

【注释】

[1]契此(？~917):唐末异僧,俗家姓氏不详,号长汀子。身材肥胖,大腹便便,常以杖荷一布袋,供身之具,尽贮囊中,人称"布袋和尚"。无寺无家,寝卧随处,言语无定,尝卧于雪中而

身上不湿，并能示人吉凶，多有神异，被认为是"未来佛"弥勒菩萨的化身。

[2]罣(guà)碍：凡心因迷成障，不能悟脱。

[3]观自在：在融通无碍的境界中，观万法自在。又为观世音菩萨的别名，因为观音菩萨无论自利还是利人，都能得到大自在。

[4]得样：学出个样子。

[5]四果：声闻乘的四种果位，即须陀洹果、斯陀含果、阿那含果、阿罗汉果。"声闻"是听闻佛陀声教而证悟的出家弟子，自利而不利他，与"缘觉""菩萨"合称"三乘"。

《一钵千家饭》

[唐]契此

一钵千家饭，孤身万里游。青目[1]睹人少，问路白云头。

【注释】

[1]青目：黑眼珠，露出黑眼珠平视对方，显示出尊敬和喜爱。《晋书》称阮籍"能为青白眼，见礼俗之士，以白眼对之。及嵇喜来吊，籍作白眼，喜不怿而退。喜弟康闻之，乃赍酒挟琴造焉，籍大悦，乃见青眼"。

《播秧诗》

[唐]契此

手把青苗种福田，低头便见水中天。六根清净方成稻[1]，退步原来是向前。

【注释】

[1]"稻"与道同音，表面上说秧苗的根须要洁净，实言修行中必须使六根远离染污，清净无杂，方能成道。

《忍辱偈》

[唐]契此

是非憎爱世偏多，子细思量奈我何。宽却肚肠须忍辱，豁开心地任从他。若逢知己须依分，纵遇冤家也共和。若能了此心头事，自然证得六波罗。

《临灭偈》

[唐]契此

弥勒真弥勒，分身千百亿。时时示时人，时人自不识。[1]

[1]《五灯会元》载,后梁贞明三年(917)三月,契此即将圆寂,于岳林寺东廊下端坐磐石,并说此偈,偈毕安然而化,后来有人在其他州县见到他,依旧负布袋而行。世人因此认定契此就是弥勒菩萨的化身,各地寺院中身背布袋,大腹便便,笑口常开的弥勒佛便是按照契此的形象塑造的。

《夏日草堂作》

[唐]齐己[1]

沙泉带草堂,纸帐卷空床。[2]静是真消息,吟非俗肺肠。园林坐清影,梅杏嚼红香。谁住原西寺,钟声送夕阳。

【注释】

[1]齐己(约863~937):唐末五代诗僧。湖南益阳人,俗姓胡,自号"衡岳沙门",颈有瘤,时人戏称之"诗囊"。性喜吟咏,不近王侯,常与郑谷相酬唱,因郑谷改其《早梅诗》中"数枝开"为"一枝开"而叹服下拜,使郑谷得"一字师"之名。作品格调清淡,与贯休同被推为唐代诗僧之首。后唐长兴(930~933)末年圆寂,世寿七十余,遗诗由孙光宪编成《白莲集》十卷。

[2]纸帐:纸做的帐子。用藤皮茧缠于木上,以索缠紧,勒作皱纹,不用糊,以线拆缝。以稀布为顶,取其透气。帐上常画梅花、蝴蝶等为饰。

《片云》
[唐]齐己

　　水底分明天上云[1]，可怜形影似吾身。何妨舒作从龙势[2]，一雨吹销万里尘。

【注释】

[1]实言天上之云映在水中。

[2]舒：舒展。《易·乾》："云从龙，风从虎，圣人作而万物睹。"云被古人视为龙出现的标志，随龙高翔于天际，舒展自在，且能带来雨水。

《话道》
[唐]齐己

　　大道多大笑，寂寥何以论[1]。霜枫翻落叶，水鸟啄闲门。服药还伤性，求珠[2]亦损魂。无端凿混沌，一死不还源[3]。

【注释】

[1]首句出自老子《道德经》："上士闻道，勤而行之，中士闻道，若存若亡，下士闻道，大笑之，不笑不足以为道。"说明只有具备上等资质的"上士"能够理解和认同大道，这样的人很少，

感到寂寥并不奇怪。

[2]求珠:《庄子》云:"黄帝游乎赤水之北,登乎昆仑之丘而南望,还归,遗其玄珠。使知索之而不得,使离朱索之而不得,使喫诟索之而不得也,乃使象罔,象罔得之。"

[3]《庄子·应帝王》:"南海之帝为倏,北海之帝为忽,中央之帝为浑沌。倏与忽时相与遇于浑沌之地,浑沌待之甚善。倏与忽谋报浑沌之德,曰:'人皆有七窍以视听食息,此独无有,尝试凿之。'日凿一窍,七日而浑沌死。""七窍"指人头面部的七个孔窍(眼二、耳二、鼻孔二、口一),《庄子·应帝王》云:"人皆有七窍,以食、听、视、息。"佛教的"六根"与之相类似,详见《播秧诗》注释。比喻大道本就是浑然一体,不可分剖的,若将其按照人的标准进行分割改造,则是毁了大道。

《刳肠龟[1]》

[唐]齐己

尔既能于灵,应久存其生。尔既能于瑞[2],胡得迷其死。刳肠徒自屠[3],曳尾[4]复何累。可怜濮水流,一叶泛庄子。

【注释】

[1]刳(kū):挖,挖空。刳肠龟,被剖腹摘肠的神龟,典故出于《庄子》。《庄子·外物》篇中,宋元君半夜梦见一个披着长发的人在门口窥视,还说自己来自"宰路之渊",是清江派到河伯处的使者,被名叫余且的打鱼人捕到。宋元君醒来,派人占卜,

114

知那披发人是只神龟，便命余且将它献了上来。元君看到这周长五尺的白龟，一会儿想杀，一会儿想留，心中疑惑不定，再一次占卜，得到"杀掉龟用来占卜，大吉"的结果，便命人将龟剖开挖空，把龟板用来占卜，结果非常准确。

[2]瑞：祥瑞，吉祥的征兆。这里说龟能够准确地占卜，似乎掌握了吉凶的征兆。

[3]说神龟托梦给宋元君，造成了自己被"刳肠"的命运，实为"自屠"。

[4]"曳尾"与"濮水"同样出自《庄子》，《秋水》篇说庄周正在濮水边垂钓，楚王派来两位大夫劝他去做官，庄子"持竿不顾"，说："我听说楚国有只神龟，死去三千年了，被放入精致的巾箱里，珍藏在庙堂之上，这只龟，是愿意死后留下尸骨享受富贵，还是愿意活着在泥泞的路中摇尾巴呢？"二大夫答愿意活着，庄子说："你们回去吧！我要在泥泞的路中摇尾巴了。"

《黄梅席上数如麻》

[唐]文偃[1]

黄梅[2]席上数如麻，句里呈机[3]事可磋。直是本来无一物，青天白日被云遮。[4]

【注释】

[1]文偃(864~949)：唐末五代僧，云门宗之祖。浙江嘉兴

人,俗姓张。幼年出家,曾参睦州踪禅师,又谒雪峰义存,依住三年,受其宗印。同光元年(923),于云门山建光泰禅院,道风愈显,海众云集。后汉隐帝干祐二年(949)端坐示寂,世寿八十六。

[2]黄梅:位于湖北省东南,是禅宗四祖道信及五祖弘忍参禅修行的地方。全句说某些禅修之地琐事如麻。

[3]句里呈机:在文句中呈现机锋(禅机)。

[4]作者反对"句里呈机"一类有意为之的做法,认为它们如浮云遮日一般,遮蔽了"本来无一物"的真实觉悟境界。

《无题》

[唐]文偃

金屑眼中翳[1],衣珠[2]法上尘。已灵犹不重[3],佛视为何人。

【注释】

[1]翳:遮蔽,障碍。全句说金子的碎屑平时看来珍贵,落在眼睛里却是障碍。

[2]衣珠:衣中之宝珠,"法华七喻"之一。《妙法莲华经》说有一贫人到富有的亲戚家作客,醉酒而卧,亲戚有事离开,以无价宝珠系在贫人衣服里,贫人浑然不知,酒醒后独自离开,依旧过着贫穷的生活,后偶然再遇亲戚,说起此事,方知宝珠一直在自己的衣服里,以宝珠购买所需之物,再无乏少。此处说宝珠与佛法相比,只如尘土一般。

[3]己灵:自己的灵性。末二句说对于自己本具的灵性尚且不重视,又将佛视为何人呢?

《三十年来寻剑客》

[唐]志勤[1]

三十年来寻剑客[2],几回落叶又抽枝[3]。自从一见桃花后,直至如今更不疑[4]。

【注释】

[1]志勤:唐代禅僧。俗姓许,本州长溪(今福建霞浦)人。

[2]寻剑客:寻找宝剑(慧剑)的人,比喻修行者,也是作者自指。

[3]抽枝:树木的新芽长成新枝。"落叶又抽枝"代表了桃花的生长。

[4]《五灯会元》载:沩山灵祐禅师览此偈,知灵云已悟道,与之符契,并嘱咐道:"从缘悟达,永无退失,善自护持。"志勤多年来苦苦修行,不曾关注园中桃树的生长过程,今见灼灼开放的桃花,方知桃树落叶、抽枝等每一个过程都有意义,万物皆在"空无"与"妙有"间变化,体现着生、住、异、灭的循环发展,佛理正在其中。

《写真》

[唐]澹交[1]

图形[2]期自见,自见却伤神。已是梦中梦,更逢身外身[3]。水花凝幻质,墨采聚空尘。堪笑予兼尔,俱为未了人[4]。

【注释】

[1]澹交,唐代僧人,工诗、画,善写真。

[2]图形:画像,绘出形象。

[3]禅宗提出凡人也有"三身自性佛",详见张伯端《西江月(十二首)》注释[12]。我们的肉体只是化身或者应身,在此之外尚有本来清净、能生万法的法身,我们平时察觉不到它的存在,故曰"身外身"。

[4]未了人:未了尘缘,没有彻底觉悟的人。

《蜂子透窗[1]》

[唐]神赞[2]

空门不肯出,投窗也大痴,百年钻故纸,何日出头时[3]!

【注释】

[1]《五灯会元》记载,一日,神赞之本师在窗下看经,恰有

蜂子投窗纸欲出。神赞睹之曰："世界如许广阔不肯出,钻他故纸驴年去!"并作此偈。

[2]神赞:神赞禅师,姓氏不详,出家后从本州大中寺受业,后行脚参礼百丈禅师,得以开悟见性。开悟后即回大中寺,欲点化其本师,以报剃度之恩,后住古灵,聚徒弘法数年。

[3]"故纸"一语双关,既说陈旧的窗户纸,又指卷帙浩繁的佛教经典,神赞作此偈,旨在点化本师打破对于经典的执着。

《拥毳对芳丛》

[唐]文益[1]

拥毳对芳丛[2],由来趣[3]不同。发从今日白,花是去年红。艳冶随朝露,馨香逐晚风。何须[4]待零落,然后始知空[5]。

【注释】

[1]文益(885~958):五代禅僧。余杭(浙江余杭)人,俗姓鲁。七岁出家,初依明州希觉攻毗尼,后于漳州遇罗汉桂琛,得嗣其法。南唐国主李氏对其礼敬有加,事以师礼,赐号"净慧大师",后主李煜亦从之受戒。显德五年秋闰七月示寂,世寿七十四,谥号"大法眼"。

[2]毳(cuì):毛皮或毛织品做成的衣服。芳丛:花丛。

[3]趣:旨趣,意思。

[4]何须:何必,何用。

[5]《金陵清凉院文益禅师语录》载,一日文益禅师与李王

谈论论道罢,同观牡丹花,王命作偈,禅师述此《拥毳对芳丛》,李王闻之,顿悟其意。李王指南唐中主李璟,一说是李唐皇室的某位后裔。

《偈》

[唐]德韶[1]

通玄峰顶,不是人间。心外无法,满目青山[2]。

【注释】

[1]德韶(891~972):唐末五代僧,法眼宗第二祖。俗姓陈,处州(浙江)龙泉人,一说缙云人。十五岁出家,十八岁受戒,其后历访五十四位高僧,但皆机缘不契,后至临川参法眼文益,乃豁然开悟,为其法嗣,被江浙之人尊称为"大和尚",传永明延寿等白余弟子。

[2]青山代表佛法,说明佛法不在心外,就在眼前自然中。德韶的师父法眼文益闻此偈,云:"即此一偈,可起吾宗。"

《颂布袋和尚》

[五代]蒋宗简[1]

兜率宫中阿逸多[2],不离天界降娑婆[3]。相逢为我安心诀,万劫千生一刹那[4]。

【注释】

[1]蒋宗简,桐城县人。后梁明州评事,罢官后居于奉川。时与布袋和尚游,世称"摩诃居士""蒋摩诃"。

[2]阿逸多:梵名 Ajita 的音译,意为最胜、无能胜,一般认为是弥勒菩萨的字,或者今生之名。

[3]娑婆:梵语 sahâ 的音译,意为堪忍,指佛陀广行教化的三千大千世界,因此中众生能忍诸烦恼,不肯出离,故名,包括人类生活的世界。

[4]谓自己得布袋和尚指点后,刹那间觉悟,胜过万劫千生的苦苦求索。

《浮石寺》

[五代]钱镠[1]

滟滟霞光映碧流,潭湾深处有龙湫[2]。危楼[3]百尺临江渚[4],石在波心千古浮。

【注释】

[1]钱镠(liú)(852~932):字具美(一作巨美),小字婆留,杭州临安人,五代十国时期吴越国的创建者。

[2]湫(qiū):洞穴,深潭。

[3]危楼:高楼。

[4]渚(zhǔ):小洲,水中的小块陆地。

《颂》

[五代]明真[1]

盲聋暗[2]哑是仙陀[3]。满眼时人不奈何。只向目前须体妙。身心万象与森罗[4]。

【注释】

[1]明真：号重机，五代禅僧，台州人，住杭州天龙寺。

[2]暗(yīn)：哑。

[3]仙陀：指仙人。

[4]森罗：纷然罗列。说明体悟佛法与世间万物都要用心，并非借助眼耳鼻等感觉器官。

《清风楼上》

[五代]师鼐[1]

清风楼上赴官斋[2]，此日平生眼豁开。方知普通年远事，不从葱岭[3]路将来。

【注释】

[1]师鼐：号鉴真，得法于雪峰义存禅师，住院赵州(今浙江绍兴一带)越山。

122

[2]官斋：官家组织的斋事，据《景德传灯录》记载，"闽王请(长沙师霜)于清风楼斋。坐久，举目忽睹日光，豁然顿晓"，而作此偈。

[3]葱岭：新疆帕米尔高原的一大山系，亚细亚大陆诸山脉之主轴，其南接北印度，是我国和印度之间的主要通道之一，法显、玄奘等僧人西行或东来都曾由此经过。玄奘所述《大唐西域记》称其"东西南北各数千里，崖岭数百重，幽谷险峻，恒积冰雪，寒风劲烈。多出葱，故谓葱岭；又以山崖葱翠，遂以名焉"。全诗说佛法就在身边，只待豁然眼开，不用通过葱岭远道寻求。

《悟道偈》

[五代]孚上座[1]

忆着当年未悟时，一声画角[2]一声悲。如今枕上无闲梦，大小梅花一任吹[3]。

【注释】

[1]孚上座：姓氏未详，雪峰义存禅师之法嗣。

[2]画角：古代管乐器，传自西羌，形如竹筒，本细末大，以竹木或皮革等制成，表面有彩绘，故称，发声哀厉高亢。

[3]"大小梅花"指《大梅花》《小梅花》等曲调，僧人自言觉悟之后，不再被别人吹奏的不同的曲调所影响。

《维摩五更转[1]》

[唐五代]无名氏

一更初,一更初,医王[2]设教有多途。维摩权疾徙方丈,莲花宝相坐街衢[3]。

二更浅,二更浅,金粟如来巧方便。室包乾像掌擎山[4],示有妻儿常厌患。

三更深,三更深,释迦演法语同音。听闻随类皆得解,观根为说称人心。

四更至,四更至,月面毫光[5]千道起。有学无学[6]万余人,助佛弘宣一大事。

五更晓,五更晓,将明佛国先有兆。一盖之中千土呈,十方世界俱能照。

【注释】

[1]五更转:出自敦煌文献,乃流行于唐代的佛教俗曲。古人将一夜分为五份,称为"五更","五更转"分为五部分,一更到五更,皆用同一字句格式作曲,取从昏沉的黑夜至天明破晓之意,喻指信佛使人从无明昏暗转至开悟透达。

[2]医王:佛、菩萨之尊称,因他们能治疗众生的心病,如同良医,故称。

[3]"衢(qú)"指大路,四通八达的道路。维摩诘的居室一丈见方,"方丈"之名即源于此。本句说维摩端坐方丈室中,庄

严宝相却现于繁华的大街之上，让街上大众也受到教益。

[4]僧肇《维摩诘经序》云："维摩诘不思议经者，盖是穷微尽化，妙绝之称也。……至若借座灯王，请饭香土，手接大千，室包乾像，不思议之迹也。"

[5]"月面"形容佛陀面如满月。"毫光"是如毫毛一样四射的光线。皆为佛陀的庄严美好的形象。

[6]有学无学：有法可修学的与无法可修学的佛弟子。小乘之"四向四果"中，前三果之圣者为有学，惟证得阿罗汉果之圣者，以其无法可修学，故称为无学。

《五更转(南宗赞)》

[唐五代]无名氏

其一

一更长，一更长。如来智惠化中藏。不知自身本是佛，无明障蔽自慌忙。

了五蕴，体皆亡。灭六识，不相当。行住坐卧常注意，则知四大[1]是佛堂。

其二

一更长，二更长。有为功德尽无常。世间造作应不及，无为

125

法会体皆亡。

入圣位,坐金刚。诣佛国,遍十方。但诣[2]世界原贯一,决定得入于佛行。

其三

二更长,三更严。坐禅执定[3]苦能甜。不信诸天甘露蜜,魔军眷属出来看。

诸佛教,实福田。持斋戒,得生天。生天终归还堕落,努力回心趣涅槃[4]。

其四

三更严[5],四更阑[6]。法身体性本来禅。凡夫不念生分别,轮回六趣心不安。

求佛性,向里看。了佛意,不觉寒。广大劫来常不悟,今生作意断悭贪。

其五

四更阑,五更延[7]。菩提种子坐红莲。烦恼泥中常不染,恒将净土共金颜。

佛在世,八十年。般若意,不在言。[8]夜夜朝朝恒念经,当初求觅一言诠。

[1]四大:在此指众生的身体,由地水火风"四大"构成。

[2]诣:此处为明白、了悟之意。

[3]执定:坚持。

[4]回心:改变心意。趣:同"趋",趋向,归向。说众人斋戒一类的佛教修行,实为培植福田,无法获得真正的解脱(参见《无相颂》之三注释[1]),劝人们转而追求涅槃的境界。

[5]严:夜间的更鼓,这里当指更鼓响起。古人为报知时刻,于每更敲打"更鼓"。

[6]阑:将尽,将完。

[7]延:时间往后推移。

[8]一般认为,释迦牟尼八十岁去世,说法四十九年,经弟子复述总结为"三藏十二部"经典,而某些记载却显示佛陀本人不同意这种看法。《五灯会元》:"世尊临入涅槃,文殊大士请佛再转法轮。世尊咄曰:'文殊,吾四十九年住世,未曾说一字。汝请吾再转法轮,是吾曾转法轮邪?'""转法论"就是说法,佛陀说自己一生"未曾说一字",正是表明了真正的佛法不在语言文字,契合了禅宗的"不立文字,以心传心"。

《闲居》

[宋]延寿[1]

闲居谁似我,退迹[2]理难过。要势[3]危身早,浮荣败德多。雨催虫出穴,寒逼鸟移窠。野迳无人蓺,疏窗入薜萝[4]。

[1]延寿(904~975):五代宋初僧人。字冲玄,俗姓王,原籍丹阳,后迁钱塘(今杭州)。钱文穆王时,知税务,多用官钱买鱼虾放生,罪当死,因临刑面不改色,被无罪释放。后投四明翠岩禅师出家,参学于天台德韶,得其印可,又精进念佛,提倡"禅净双修",是禅门法眼宗第三祖,净土宗第六祖。一生著作颇丰,尤以《宗镜录》最为著名。

[2]退迹:退归,退居。

[3]要势:显要的权势。

[4]薜(bì)萝:薜荔和女萝。两者皆野生植物,常攀缘于山野林木或屋壁之上。

《参禅念佛四料简[1]偈》

[宋]延寿

有禅有净土,犹如戴角虎,现世为人师,来生作佛祖。无禅有净土,万修万人去,若得见弥陀,何愁不开悟。有禅无净土,十人九蹉路[2],阴境若现前,瞥尔[3]随他去。无禅无净土,铁床并铜柱[4],万劫与千生,没个人依怙[5]。

【注释】

[1]四料简:"料简",亦作"料拣",谓分析研判义理、拣择其中之要点。临济宗创始人义玄禅师提出四条随机应时,教化学

128

人的准则,名"四料简"。延寿禅师的这首偈,亦被视为"禅净双修"的准则。

[2]蹉路:失路,迷路。

[3]瞥(piē)尔:眼光一瞥,一转眼之间,形容时间短暂。

[4]铁床并铜柱:烧红的铁床、铜柱,皆为地狱中的刑具。

[5]依怙(hù):依靠,依赖。

《偈一首》
[宋]延寿

欲识永明旨,门前一湖水。日照光明生,风来波浪起。[1]

【注释】

[1]"永明"内涵丰富,指禅师本人,也指他驻锡弘法的杭州慧日永明寺,以及需要永远保持的清明心境。

《归山吟(寄友)》
[宋]清豁[1]

聚如浮沫散如云,聚不相将散不分[2]。入郭当时君是我,归山今日我非君[3]。

【注释】

[1]清豁:宋初僧人,雪峰义存法嗣,俗姓张,泉州(今福建

省泉州市）人，住漳州保福院，号性空禅师，太平兴国元年（976）示寂。

[2]相将：相偕，相共。《维摩经·方便品》云："是身如聚沫，不可撮摩。""是身如浮云，须臾变灭。"《观众生品》亦有"譬如幻师，见所幻人，菩萨观众生为若此。如智者见水中月，如镜中见其面像，如热时焰，如呼声响，如空中云，如水聚沫……"可知在菩萨等觉悟者看来，众生之身并非实有，而是如浮云或细小的泡沫，无有定型，转瞬即逝。

[3]"郭"指古人在城外围加筑的一道城墙，"入郭"即是进入了尘世，"归山"象征离开俗世，归于空门。本联表面上说自己"入郭"时和朋友一样是凡俗之人，"归山"之际摆脱了俗事与妄念的困扰，不再和俗人一样，从更深层次看，与洞山良价禅师的"渠今正是我，我今不是渠"有异曲同工之妙。

《遗世偈》

[宋]清豁

世人休说行路难，鸟道羊肠[1]咫尺间。珍重苎溪溪畔水，汝归沧海我归山。[2]

【注释】

[1]鸟道羊肠：说道路如羊的肠子一般弯曲细长，或者高峻奇险，只有鸟能飞过，泛指狭窄险峻、崎岖难行的道路。

[2]苎:音(zhù)。《景德传灯录》记载,清豁禅师自知圆寂之期将至,离开徒众,入山待灭,经过苎溪上的石桥时,述此偈。世人抱怨行路难,皆因心中存在着种种的分别计较,若如禅师一般,只余"汝归沧海我归山"的任运旷达,又何来难易之别,鸟道羊肠亦近在咫尺。

《落花》

[宋]赞宁[1]

蝶醉蜂狂香正浓,晚来阶下坠衰红。开时费尽阳和力[2],落处难禁一阵风。

【注释】

[1]赞宁(919~1001):宋代禅僧,佛教史学家。俗姓高,吴兴德清(今属浙江)人。后唐天成年间出家于杭州祥符寺,博涉三藏,尤精南山律,有"律虎"之美誉。旁通儒、道典籍,善文辞,声誉日高。吴越末代国王钱弘俶钦慕其德,署为两浙僧统,赐号"明义宗文大师"。钱氏投降后,赞宁亦得宋太宗礼遇,改赐"通慧大师",任以翰林史馆编修、左街讲经首座等职。生平著作广博,代表作《宋高僧传》《大宋僧史略》等。咸平四年入寂,世寿八十三。

[2]阳和力:春日和暖的力量。

《悟空塔》[1]

[宋]赞宁

浮图[2]萧瑟入虚空，一聚全身罔像[3]中。传马祖[4]心开佛印[5]，识龙潜主[6]示神通。毫光委坠江楼月，道气馨香海岸风。此地化缘才始尽，更于何处动魔宫[7]。

【注释】

[1]悟空塔位于浙江海宁盐官的安国寺内。安国寺始建于唐开元元年(713)，初名镇国海昌院，俗称北寺，宋大中祥符元年(1008)改今名，沿用至今。《安国寺志》记载，唐末会昌初年(841)，寺僧法昕见莲花涌地而出，乃于放生池废址"肇葺禅居"，延请高僧齐安前来主事。齐安俗姓李，唐宗室后裔，幼时自愿出家，后拜谒马祖道一，嗣其法系。应法昕之请住安国寺，大兴马祖禅风，参学者甚众。会昌二年无疾宴坐而终，世寿九十余，唐宣宗敕谥"悟空禅师"，御笔题诗追悼，官员卢简求为之建塔。

[2]浮图：亦作浮屠、浮头、佛图等，同于"佛陀"。

[3]罔像：虚无。《文选》李善注："罔象，虚无罔象然也。"

[4]马祖：指马祖道一(709~788)，俗姓马，名道一，唐代禅僧，慧能的再传弟子。史称其相貌奇异，"牛行虎视，引舌过鼻，足下有二轮文"(《五灯会元》)。他常住江西洪州，提出"平常心是道""即心即佛""非心非佛"等理念，开创"洪州宗"，影响深

132

远。齐安弘马祖之禅法,故称其"传马祖心"。

[5]佛印:指诸法实相,一切万法的真实本相。"印"有决定不变之义,诸法实相为诸佛之大道,决定不变,故名佛印。

[6]龙潜主:指唐宣宗李忱(chén)。李忱是唐武宗李炎的叔叔,据说他登基前,曾被李炎派人捉住,关在宫厕中,得宦官仇公武搭救,潜送出宫,削发出家躲避追杀。李忱为僧时,曾到安国寺行脚,被齐安禅师暗中识破了身份。《宋高僧传》记载,齐安前一天已经预知李忱的到来,告诫知事僧"当有异人至此",要"禁杂言,止横事",第二天,数名行脚僧入寺参礼,齐安认出李忱,命人"高位安置,礼殊他等",又请李忱书写上座边的供疏。李忱离去时,齐安送上丰厚的财物,并对李忱说:"时至矣,无滞泥蟠。"暗示他时运已至,即将离开泥沼一般的困厄环境。苏轼有感于此事,作《悟空塔》诗云:"已将世界等微尘,空里浮花梦里身。岂为龙颜更分别,只应天眼识天人。"

[7]魔宫:天魔的宫殿。《心地观经》卷五云:"若能发心求出家,厌离世间修佛道,十方魔宫皆振动,是人速证法王身。"

《闲居》

[宋]显忠[1]

竹里编茅[2]倚石根[3],竹荃疏处见前村。闲眠尽日无人到,自有春风为扫门[4]。

【注释】

[1]显忠:生卒年不详,高僧赞宁弟子,参金山颖禅师得法,

133

住越州(今浙江绍兴)石佛寺。

[2]竹里编茅:在竹林之中用茅草编成屋舍。

[3]石根:岩石的底部,山脚。

[4]次联将春风拟人化,赋予诗歌活泼的生命力,受到人们的喜爱,王安石很喜爱,贺铸《题定林寺》亦有:"破冰泉脉漱篱根,坏衲犹疑挂树猿。蜡屐旧痕寻不见,东风先为我开门。"

《南明山宝相寺十五题》之《三生像[1]》

[宋]显忠

胜域将垂迹,先闻钟梵声。术陁[2]犹未降,宣老已三生。山接天门险,岩开月殿明。善财[3]何处去,楼阁自峥嵘[4]。

【注释】

[1]南明山地处会稽新昌县(今浙江绍兴市),又名石城、隐岳,名僧支遁、智顗等曾在此修行弘法,卒后亦葬于此。宝相寺现名新昌大佛寺,在南明山中,初名岳隐,创建者为东晋僧人昙光,后经僧护等历代高僧的修缮扩建,以及吴越王族钱氏的护持,成一方名刹。"三生像"是寺内有依山崖开凿的弥勒佛像,蔚为壮观,被后世称之"江南第一大佛"。三生像由南北朝时的僧护发起开凿,《高僧传》记载,僧护"后居石城山隐岳寺,寺北有青壁,直上数十余丈,当中央有如佛焰光之形,上有丛树曲干垂阴",僧护每行至壁所,"辄见光明焕炳,闻弦管歌赞之声",遂擎炉发下誓愿,"博山镌造十丈石佛,以敬拟弥勒千

尺之容,使凡厥有缘同睹三会"。北齐建武年间,施工开始,一年后,僧护生了重病,命在旦夕,临终前誓曰:"吾之所造,本不期一生成办,第二身中其愿克果。"愿来生继续这项浩大的工程。僧护圆寂后,沙门僧淑继其事,可惜"资力莫由",未能完工。梁天监七年,石佛雕凿再次开始,由僧祐奉敕主持,终于在天监十二年春天完工。因佛像凝结僧护、僧淑、僧祐三位高僧的心血,"凡历三生乃就"(《全宋诗》),故名"三生像"。

[2]术陁:东方八天之六名帝术陁留。

[3]善财:即善财童子。《华严经》记载,他入胎及出生时,有种种珍宝自然涌出,故名善财,后受文殊师利菩萨教诲,遍游诸国,参谒五十三名善知识,世称"五十三参",终被普贤菩萨点化,证入佛道。绘画雕塑中,在南海观音旁边站立合掌的小童即是善财。

[4]峥嵘:高峻貌。

《南明山宝相寺十五题》之《白云庄》

[宋]显忠

堪爱仙庄近翠岑[1],杖藜[2]时得去游寻。牛羊数点烟云远,鸡犬一声桑柘[3]深。高下闲田如布局,东西流水若鸣琴。更听野老谈农事,忘却人间万种心。

【注释】

[1]翠岑:山峰,山顶。

[2]杖藜：拄着手杖行走。藜是一种野生植物，茎坚韧，可做手杖。杖在此作动词，扶着或拄着手杖。

[3]桑柘：桑木与柘木，借指农桑之事。

《南明山宝相寺十五题》之《石狻猊》
[宋]显忠

亭除[1]两狻猊[2]，一仰复一俯。告天与叩地，似欲诉忧苦。世传智顗[3]死，二兽来瞻睹。逡巡化为石，埋没在深土。事怪固难诘[4]，但见形可取。风雨驳苍苔，万古万万古。

【注释】

[1]除：台阶。

[2]狻(suān)猊(ní)：狮子。

[3]智顗(yǐ)(538~597)：南朝陈、隋时代高僧，一般认为是我国天台宗的开宗祖师，世称"智者大师"。

[4]诘：查考，辨别。

《杂诗》
[宋]遇贤[1]

扬子江头浪最深。行人到此尽沈吟[2]。他时若到无波处。还似有波时用心。[3]

门前绿树无啼鸟,庭下苍苔[4]有落花。聊与东风论个事,十分春色属谁家。

秋至山寒水冷,春来柳绿花红。一点动随万变,江村烟雨蒙蒙。有不有,空不空,笊篱[5]捞取西北风。

生在阎浮世界,人情几多爱恶。只要吃些酒子。所以倒街卧路。死后却产娑婆。不愿超生净土。何以故。西方净土且无酒酤[6]。

【注释】

[1]遇贤(922~1009):宋初禅僧。姑苏(江苏)长洲人,俗姓林,母亲梦吞大珠而怀孕,生来样貌伟怪,多有神异,口可容双拳,七岁沉入深潭而衣不湿。三十岁剃发受具足戒,平日"唯事饮酒,醉则成歌颂,警道俗,因号'酒仙'"。祥符二年上元日凌晨,洗浴后回到室中,合拳右举,左张其口而化。

[2]沈吟:又作"沉吟",迟疑、犹豫。

[3]僧人用波浪比喻世事复杂多端的变化,告诫人们在"江湖风波恶"之时依然要保持内心的平静安详。

[4]苍苔:青色苔藓。

[5]笊(zhào)篱:用来捞取物品,沥去水分的网状器具,多由竹片、柳条等编成,古人也用它来化缘讨钱,八仙中的曹国舅即是"惟持笊篱度日"。

[6]酤(gū):买酒。

《秋夜坐》

[宋]遇臻[1]

秋庭肃肃风飕飕[2]，寒星列空蟾魄高。搘颐[3]静坐神不劳，鸟窠无端吹布毛[4]。

【注释】

[1]遇臻：越州人，俗姓杨，幼年出家，后住齐云山宴居，法侣咸集，有歌偈三百余首，皆触事而作，至道中卒于大善寺。

[2]飕飕(sāo)：象声词，形容风声，以及风凛冽之貌。

[3]搘颐：以手托腮。搘(zhī)，支撑、支持。颐，下巴、腮部。

[4]"鸟窠吹布毛"是一禅宗公案。《祖庭事苑》记载，唐代杭州的招贤寺有个会通和尚，原为唐德宗的"六宫使"，后乞为僧，礼鸟窠禅师落发。一日，会通想要离去，说鸟窠不肯传授佛法，他要到别处去学。鸟窠说："若是佛法，我这里亦有少许。"会通问是如何，鸟窠不答，只于身上拈起布毛吹之，会通领悟玄旨，时谓"布毛侍者"。

《自题月轩》

[宋]德聪[1]

轩前辘轳[2]转冰盘[3]，轩里诗成彻骨寒。多少人来看明月，谁知倒被月明看。

【注释】

[1]德聪(？~1017)：姑苏(今江苏苏州)人，俗姓爷。初受戒于梵天寺，宋太平兴国三年(978)结庐于佘山之东峰。真宗天禧元年，跌坐而逝。

[2]辘轳：井上汲水的起重装置，立在井口，有轴，可用手柄摇转，轴上绕绳索，绳索一端系水桶。摇转手柄，控制水桶起落，提取井水。

[3]冰盘：喻指月亮，此处当为水中之月。

《咏竹杖》

[宋]善昭[1]

一条青竹杖，操节[2]无比样。心空里外通，身直圆成相。渡水作良朋，登山堪倚仗。终须拨太虚，卓在高峰上。

【注释】

[1]善昭(947~1024)：宋代临济宗僧。即汾阳善昭。俗姓俞，太原(山西省)人。十四岁时父母去世，遂剃发出家，游历诸方，遍参尊宿，最后在首山省念禅师会下大悟，并嗣其法。郡守力邀，请住诸名刹，皆不允。淳化四年(993)，首山省念示寂，乃应西河道俗之请，住汾阳太平寺太子院，广说法要。时，足不出户，达三十年之久。天下道俗，益加仰慕，人称"汾阳善昭"。天

圣二年示寂，世寿七十八，谥号"无德禅师"。

[2]操节：操守，气节。

《拟寒山诗》

[宋]善昭

无德住西河[1]，心闲野兴多。太虚宽世界，海岳蹙江波[2]。独坐思知己，声钟聚毳和[3]。欲言言不尽，拍手笑呵呵。

【注释】

[1]西河：汾阳的别称，善昭应道俗之请，住于此处。

[2]海岳：大海和高山。蹙：屈聚，收拢。

[3]此处的"毳"指着毛皮或毛织品衣服的人，本句谓钟声将志同道合之人聚集起来。

《摘茶偈》

[宋]善昭

摘茶更莫别思量，处处分明是道场[1]。体用共推真应物，禅流顿觉雨前香[2]。

【注释】

[1]道场：《维摩诘经》云："举足下足，当知皆从道场来，住

于佛法矣！"

[2]《汾阳无德禅师》记载了这首偈的来历，沩仰宗创始人沩山灵佑与弟子仰山慧寂采茶的故事。灵佑对慧寂说："终日只闻你声，不见你形。"慧寂撼动茶树。灵佑又说："你只得其用，不得其体。"慧寂问灵佑怎么做，灵佑沉默良久。慧寂云："和尚您只得其体，不得其用。"灵佑说："暂且饶了你这三十棒吧。"善昭禅师据此提出要"体用共推"，彻底打破体和用的界限，则自然品到清香高妙的法味。

《证道颂》

[宋]善昭

人圣超凡割爱亲，便同孤雁不同群。雪毛丹顶天然贵，清唳翱翔一片云[1]。

【注释】

[1]唳(lì)：鹤鸣。全诗写出证道者不同凡俗，卓然不群的风采。

《西来意颂诗》

[宋]善昭

庭前柏树[1]地中生，不假犁牛岭上耕。正示西来千种路，郁密稠林是眼睛[2]。

【注释】

[1]庭前柏树：禅宗公案名。僧问赵州从谂禅师："如何是祖
师西来意？"赵州云："庭前柏树子。"柏树子自然生长，不需犁
牛的耕种。

[2]谓柏树子的自生自化，正说明祖师西来有千种道路，成
佛也有无数的法门，只需依循自然的启发便可，正如憨山德清
《金刚经决疑》所云："青青翠竹，总是真如，郁郁黄华。无非般
若。山河及大地，全露法王身。要见法身，须具金刚正眼始得。"
而这"金刚正眼"就是郁密稠林，亦在自然之中。

《题逆旅壁[1]》

[宋]宝靡[2]

满院秋光浓欲滴，老僧倚仗青松侧。只怪高声问不应，瞑
余踏破苍苔色。

【注释】

[1]逆旅壁：客舍的墙壁。逆旅：客舍，旅馆。

[2]宝靡(nún)(948~1077)：滏水(今河北磁县境滏阳河)
人。光、黄间僧人，据说世寿一百三十岁。

《书林逸人壁》

[宋]惠崇[1]

诗语动惊众,谁知慕隐沦[2]。水烟常似暝,林雪乍如春。薄酒懒邀客,好书愁借人。有时行药[3]去,忘却戴纱巾。

【注释】

[1]惠崇(965~1017):北宋僧。福建建阳人。宋初"九僧"之一,诗多为五律,写自然小景,尚白描,力求精工莹洁,为欧阳修等大家称道;亦"工画鹅雁鹭鸶,尤工小景,善为寒汀远渚、潇洒虚旷之象,人所难到也"(北宋郭若虚语)。苏轼为其画作《春江晚景》题的诗句"竹外桃花三两枝,春江水暖鸭先知",名传千古。

[2]隐沦:隐居。

[3]行药:服养生药之后,散步以散发药性。

《访杨云卿淮上别墅》

[宋]惠崇

地近得频到,相携向野亭。河分冈势断[1],春入烧痕青[2]。望久人收钓,吟余鹤振翎[3]。不愁归路晚,明月上前汀[4]。

【注释】

[1]冈:亦作"岗",山脊、山岭。全句说河水流过,山势似被断为两截。

[2]烧痕:野火的痕迹。全句说春天到来,野火烧过的痕迹也带上青翠之色。

[3]翎(líng):鸟翅或尾上长而硬的毛,泛指鸟羽。

[4]汀(tīng):本义指水之平,引申为水边平地、小洲。全句说明月已经照到前面的小洲之上。本诗中"河分冈势断,春入烧痕青"二句时常被人提及,同属"九僧"的释文兆作诗嘲之:"河分岗势司空曙,春入烧痕刘长卿。不是师兄偷古句,古人诗句犯师兄。"谓此二句套用了前人司空曙和刘长卿的诗句。早在晚唐,著名诗僧贯休的《上冯使君山水障子》中就有"笔句冈势转,墨抢烧痕颠",可能与惠崇借鉴了同一首诗。

《狮子峰》

[宋]重显[1]

踞地盘空势未休,爪牙安肯混常流[2]。天教生在千峰上,不得云擎也出头[3]。

【注释】

[1]重显(980~1052):宋代云门宗僧人。俗姓李,字隐之,四川遂宁人。幼颖敏,凤有出尘之志。咸平年间(998~1003)父母见背,投成都普安院落发出家。曾参多位大德,特别是至随州

北塔,谒智门光祚。于问答间顿悟,留居五年,尽得其云门宗法。干兴元年(1022)应请住雪窦山资圣寺。自此,住山31年,度僧78人,大振云门宗风。号称"云门中兴",且因住在雪窦山,而得名雪窦重显。皇祐四年六月十日示寂,世寿七十三,赐号"明觉大师"。

[2]常流:凡庸之辈。

[3]擎(qíng):举起,向上托。全诗借咏高居千峰上的狮子峰,歌颂禅者特立独行,鹤立鸡群的潇洒气概。

《静而善应》(其二)

[宋]重显

对扬殊特[1]本同参,谁自辽空[2]强指南。今古不存师弟子,一轮秋月印寒潭[3]。

【注释】

[1]对扬:答问。殊特:特殊,与众不同。

[2]辽空:辽阔的天空,此处当为凭空之意。

[3]全诗说师与弟子应共同答问参学,不需要有谁空作指导,因为佛法对所有众生皆无二致,恰如"秋月印寒潭"对任何人都显出同样的面貌。

《留暹首座》
[宋]重显

从龙为雨复清闲,片段依依水石间。惭问秋风欲吹散,不能留得覆青山。[1]

【注释】

[1]暹首座指开先善暹禅师,操行清苦,智识明达,机辩迅捷,禅林目曰"海上横行暹道者"。重显器之,留坐下数年,并欲举之住明州金鹅寺作住持。善暹闻之,书二偈于壁而去:"不是无心继祖灯,道惭未厕岭南能。三更月下离岩窦,眷眷无言恋碧层。三十余年四海间,寻师择友未尝闲。今朝得到无心地,却被无心趁出山。"重显书此偈,将暹禅师比作潇洒任运的云彩,或随龙布雨,或依于水石之间,或被秋风吹散,却无法把它强留下来覆住青山。

《颂古》[1]
[宋]重显

对扬深爱老俱胝,宇宙空来更有谁。曾向沧溟下浮木,夜涛相共接盲龟。

【注释】

[1]颂前自注云"举俱胝和尚凡有所问只竖一指。颂曰"。唐代婺州金华山上有个俱胝和尚,没能参透一位女尼的禅机,很是惭愧,后遇天龙和尚,陈述前事。天龙不言,唯竖一指示之,俱胝当下大悟,自言:"吾得天龙一指头禅,一生用不尽。"从此凡有学者参问,唯举一指。有一童子,每见人问事,亦竖指。人谓俱胝曰:"和尚,童子亦会佛法,凡有问,皆如和尚竖指。"一日俱胝把刀子藏在袖中,问童子是否会佛法,童曰"是",又问:"如何是佛?"童子竖起指头。俱胝以刀断其指。童子大叫着跑出,却被俱胝叫住,又问:"如何是佛?"童子举手,不见指头,豁然大悟。天龙以一指"截断众流",打破俱胝对于日常琐事的执着,童子模仿俱胝的样子,并不明其用意,反而生出对手指的执着,俱胝断其指,将这种执着彻底破除,使童子豁然开悟。

《悟道偈》

[宋]韩大伯[1]

一兔横身当古路,苍鹰才见便生擒。后来猎犬无灵性,空向枯桩旧处寻。[2]

【注释】

[1]韩大伯:生平事迹不详,后来出家成为宗上座。《禅林僧宝传》记载,雪窦重显曾在大阳山任典客僧,一日与客论赵州宗旨,旁有一名叫韩大伯的苦行"匿笑而去",重显数对他说:

"我偶客语,尔乃敢慢笑,笑何事?"韩大伯答:"笑知客智眼未正,择法不明。"重显曰:"岂有说乎?"韩大伯即以此偈为对,重显"阴异之,结以为友"。后重显住雪窦山,宗风大振,再遇韩大伯,召集大众,为其升座,曰:"大众今日,雪窦宗上座,乃是昔年大阳韩大伯,具大知见,晦迹韬光。欲得发扬宗风,幸愿特升此座。"

[2]禅宗推崇机智迅捷,如苍鹰擒拿快速奔跑的野兔一般,若涉丝毫游疑徘徊,则已落下一等,好像猎狗靠鼻子来寻找猎物,嗅到味道时,野兔早已跑掉,只剩枯桩。与韩大伯相善的雪窦重显禅师曾作《偏向枯桩》云:"形象由来不是真,都依心色起闲因。可堪举世疑狂客,偏向枯桩境里寻。"可能是受到韩大伯之偈的启发。

《赠闻聪师》

[宋]智圆[1]

澹然尘虑绝,禅外苦风骚[2]。性觉眠云僻,名因背俗高。[3]水烟蒸纸帐,寒发涩铜刀[4]。几宿秋江寺,闲吟听夜涛。[5]

【注释】

[1]智圆(976~1022),宋代天台宗名僧。字无外,自号中庸子,或称潜夫。俗姓徐,钱塘(今杭州)人。幼时出家,随后于钱塘龙兴寺受戒。

[2]风骚:本指《诗经》中的《国风》和《楚辞》中的《离骚》,借

指诗文。全句说闻聪师虽已断绝尘虑,但仍苦心于诗文创作。

[3]说禅师随缘自在,高卧白云,也因不落尘俗而获得了很大的名声。

[4]纸帐:以藤皮茧纸缝制的帐子。铜刀:剃发的刀。说禅师居住的纸帐被山间蒸腾的水雾环绕,寒冷的天气中,剃发的铜刀也显得发涩。

[5]全诗通过几个生活细节,勾勒出闻聪师潇洒任运,特立独行的面貌。

《咏鹦鹉》

[宋]定渚[1]

罩向金笼好羽仪,分明喉舌似君稀。不须一向随人语,须信人心有是非[2]。

【注释】

[1]定渚:泉州晋江(今福建泉州)人。精心内典,兼通儒书,有《去华集》,已佚。

[2]禅宗反对"头上安头",如鹦鹉般简单重复他人的见解,更大胆地喊出"丈夫自有冲天志,莫向如来行处行",对于佛菩萨的教化、经典的记载亦不可僵化照搬。

《巴峡闻猿》

[宋]文兆[1]

倚棹望云际,寥寥出峡清。心如无一事,愁不在三声[2]。带露诸峰迥,悬空片月明。何人同此听,彻晓[3]得诗成。

【注释】

[1]文兆:闽(今福建)人,一说南越人,宋初以诗闻名于世的"九僧"之一。

[2]三声:指猿啼,语出《水经注》所引渔者歌:"巴东三峡巫峡长,猿啼三声泪满裳。"

[3]彻晓:达旦,直至天明。

《牧牛图[1]颂》

[宋]普明[2]

未牧第一

生狞[3]头角恣[4]咆哮,奔走溪山路转遥。一片黑云横谷口,谁知步步犯佳苗。

初调第二

我有芒绳蓦[5]鼻穿,一回奔竞痛加鞭。从来劣性难调制,犹得山童尽力牵。

受制第三

渐调渐伏息奔驰,渡水穿云步步随。手把芒绳无少缓,牧童终日自忘疲。

回首第四

日久功深始转头,颠狂心力渐调柔。山童未肯全相许[6],犹把芒绳且系留。

驯伏第五

绿杨阴下古溪边,放去收来得自然。日暮碧云芳草地,牧童归去不须牵。

无碍第六

露地安眠意自如,不劳鞭策永无拘。山童稳坐青松下,一曲升平乐有余。

任运第七

柳岸春波夕照中,淡烟芳草绿茸茸。饥餐渴饮随时过,石上山童睡正浓。

相忘第八

白牛常在白云中,人自无心牛亦同。月透白云云影白,白云明月任西东。

独照第九

牛儿无处牧童闲,一片孤云碧嶂[7]间。拍手高歌明月下,归来犹有一重关。

双泯第十

人牛不见杳无踪,明月光寒[8]万象空。若问其中端的[9]意,野花芳草自丛丛。

【注释】

[1]佛典中常以牛为喻,将牛比喻为人的心性,《牧牛图》一般有十幅,借牧童驯服野牛的十个过程,反映出禅宗修行"治心"的十个阶次。

[2]普明禅师:生卒年不详,万松行秀《请益录》有"太白山普明禅师颂《牧牛图》十章",可知其为宋代僧人。

[3]生狞:凶猛,凶恶。

[4]恣(zì):放纵,放肆。

[5]蓦(mò):穿过。

[6]相许：应允、允许，此处指放任其自由。

[7]嶂：耸立如屏障的山峰。

[8]寒：一作"含"。

[9]端的：始末，底细。

《十玄谈[1]》之《心印》

[宋]常察[2]

问君心印作何颜，心印何人敢授传。历劫坦然无异色，呼为心印早虚言。须知本自虚空性，将喻红炉火里莲[3]。莫谓无心云是道，无心犹隔一重关。

【注释】

[1]《十玄谈》是同安常察禅师所撰的一组偈颂，共十首。

[2]常察：宋代僧人。参筠州九峰道虔得法，居洪州凤栖山同安院。

[3]《维摩诘所说经》云："火中生莲华，是可谓希有，在欲而行禅，希有亦如是。"谓在充斥各种欲望的世间行禅非常艰难，但也有人能做到。

《十玄谈》之《尘异》[1]

[宋]常察

　　浊者自浊清者清，菩提烦恼等空平。谁言卞璧[2]无人鉴，我道骊珠到处晶。万法泯时全体现，三乘分别强安名。丈夫皆有冲天志，莫向如来行处行。

【注释】

[1]本偈旨在说明人人本具之佛心印虽入尘俗之中，仍一无挂碍，异于世间尘埃，故称"尘异"。

[2]卞璧：和氏璧。《韩非子》载楚人卞和在山中得到一块璞玉，先后将其献给厉王和武王，二王使相玉人观之，皆说为石头，遂以欺君之罪，先后砍掉了卞和的左右脚。武王薨，文王即位，卞和乃抱其璞玉哭于楚山之下，三日三夜，惊动了文王，文王使人雕凿璞玉，发现为绝世珍宝，取名"和氏璧"。

《无指的》[1]

[宋]德敷[2]

　　不居南北与东西，上下虚空岂可齐。现小毛头[3]犹道广，变长天外尚嫌低。顿干四海红尘起，能竭三涂黑业[4]迷。如此万般皆属坏，更须前进问曹溪。

【注释】

[1]指的：确切指明。

[2]德敷：宋代禅僧，生平不详，人称"雪顶山僧""云顶山僧"。

[3]毛头：皮毛衣服上的长毛，或者衣服缝合线外的毛边。

[4]黑业：暗黑不净之恶业。

《自乐僻执》

[宋]德敷

虽然僻执不风流[1]，懒出松门数十秋[2]。合掌有时慵问佛，折腰谁肯见王侯。电光梦世非坚久[3]，欲火苍生早晚休。自蕴本来灵觉性，不能暂使挂心头。

【注释】

[1]僻执：偏僻固执。风流：洒脱放逸，风雅潇洒。

[2]松门：以松为门，前植松树的屋门。秋：一年的时间。

[3]坚久：坚固持久。

《西江月（十二首）》（节选）

[宋]张伯端[1]

妄想不须强灭，真如何必希求。本源自性佛齐修，迷悟岂拘先后。悟则刹那成佛,迷则万劫沦流。若能一念契真修,灭尽恒沙罪垢。

本自无生无灭,强将生灭区分。只如罪福亦何根,妙体何曾增损。我有一轮明镜,从来只为蒙分。今朝磨莹照乾坤,万象超然难隐。

我性入诸佛性,诸方佛性皆然。亭亭蟾影[2]照寒泉,一月千潭普现。小则毫分[3]莫识,大时遍满三千。高低不约信方圆,说甚短长深浅。

善恶一时妄念,荣枯都不关心。晦明隐显任浮沉,随分饥餐渴饮。神静湛然常寂,不妨坐卧歌吟。一池秋水碧仍深,风动鱼惊尽任。

对镜不须强灭[4],假名权立菩提[5]。色空明暗本来齐,真妄体分两种。悟则便名静土[6],更无天竺曹溪[7]。谁言极乐在天西,了则弥陀出世。

住想修行布施,果报不离天人。恰如仰箭射浮云,坠落祇缘力尽。争似无为实相,还须返朴归淳。境忘情性任天真,以证无生法忍[8]。

鱼兔若还入手,自然忘却筌蹄。渡河筏子上天梯,到彼悉皆遗弃。未悟须凭言说,悟来言说皆非。虽然四句[9]属无为,此等何须脱离。

悟了莫求寂灭,随缘只接群迷[10]。寻常邪见及提携,方便指归实际[11]。五眼三身四智[12],六度万行修齐。圆光一颗好摩尼[13],利物兼能自利。

欲了无生妙道,莫如自见真心。真心无相亦无音,清净法身只恁[14]。此道非无外有,非中亦莫求寻。二边俱遣弃中心[15],

见了名为上品。

【注释】

[1]张伯端(983~1082)：字平叔，号紫阳、紫阳仙人，后改名用成(一说用诚)。人称"悟真先生"，传为"紫玄真人"，又尊为"紫阳真人"。北宋时天台东林人，自幼博览三教经书，涉猎诸种方术，曾中进士，后谪戍岭南。于成都遇仙人授道，著书立说，传道天下。张伯端是道教南宗紫阳派的鼻祖，全真道"南五祖"之一。

[2]蟾影：月影，月光。

[3]毫分：比喻极细微，毫、分皆为小的度量单位。

[4]镜：同"境"。全句说面对外境时，不必强行断除心中的念头。

[5]"权"与"实"相对，指佛菩萨为济度众生所设之便宜权谋，暂用而终将废弃。全句说菩提不过是佛菩萨为教化众生，暂时设立的假名。

[6]静土：同"净土"。《维摩诘所说经》云："若菩萨欲得净土，当净其心；随其心净，则佛土净。"禅宗更是主张净土就在自身，《六祖坛经》谓："凡愚不了自性，不识身中净土，愿东愿西。悟人在处一般，所以佛言：'随所住处恒安乐。'"

[7]曹溪：位于广东韶州曲江县南，山上有法性寺，今称南华寺。禅宗典籍记载，六祖慧能从五祖弘忍处得法后，南行来到曹溪，在法性寺留下著名的"不是风动，不是幡动，仁者心动"之公案，从寺中印宗和尚剃发、受具足戒，大弘禅法，曹溪因此被视为中国禅宗的发源地。

[8]无生法忍:谓观察、谛认诸法无生无灭之理,安住且不动心。

[9]四句:禅宗、三论宗等为泯除众生对有、无等的迷执邪见,说明真空无相不可得之理,常用的四种语句,一般包括有、无、亦有亦无、非有非无,或者肯定、否定、部分肯定部分否定、两者均否定。

[10]群迷:众多迷惑的众生。

[11]"方便"本为梵语音译,指巧妙地接近、施设、安排等,即佛菩萨应众生之根机,用种种方法施予化益,诱引众生进入真实法门。

[12]五眼:照见万物万法的五种眼,包括肉眼、天眼、慧眼、法眼、佛眼。肉眼是肉身凡夫的眼,遇昏暗,遇阻碍,则不能见;天眼是天人的眼,不论远近、前后、内外、昼夜、上下皆悉能见;慧眼是声闻、缘觉的眼,能看破假相,识得真空;法眼是菩萨的眼,能照见世间和出世间的一切法门;佛眼具足前四种眼的作用,无事不见、不知。三身:佛的三身指法身、报身、应身。法身为真如法性之身,是佛之真身,常住不灭;报身是由佛的智慧功德所成,供自己受用或为大众说法而变现的身;应身又名应化身,或变化身,是应众生之机缘而变现出来的佛身。禅宗六祖慧能提出凡人亦有"三身自性佛","清净法身佛"就是世人本来清净,能生万法的自性;若能"念念圆明,自见本性",即是"圆满报身佛";思量变化,感召种种不同的境遇,成"千百亿化身佛"。四智:指大圆镜智、平等性智、妙观察智、成所作智,是佛具有的四种圆满智慧。

[13]摩尼:宝珠。

[14]恁(rèn)：代词，这么，如此。

[15]二边：偏离中道的两种极端，互相对立且都与佛法之中道立场相违，例如苦乐、有无等。中心指"中道"，离开二边的极端、邪执，不偏于任何一方的中正之道，或观点、方法等，是佛教的根本立场，各宗均以此语表示其教理的核心。此处诗人却强调将二边与中道悉皆舍弃，不执着与任何一方。

《小溪》

[宋]昙颖[1]

小溪庄上掩柴扉[2]，鸡犬无声月色微。一只小舟临断岸[3]，趁潮来此趁潮归。

【注释】

[1]昙颖(989~1060)：宋代临济宗僧。俗姓丘，号达观，钱塘(今浙江杭州)人。十三岁出家，后参于谷隐蕴聪，嗣其法，住于润州(江苏)金山龙游寺，弘扬临济宗风。并曾长游京师，与欧阳修为友。仁宗嘉祐五年卒，世寿七十二。

[2]柴扉：柴门。

[3]断岸：江边绝壁。

《四明十题》之《宴坐岩》

[宋]昙颖

心危身亦危,衽席尚颠坠[1]。如何岩石上,来坐自安意。

【注释】

[1]衽(rèn)席:卧席。颠坠:坠落,跌落。形容岩石之高峻险怪。

《题中峰寺》

[宋]柳永[1]

攀萝蹑石落崔嵬[2],千万峰中梵室开。僧向半空为世界,眼看平地起风雷。猿偷晓果升松去,竹逗清流入槛来。旬月[3]经游殊不厌,欲归回首更迟回。

【注释】

[1]柳永(984~1053):北宋著名词人。原名三变,字景庄,后改名永,字耆卿,因排行第七,又称柳七,福建崇安人,出身官宦世家,有功名用世之志,参加科举屡试不中,遂一心填词。景祐元年(1034),终得及第,官终屯田员外郎致仕,故又称"柳屯田"。世传"凡有井水处,即能歌柳词",足见其词作的广泛影响。

[2]崔嵬(wéi)：本指有石的土山，后泛指高山。全句说山高峻非常，需要手攀藤萝，足登危石才能爬上去。

[3]旬月：一个月。

《自叹》

[宋]法远[1]

孤舟夜静泛波澜。两岸芦华对月圆。金鳞[2]自入深潭去。空使渔翁执钓竿。

【注释】

[1]法远(991~1067)：宋代禅僧。河南郑州人，从三交智嵩出家，嗣法于汝州(河南省)叶县广教院的归省。欧阳修尝在其门下参学。后住舒州(安徽省)浮山，阐扬宗风，提示学人之宗门语句被编集为《佛禅宗教义九带集》，简称"浮山九带"。治平四年示寂，世寿七十七，谥号"圆鉴禅师"。

[2]金鳞：金色的鱼鳞，借指鱼。

《颂》(二首)

[宋]法远

幻世出没有何穷，幻化本来体自空。南山起云北山雨，楼头鼓动庆阳钟[1]。

来时无物去亦无，譬似浮云布太虚[2]。抛下一条皮袋骨[3]，
还如霜雪入洪炉[4]。

【注释】

[1]"南山"一联借云彩飘散，降下雨水和钟鼓声相传说明
事物间普遍存在着联系，无须强加分别。

[2]太虚：天空，亦指空寂玄奥之境。

[3]皮袋骨：指人畜的身体，如在皮袋中放入骨肉脏物。

[4]烘炉：火炉。

《颂古》

[宋]文悦[1]

抱拙少林已九年[2]，赵州忽长庭前柏。可怜无限守株人，寥
寥坐对千峰色[3]。

【注释】

[1]文悦(998~1062)：宋代临济宗僧。俗姓徐，江西南昌人。
七岁时剃发于龙兴寺，十九岁游历诸方，参谒筠州(江西)大愚
守芝，开悟后承其法，并随侍八年。守芝入寂后，师再游方，参
谒同安院慧南，为首座。历住翠岩寺、南岳法轮寺等，后又住南
岳云峰，故又称"云峰文悦"。嘉祐七年示寂，世寿六十五。

[2]谓达摩在少林面壁九年。

[3]雍正《御制拣魔辨异录》卷二云："达摩未来震旦，震旦遂无佛法耶？……且如世尊所拈之花，达摩未来震旦以前。为有花耶？为无花耶？震旦之花，不因达磨来而始有，则佛法岂是达摩来而始有耶？"说明佛法本就存在与日常生活中，并非某人所创，或由某人传播而来，若只是僵化模仿达摩面壁，枯坐不动，或者抓住"庭前柏树子"等过去的话头不放，即使看遍千峰翠色，也是了无所得。

《寄道友》
[宋]文悦

散尽浮云落尽花，到头明月是生涯。天垂六幕[1]千山外，何处清风不旧家？

【注释】
[1]六幕：天地四方。

《拔草占风辨正邪》
[宋]慧南[1]

拔草占风辨正邪，先须拈却眼中沙。举头若昧天皇饼[2]，虚心难吃赵州茶[3]。

[1]慧南(1002~1069):临济宗黄龙派初祖,世称黄龙慧南。俗姓章,信州玉山(今江西玉山县)人,少习儒业,博通经史,遍参诸宿,承法于临济传人石霜楚圆。住归宗寺时,因突遭火灾全寺尽毁,而蒙冤坐狱。获释后退居黄檗积翠庵,复受请至黄龙山崇恩院,法席鼎盛,宗风大振,"黄龙派"即此形成。慧南善取公案广度四众,尝设"佛手、驴脚、生缘"三转语勘验学人,世称"黄龙三关",熙宁二年入寂,世寿六十八,大观四年(1110),追谥"普觉禅师"。

[2]"天皇饼"源于禅宗公案。龙潭崇信禅师未出家前,常供饼十枚给天皇禅师。天皇禅师吃完,总留一个饼给龙潭崇信,崇信不解,问道:"饼是我送来的,为何要返还给我呢?"天皇说:"是你拿来的,还给你有什么不对?"崇信遂觉悟出家。

[3]"赵州茶"亦是著名公案。赵州从谂禅师常问新到之人:"曾到此间么?"答曰:"曾到。"赵州说:"吃茶去。"有人答"不曾到",赵州还说:"吃茶去。"院主不解,问赵州:"为甚么答曾到也说吃茶去,答不曾到也说吃茶去。"赵州招呼院主,院主答"喏"。赵州说:"吃茶去。"慧南禅师作此偈,旨在让人"辨正邪""拈却眼中沙",树立正知正见,若心中存在"举头""虚心"等思量顾虑,则无法领略"天皇饼""赵州茶"的真谛。

《一踏踏翻四大海》

[宋]慧南

一踏踏翻四大海,一捆捆倒须弥山[1]。撒手到家人不识,鹊噪鸦鸣柏树间。[2]

【注释】

[1]须弥山：印度神话中之山名，佛教沿用之，谓其为耸立于一个世界中央的高山，周围有八山、八海环绕。

[2]全诗开头气魄豪迈，出人意表，后又回归旁人不识，静观万物的平静潇散，显示出收放自如，不拖泥带水的禅者气魄。

《望江南·娑婆苦》(六首)

[宋]净圆[1]

娑婆苦，长劫受轮回。不断苦因离火宅[2]，只随业报入胞胎。辜负这灵台[3]。　　朝又暮，寒暑急相催。一个幻身能几日，百端机巧衮尘埃[4]。何得出头来。

娑婆苦，身世一浮萍。蚊蚋睫中争小利，蜗牛角上窃虚名。一点气难平。　　人我[5]盛，日夜长无明。地狱争头成队入，西方无个肯修行。空死复空生。争一作尽。

娑婆苦，情念骤如风。六贼村中无暂息，四蛇[6]箧内更相攻。谁是主人公。　　无慧力[7]，爱网转关笼。一向四楞低搭地，不思两脚欲梢空[8]。前路更匆匆。

娑婆苦，生老病无常。九窍[9]腥臊流秽污，一包脓血贮皮囊。争弱又争强。　　随妄想，耽欲[10]更荒唐。念佛看经云着相[11]，破斋毁戒却无妨。只恐有阎王。

娑婆苦,终日走尘寰[12]。不觉年光随逝水,那堪白发换朱颜。六趣任循环。　　今与古,谁肯死前闲。危脆利名才入手,虚华财色便追攀。荣辱片时间。

娑婆苦,光影急如流。宠辱悲欢何日了,是非人我几时休。生死路悠悠。　　三界里,水面一浮沤。纵使英雄功盖世,只留白骨掩荒丘。何似早回头。

【注释】

[1]净圆:生平不详,人称白云法师。

[2]火宅:着火的宅子,比喻未觉悟之众生居住的、充满烦恼忧患的三界,"法华七喻"之一。《妙法莲华经》云:"三界无安,犹如火宅。众苦充满,甚可怖畏。常有生老病死忧患。如是等火,炽然不息。"参见《答法达偈》注释[4]

[3]灵台:本来清净的心性。《庄子·庚桑楚》云:"不可内于灵台。"郭象注:"灵台者,心也。"

[4]衮尘埃:卷入尘埃。衮(gǔn),通"卷"。

[5]人我:即"人我执",执着于"我"之实有。

[6]四蛇:比喻地、水、火、风"四大"。

[7]慧力:智慧的力量,能消除烦恼。

[8]四楞:同"四棱",四方角落、四周。梢空:跷向天空。全句说若一心向佛,则觉四方皆如平地,所不加思考,便如将双脚跷向天空,无法行路。

[9]九窍:耳、目、口、鼻及尿道、肛门的九个孔道。

[10]耽欲:沉溺于种种欲望。

[11]着相:有意识表现出来的形象状态。

[12]尘寰:人世间。

《渔家傲·咏鱼篮观音[1]》

[宋]寿涯禅师[2]

深愿弘慈无缝罅[3],乘时走入众生界。窈窕丰姿都没赛。提鱼卖,堪笑马郎来纳败[4]。　　清冷露湿金襕[5]坏,茜裙不把珠缨盖。特地掀来呈捏怪[6]。牵人爱,还尽许多菩萨债。

【注释】

[1]鱼篮观音:"三十三观音"之一,形象或手持鱼篮,或乘骑大鱼。

[2]寿涯禅师:生平不详,尝居于江苏北固山竹林寺,精通儒学,据说宋代大儒胡宿、周敦颐的学问皆渊源于他。

[3]缝罅:缝隙。罅(xià):裂,开裂。

[4]鱼篮观音信仰源于唐代。据说唐元和年间,在陕右金沙滩上,出现了一位提篮卖鱼的美丽女子,许多人都希望娶她为妻。女子说:"我喜读佛经,一晚上能把《普门品》背诵下来的人,我就嫁给他。"第二天有二十人做到。女子说:"我一身岂能嫁给多人?改成《金刚经》吧,仍以一天为限。"第二天还有十人做到。女子又说:"改成《法华经》吧,以三日为期。"这回只有马氏子做到,欢欢喜喜地与女子成婚。谁知在成亲之时,女子突然身亡,身体顷刻腐烂,家人只好将其埋葬。马郎不能忘情,常

到女子坟前祭拜,某日遇一老僧,为马郎打开棺木,只见一副黄金锁子骨。老僧说:"这是观音示现,来度化你的啊。"言罢,飞去。

[5]金枀:金制的斗拱。枀(jié),柱头斗栱。

[6]捏怪:塑造怪相。全句说观音化成的美丽女子,时将身上的茜裙掀起,做出娇美的姿态。

《渔家傲》

[宋]圆禅师[1]

本是潇湘一钓客,自东自西自南北。只把孤舟为屋宅。无宽窄,幕天席地人难测。　顷闻四海停戈革,金门[2]懒去投书册。时向滩头歌月白[3]。真高格,浮名浮利谁拘得。

【注释】

[1]圆禅师:生平不详,曾主湖州甘露寺,有《渔父词》二十余首,以此得名于丛林,然至宋代释晓莹编《罗湖野录》时已经仅存一首。

[2]金门:"金明门"的简称,内为翰林院所在,亦指以黄金做装饰的门,代指官场或富贵人家。

[3]月白:月色皎洁。

《赠无为军李道士》（其一）

[宋]欧阳修[1]

无为道士三尺琴，中有万古无穷音。音如石上泻流水，泻之不竭曲源深。弹虽在指声在音，听之不耳而以心。心意既得形骸忘，不觉天地白日愁云阴[2]。

【注释】

[1]欧阳修（1007~1072）：字永叔，号醉翁、六一居士，江西吉水（今属江西）人，北宋政治家、文学家。天圣进士，历官枢密副使、参知政事，因议新法与王安石不合，退居颍州，谥号文忠。诗词文兼善，是北宋古文运动领袖，"唐宋八大家"之一。

[2]作者听琴时忘却了一切外物，使心安住一处，丝毫不散乱，进入类似禅定的境界。

《禅斋》

[宋]张方平[1]

昔年曾见琅邪老，为说楞伽最上乘[2]。顿悟红炉一点雪，忽惊暗室百千灯[3]。便超十地犹尘影，更透三关转葛藤[4]。不住无为方自在，打除都尽即南能[5]。

【注释】

[1]张方平（1007~1091）：字安道，号"乐全居士"，谥"文定"，睢阳（今河南商丘）人。景祐元年（1034），中茂才异等科，历任昆山知县、滁州知州等职，反对王安石新法。

[2]琅邪（yá）：今作"琅琊"，指琅琊山，在今安徽省滁州市西南。楞伽：指《楞伽经》，为印度佛教法相唯识系与如来藏系的重要经典，宣说世界万有皆由心所造，"诸法皆幻"之旨趣。"琅琊老"是琅琊山的广照禅师，名慧觉。张方平在滁州任职时，曾拜见慧觉禅师，禅师示之《楞伽经》，并讲解其中妙理。

[3]全联写顿悟的状态。一正念现前，如"红炉一点雪"，则瞬间彻悟，似"暗室百千灯"。

[4]三关：禅宗开悟的三个阶段，即：本参（初关）、重关、末后关。由参话题引出无漏慧，由无漏慧，明自本心，见自本性，名为初关。既见性已，乃以无漏慧对治烦恼，到烦恼伏而不起现行，方名重关。然烦恼之伏，犹赖对治功用，必至烦恼净尽，任运无功用时，始透末后一关。葛藤：葛的藤蔓，比喻烦恼，或者文字、语言繁杂无用，难以理解，如葛藤之蔓延交错，更添缠绕束缚。

[5]南能：六祖慧能，因常住南方，故称。

《观音诗》

[宋]契适[1]

其一

金沙池裛玉莲馨,殿阁阶墀尽水精[2]。云化路歧通万国,风飘舟楫济群生。座妆珪璧[3]霜犹暗,衣缀珠玑[4]月不明。若向险途逢八难,只劳心念讽持名[5]。

其三

慧炬[6]慈航[7]在世间,除昏济险未尝闲。手擎一穗青丝柳[8],身倚千层碧玉山。声满诸天常讽诵,功圆十地绝跻攀。终求郢妙[9]雕金相,时献香花礼粹颜。

其九

宴坐琼瑶曲密都[10],感通宁肯择贤愚[11]。遍分智慧灯开暗,尽洒清凉雨发枯。荷拥夕池鲜五色,树凝春砌莹三珠[12]。波神[13]天女相初从,虚白光中美丈夫[14]。

【注释】

[1]契适:真宗大中祥符(1008~1016)时人,居通州(今江苏

171

南通)狼山为僧。

[2]阶墀(chí)：台阶。水精：音译颇梨、颇致迦，又作白珠、水晶。晶莹如水，坚硬如玉，故又称水玉。

[3]珪璧：古代祭祀朝聘等所用的玉器。

[4]珠玑(jī)：珠宝，珠玉。

[5] 观世音菩萨能闻声救苦，《妙法莲华经·观世音菩萨普门品》载，佛告无尽意菩萨："善男子！若有无量百千万亿众生受诸苦恼，闻是观世音菩萨，一心称名，观世音菩萨实时观其音声，皆得解脱。……以是因缘，名观世音。"民间更是相信观音菩萨"千处祈求千处应，苦海常作渡人舟"。

[6]慧炬：智慧的灯炬，能照破无明之暗，使众生知晓道途之险难。

[7]慈航：广大慈悲，弘誓普度众生之船。

[8]寺庙中的观音菩萨像，常一手持杨柳枝，一手持净瓶。杨枝又作齿木，是小枝头的细条，印度人用来咀嚼刮舌以清洁口腔，礼请贵客亦先赠齿木及香水等。《观音慈林集》载，当年毗舍离国的人民遇大恶病，国中大长者求佛救度，佛告诉他们恳请西方阿弥陀佛和他的左右胁侍观世音菩萨、大势至菩萨救度，说是语时，于佛光中即见阿弥陀佛与二菩萨，毗舍离人"即具杨枝、净水，授与观世音菩萨"，观音菩萨即说神咒，解救了毗舍离国之难，杨枝也成了消灾祛恶的象征。千手观音四十手中有"杨柳枝手"，观音菩萨三十三化身中亦有"杨柳观音"，又称药王观音，左手结施无畏印，右手持杨柳枝。若修杨柳枝药法，可消除身上之众病。

[9]郢妙：能工巧匠妙手所成的。

[10]密都:传说中天帝静居之地。

[11]谓观音菩萨普度众生,不因众生之贤愚不同而有任何分别。

[12]三珠:"三珠树"的简称,亦作"三株树",古代传说中的珍贵树木。

[13]波神:水神。

[14] 印度佛教中的观世音菩萨是男身,《华严经》中也有"勇猛丈夫观自在",观音信仰传入我国之初,依然保持"勇猛丈夫"形象,但到了唐代以后,观音逐渐转变成一位温良柔美的女菩萨,与其普度众生,慈悲救苦的形象更加相称,得到中国百姓的广泛接受。其实菩萨本无性别之说,观音菩萨更是可变化成种种身为众生说法解难,偶尔化身美丈夫也没有什么奇怪。

《登宝公塔[1]》

[宋]王安石[2]

倦童疲马放松门,自把长筇倚石根[3]。江月转空为白昼,岭云分暝[4]与黄昏。鼠摇岑寂声随起,鸦矫荒寒影对翻[5]。当此不知谁客主,道人忘我我忘言。

【注释】

[1]宝公塔:原址在南京钟山南麓独龙阜上,为纪念高僧志公禅师而建,现已不存。退居金陵的王安石常到钟山一代游

玩，留下许多作品。

[2]王安石（1021~1086）：字介甫，号半山，临川（今江西抚州市临川区）人，北宋著名的思想家、政治家、文学家。曾两度为相，实施"庆历新政"，晚年退居金陵，封荆国公，世称"王荆公"。诗文俱佳，是"唐宋八大家"之一。

[3]长筇：长竹杖。石根：岩石的底部。首联写诗人携倦童，骑疲马登上宝公塔后，手把竹杖，倚靠着岩石休息。

[4]暝：昏暗。全联说江月照耀江面，亮如白昼，岭上之云则为黄昏的天色更添了几分昏暗。

[5]岑寂：高而静，泛指寂静。全联说老鼠轻动，发出声响，乌鸦飞起，身体与影子双双翻飞，打破岑寂荒凉的环境。

《八功德水》[1]

[宋]王安石

雪山马口出琉璃，闻说诸天与护持[2]。此水遥连八功德，供人真净四威仪。当时迦叶无尘染[3]，何事阆乡有土思[4]。道力起缘非一路，但知瓢饮是生疑。

【注释】

[1]八功德水：泉水名，原位于钟山南麓独龙阜的蒋山寺、宝公塔附近，据说在明洪武年间迁寺时，"水随寺迁"至灵谷寺以东数十米处。据说此泉水有如下特点：一清、二冷、三香、

四柔、五甘、六净、七不噎、八蠲疴,故借用佛教中"八功德水"之名。

[2]《大唐西域记》:"(阿那婆答多池)在香山之南,大雪山之北,周八百里矣。金、银、瑠璃、颇胝,饰其岸焉。金沙弥漫,清波皎镜。八地菩萨以愿力故,化为龙王,于中潜宅。出清冷水,给赡部洲。是以池东面银牛口流出殑伽河,绕池一匝,入东南海;池南面金象口流出信度河,绕池一匝,入西南海;池西面瑠璃马口流出缚刍河,绕池一匝,入西北海;池北面颇胝师子口流出徙多河,绕池一匝,入东北海,或曰潜流地下,出积石山,即徙多河之流,为中国之河源云。"诗人引阿那婆答多池之典,显示八功德水的清净殊胜。

[3]迦叶:摩诃迦叶的简称,佛陀"十大弟子"之一,泛指有道的修行人。尘染:尘俗之事的沾染。

[4]《宋高僧传》:"释万回,俗姓张氏,虢州阌乡人也。……年始十岁,兄戍辽阳(一云安西),久无消息。母忧之甚,乃为设斋祈福。回倏白母曰:'兄安极易知耳,奚用忧为?'因裹斋余,出门径去。际晚而归,执其兄书云:'平善。'问其所由,默而无对。去来万里。后时兄归,云此日与回言,适从家来,因授饼饵,其(疑为'共'之误)啗而返。举家惊喜。"土思:对故乡的怀念。

《渔家傲·灯火已收正月半》

[宋]王安石

灯火已收正月半[1]，山南山北花撩乱。闻说渟亭[2]新水漫。骑款段[3]，穿云入坞[4]寻游伴。　　却拂僧床褰素幔[5]，千岩万壑春风暖。一弄松声悲急管[6]。吹梦断，西看窗日犹嫌短。

【注释】

[1]谓正月十五上元节的灯火已收。蔡绦《铁围山丛谈》："上元张灯，天下止三日。"据说收灯后，有出城郊游的习俗。

[2]渟(jiàn)亭：位于钟山西麓，也是王安石非常喜爱的地方。新水：春水。

[3]款段：马行迟缓貌，借指马，此处指作者骑的毛驴。《东轩笔录》："王荆公再罢政，以使相判金陵，……平日乘一驴，从数僮游诸山寺。欲入城则乘小舫，泛潮沟以行，盖未尝乘马与肩舆也。"

[4]坞：花木深处。

[5]褰(qiān)：撩起，用手提起。素幔：素朴无华饰的帐幔。

[6]一弄：一派。急管：节奏急速的管乐。全句谓松声悲过急促的管乐。

《渔家傲·平岸小桥千嶂抱》

[宋]王安石

平岸小桥千嶂抱，柔蓝一水萦[1]花草。茅屋数间窗窈窕。尘不到，时时自有春风扫。　　午枕觉来闻语鸟，欹[2]眠似听朝鸡早。忽忆故人今总老。贪梦好，茫然忘了邯郸道[3]。

【注释】

[1]萦(yíng)：回旋围绕。

[2]欹：歪斜，倾斜。

[3]邯郸道：唐人沈既济《枕中记》载，卢生在邯郸客店中遇道士吕翁，枕其所授瓷枕入睡，梦中遍历一生富贵荣华。醒来发现，仍在客舍之中，店主的黄粱米饭尚未蒸熟。后因以"邯郸道"比喻虚幻之路。

《雨霖铃》

[宋]王安石

孜孜矻矻[1]。向无明里、强作窠窟[2]。浮名浮利何济，堪留恋处，轮回仓猝[3]。幸有明空妙觉，可弹指超出。缘底事[4]、抛了全潮，认一浮沤作瀛渤[5]。　　本源自性天真佛。祗些些[6]、妄想中埋没。贪他眼花阳艳，谁通道、本来无物。一旦茫然，终被阎罗老子[7]相屈。便纵有、千种机筹[8]，怎免伊唐突[9]。

【注释】

[1]孜(zī)孜砣(kū)砣：勤勉不懈貌。

[2]窠窟：动物栖身之所，喻指事业。

[3]仓猝：同"仓卒"，匆忙急迫。

[4]底事：何事。

[5]瀛渤：渤海。

[6]些些：少许，一点儿。

[7]阎罗老子：同"阎罗"。

[8]机筹：计谋，计策。

[9]唐突：冒犯，亵渎。全句说如果不能了悟真实自性，继续轮回六道之中，纵有千般计谋，也会因为所作恶业，受到阎罗王的严酷审判和刑罚。

《望江南·归依三宝[1]赞》

[宋]王安石

归依众[2]，梵行[3]四威仪。愿我遍游诸佛土，十方贤圣不相离。永灭世间痴。

归依法，法法不思议。愿我六根常寂静，心如宝月映琉璃。了法更无疑。

归依佛，弹指越三祇[4]。愿我速登无上觉，还如佛坐道场时。能智又能悲。

三界里，有取总灾危[5]。普愿众生同我愿，能于空有善思惟[6]。三宝共住持[7]。

【注释】

[1]三宝：指佛、法、僧，又称佛宝、僧宝、法宝。佛包括一切诸佛，法是佛陀所说之教法，僧指僧众。佛教徒相信此三者威德至高无上，永不变移，如世间之宝，故称三宝。

[2]众：僧众，"三宝"中的"僧宝"。

[3]梵行：断除淫欲，受持诸戒的清净行为。

[4]三祇："三大阿僧祇劫"的简称，"阿僧祇"是印度数目单位，据说一阿僧祇有一千万万万万万万万兆（万亿为兆）。"三大阿僧祇劫"是菩萨修行成佛的年数，极其漫长。

[5]谓有所求取，便总会招致灾难和危险。

[6]空有：空与有之并称，诸法依因缘而生，故曰有，诸法系因缘和合而生，本来无自性，故谓空，空有是佛教探讨的重要问题。思惟：同"思维"。

[7]住持：久住护持佛法。

《山前一片闲天地》

[宋]法演[1]

山前一片闲田地，叉手叮咛问祖翁。几度卖来还自买，为怜松竹引春风。

【注释】

[1]法演(?~1104):北宋临济宗僧。俗姓邓,绵州巴西(四川绵阳)人。三十五岁剃发出家,受具足戒,后往见白云守端,参究精勤,终于廓然彻悟,受印可,并受命分座说法。晚年住蕲州(湖北)五祖山,大扬杨岐派宗风,故后世多称之为"五祖法演"。

《寄旧知》

[宋]法演

隔阔[1]多年未是疏,结交岂在频相见。从教[2]山下路崎岖,万里蟾光都一片。

【注释】

[1]隔阔:阻隔阔别。

[2]从教:听任,任凭。

《渔家傲·斗转星移天渐晓》

[宋]净端[1]

斗转星移天渐晓,蓦然听得鹁鸪[2]叫。山寺钟声人浩浩。木鱼噪,渡船过岸行官道。　　轻舟再奈长江讨,重添香饵为钩钓。钓得锦鳞[3]船里跳。呵呵笑,思量天下渔家好。

【注释】

[1]净端(1030~1103):临济宗禅僧。俗姓邱,字表明,归安(今浙江湖州)人。六岁事吴山解空院宝暹为师,二十六始得僧服,后参宝觉齐岳禅师得悟,自号"安闲和尚",因见弄狮子者,翻身模仿其状,丛林号曰"端师子",趺坐而化,世寿七十四。

[2]鹈(tí)鹕(hú):水鸟名。

[3]锦鳞:鱼的美称。

《渔家傲·浪静西溪澄似练》

[宋]净端

浪静西溪澄似练[1],片帆高挂乘风便。始向波心通一线。群鱼见,当头谁敢先吞咽。　　闪烁锦鳞如闪电,灵光今古应无变。爱是憎非都已遣。回头转,一轮明月升苍弁[2]。

【注释】

[1]练:熟绢。全句说西溪风平浪静,澄澈如白练。

[2]"弁(biàn)"是古代贵族的一种帽子,通常在穿礼服时佩戴。"苍弁"似指形状与弁相似的山。

《渔家傲·一只孤舟巡海岸》

[宋]净端

一只孤舟巡海岸，盘陀石[1]上垂钩线。钓得锦鳞鲜又健。堪爱羡，龙王见了将珠换。　　钓罢归来莲苑[2]看，满堂尽是真罗汉[3]。便爇名香三五片。梵口献，原来佛不夺众生愿。

【注释】

[1]盘陀石：不平的石块。

[2]莲苑：僧舍、佛堂一类的佛教场所。

[3]罗汉："阿罗汉"的简称，指断尽三界见、思之惑，证得尽智，堪受世间大供养的圣者。狭义言之，专指小乘佛教中所得之最高果位，广义而言，泛指大、小乘佛教中的最高果位。

《苏幕遮》

[宋]净端

遇荒年，每常见。就中今年，洪水皆淹遍。父母分离无可恋。幸望豪民[1]，救取庄家汉。　　最堪伤，何忍见。古寺禅林，翻作悲田院[2]。日夜烧香频口口，祷告皇天，救护开方便。

【注释】

[1]豪民:有财势的人。

[2]悲田院:收养孤苦无依之人的养济院。唐开元时置"病坊",收容乞丐;武宗时改为"悲田养病坊",简称"悲田院",俗讹作"卑田院"。

《答可遵[1]》

[宋]了元[2]

打睡禅和[3]万万千,梦中趋利走如烟。劝君抖擞[4]修禅定,老境如蚕已再眠[5]。

【注释】

[1]佛印从京师归来,路过金陵,可遵和尚赠诗曰:"上国归来路几千,浑身就带御炉烟。凤凰山下敲蓬咏,惊起山翁白昼眠。"(《佛印元公自京师还过金陵作诗赠之》)佛印以本诗答之。

[2]了元(1032~1098):宋代僧人。俗姓林,号佛印,字觉老,江西浮梁人。二岁学《论语》,长从宝积寺日用出家,受具足戒,遍参诸师,长于书法,能诗文,善言辩,与苏轼、黄庭坚等交善,诗文互答。宋神宗钦慕其道风,特赐高丽磨衲、金钵,赠号"佛印禅师"。

[3]禅和:参禅者。

[4]抖擞:僧人修持的一种苦行,"头陀"的异名。衣服上有灰尘,抖擞一下即可去掉,修苦行的僧人,能断除对饮食、衣

服、住处等贪著烦恼,就像去掉衣服上的灰尘一样。

[5]蚕初生至成蛹,蜕皮三四次,蜕皮时不食不动,如睡眠一般,第二次蜕皮谓之"再眠"。秦观《蚕书·时食》云:"(蚕生)九日,不食一日一夜,谓之'初眠'。又七日,再眠如初……"佛印说自己已入老境,似蚕"再眠"一般不食不动。

《一树春风》
[宋]了元

一树春风有两般,南枝向暖北枝寒。现前一段西来意。一片西飞一片东。[1]

【注释】

[1]诗以春风比喻"西来意",从一处吹来的春风可分冷暖,一个"西来意"当然能有人人不同的理解。

《满庭芳》
[宋]了元

鳞甲何多,羽毛无数,悟来佛性皆同。世人何事,刚爱口头浓。痛把群生割剖,刀头转、鲜血飞红。□□□,零炮碎炙[1],不忍见渠侬[2]。　　喉咙。才咽罢,龙肝凤髓[3],毕竟无踪。谩[4]赢得、生前夭寿多凶。奉劝世人省悟,休恣意、激恼阎翁[5]。轮回转,本来面目,改换片时中[6]。

【注释】

[1]炮(páo)、炙(zhì):皆是烧烤之意。

[2]渠侬(nóng):它。

[3]龙肝凤髓:喻指珍奇的佳肴。

[4]谩:通"漫",徒然。

[5]阎翁:阎王。

[6]全句说人与动物皆在六道中轮回,地位随时可能转换。佛印禅师还曾作《戒杀文》,告诉人们"戒杀念佛兼放生,决到西方上品会"。

《和子由渑池怀旧[1]》

[宋]苏轼[2]

人生到处知何似,应似飞鸿[3]踏雪泥。泥上偶然留指爪,鸿飞那复计东西[4]。老僧已死成新塔[5],坏壁无由见旧题[6]。往日崎岖还记否,路长人困蹇驴[7]嘶。

【注释】

[1]仁宗嘉祐六年(1061),苏轼接到弟弟苏辙(字子由)的《怀渑池寄子瞻兄》:"相携话别郑原上,共道长途怕雪泥。归骑还寻大梁陌,行人已渡古崤西。曾为县吏民知否,旧宿僧房壁共题。遥想独游佳味少,无言骓马但鸣嘶。"提及六年前,兄弟

二人随父苏洵进京,路过渑池时的往事,苏轼和之,作此诗。

[2]苏轼(1037~1101):字子瞻,又字和仲,号东坡居士,宋代著名文学家。眉州眉山(今属四川)人,嘉祐进士,历官中书舍人、翰林学士等职,亦多次被贬。学识渊博,诗词皆善,兼工书画,是"唐宋八大家"之一。

[3]飞鸿:飞行着的鸿雁。

[4]佛典中有"空中鸟迹",比喻不可见、不可寻的东西,苏轼很可能借鉴之,提出"飞鸿雪泥"。

[5]僧人圆寂后,经过处理的尸体,或者"荼毗"(火葬)后的骨灰多安葬在塔中。此句说明老僧已圆寂,只剩下存放他骨灰的新塔。

[6]苏辙诗有"旧宿僧房壁共题",兄弟二人曾在渑池的僧寺投宿,题诗于寺中墙壁上。如今老僧不在,墙壁也已破败,无法找到当年题下的诗句。

[7]蹇驴:跛寒驽弱的驴子。当年,苏轼兄弟的马死在途中,只好骑驴到达渑池。同是回忆往日"路长人困"的行程,苏轼的诗却更多了几分豁达的禅意,最为人称道的是诗的前两联,与印度大诗人泰戈尔的"天空没有翅膀的痕迹,而我早已飞过"有异曲同工之妙。

《庐山烟雨浙江潮》

[宋]苏轼

庐山烟雨浙江[1]潮,未至千般恨不消。及至归来无一事,庐山烟雨浙江潮[2]。

【注释】

[1]浙江:钱塘江。

[2]《指月录》载,吉州青原惟信禅师上堂云:"老僧三十年前未参禅时,见山是山,见水是水;及至后来亲见知识。有个入处,见山不是山,见水不是水;而今得个休歇处,依前见山只是山,见水只是水。"在彻底了悟佛法真谛,以平常心看待世间万物,抛却所有的思量附会之后,自然能彻见万物的本来面目,看山只是山,看水只是水。《水浒传》第一百一十九回中,鲁智深自知大限将至,沐浴、禅坐,留一颂曰:"平生不修善果,只爱杀人放火,忽地顿开金绳,这里扯断玉锁。咦!钱塘江上潮信来,今日方知我是我。"

《和子由四首·送春》

[宋]苏轼

梦里青春可得追,欲将诗句绊余晖。酒阑[1]病客惟思睡,蜜熟黄蜂亦懒飞。芍药樱桃俱扫地,鬓丝禅榻两忘机。凭君借取法界观[2],一洗人间万事非。

【注释】

[1]酒阑:酒筵将尽。

[2]法界观:悟入《华严经》所说之法界真理的观法。有三

重，第一重真空观，观一切诸法原无实性，色即是空，空即是色，空色无碍，泯绝无寄；第二重理事无碍观，观差别之事法与平等之理性并存无碍；第三重周遍含容观，观事事物物之大小相融，遍摄无碍，交参自在。

《髑髅赞》

[宋]苏轼

黄沙枯髑髅，本是桃李面。而今不忍看，当时恨不见[1]。业风相鼓转[2]，巧色美倩盼[3]。无师无眼禅，看便成一片。

【注释】

[1]恨不见：恨不能时时相见。

[2]业风：业力，众生因善恶业力而漂流生死海中，犹如风吹枯叶或风吹船舶，故称"业风"。鼓转：更鼓转换，表示时间推移。

[3]倩盼：形容相貌美好，神态俏丽。

《行香子·述怀》

[宋]苏轼

清夜无尘。月色如银。酒斟时、须满十分。浮名浮利，虚苦劳神。叹隙中驹[1]，石中火，梦中身。　　　　虽抱文章，开口谁亲。且陶陶、乐尽天真。几时归去，作个闲人。对一张琴，一壶酒，一溪云。

【注释】

[1]隙中驹：比喻易逝的光阴。《庄子·知北游》："人生天地之间，若白驹之过郤，忽然而已。"成玄英疏："白驹，骏马也，亦言日也。隙，孔也……如驰骏驹之过孔隙，欻忽而已，何曾足云也！"

《定风波·莫听穿林打叶声》
[宋]苏轼

莫听穿林打叶声[1]，何妨吟啸且徐行[2]。竹杖芒鞋[3]轻胜马，谁怕？一蓑烟雨任平生。　　料峭[4]春风吹酒醒，微冷，山头斜照却相迎。回首向来萧洒处，归去，也无风雨也无晴[5]。

【注释】

[1]苏轼序云："三月七日，沙湖道中遇雨。雨具先去，同行皆狼狈，余独不觉。已而遂晴，故作此词。"可知"穿林打叶声"指雨水穿过树林，打在叶子上的声音。

[2]吟啸：高声吟唱，吟咏。徐行：缓慢前行。

[3]芒鞋：用芒茎外皮编织成的鞋，泛指草鞋，多为平民或僧尼穿着。

[4]料峭：微寒，亦形容风力寒冷、尖利。

[5]苏轼《独觉》诗的最后一联为"回首向来潇洒处,也无风
雨也无晴",足见他对这两句的喜爱。

《定风波·常羡人间琢玉郎》

[宋]苏轼

常羡人间琢玉郎[1],天应乞与点酥娘[2]。尽道清歌传皓齿,
风起,雪飞炎海变清凉[3]。　　万里归来颜愈少,微笑,笑时犹
带岭梅香[4]。试问岭南应不好,却道[5],此心安处是吾乡。

【注释】

[1]琢玉郎:玉琢成的俊朗男子,形容王定国姿容俊美。

[2]天应:上天的感应。乞与:给予。点酥娘:肤如凝脂般光
洁细腻的美女,这里指柔奴。点酥:点抹凝冻的酥油。全句说羡
慕王定国丰神俊朗,有上天赐予的美女陪伴。

[3]说柔奴歌声优美,使炎热的岭南也变得清凉。

[4]岭梅:大庾岭上的梅花,大庾岭在今江西大余、广东南
雄的交界处,是岭南、岭北的交通咽喉。全句说柔奴的笑容带
有岭梅香气。

[5]却道:却说,反倒说。

《临江仙》

[宋]苏轼

夜饮东坡醒复醉,归来仿佛三更。家童鼻息已雷鸣。敲门都不应,倚杖听江声。　　长恨此身非我有,何时忘却营营[1]。夜阑风静縠纹[2]平。小舟从此逝,江海寄余生。

【注释】

[1]营营:劳碌奔忙,不知休息。

[2]夜阑:夜将尽时。縠纹:绉纱似的皱纹,常喻水的波纹。

《蝶恋花·同安君生日放鱼,
取〈金光明经〉救鱼事[1]》

[宋]苏轼

泛泛东风初破五[2]。江柳微黄,万万千千缕。佳气郁葱来绣户[3]。当年江上生奇女。　　一笺寿觞谁与举。三个明珠,膝上王文度[4]。放尽穷鳞看圉圉[5]。天公为下曼陀雨[6]。

【注释】

[1]同安君是苏轼的第二个妻子。苏辙《东坡先生墓志铭》:"公娶王氏,追封通义郡君,继室以其女弟,封同安郡君,亦先

公而卒。"《金光明经》有流水长者和儿子救鱼的故事:"时长者子遂便随逐,见有一池其水枯涸,于其池中多有诸鱼,时长者子见是鱼已生大悲心。……时此空池为日所曝唯少水在,是十千鱼将入死门,……时长者子,速疾还反至大王所,头面礼拜却住一面,合掌向王说其因缘,作如是言:'我为大王国土人民治种种病,渐渐游行至彼空泽,见有一池其水枯涸,有十千鱼为日所曝,今日困厄将死不久。惟愿大王,借二十大象令得负水济彼鱼命,如我与诸病人寿命。'尔时大王即勒大臣,速疾供给。尔时大臣奉王告勒,语是长者:'善哉大士!汝今自可至象厩中随意选取,利益众生令得快乐。'是时流水及其二子,将二十大象,从治城人借索皮囊,疾至彼河上流决处,盛水象负,驰疾奔还至空泽池,从象背上下其囊水写(同"泄")置池中,水遂弥满,还复如本。"信佛之人在过生日时放鱼,以积累护生之功德。

[2]泛泛:广大无边际貌。《庄子·秋水》:"泛泛乎其若四方之无穷,其无所畛域。"破五:农历正月初五。

[3]绣户:雕绘华美的门户,多指妇女居室。"佳气"二句说同安君出生时有浓郁的祥瑞之气入户。

[4]寿觞:祝寿的酒杯。王文度:东晋王坦之,字文度,备受父亲疼爱,即使长大了仍会被父亲抱着坐于膝上,故有"膝上王文度"之语。这几句说三个儿子为同安君敬酒祝寿。

[5]穷鳞:失水之鱼。圉(yǔ)圉:困而未舒貌。

[6]曼陀:天界之花名,花色似赤而美,见者心悦。《佛说阿弥陀经》有:"彼佛国土,常作天乐,黄金为地,昼夜六时天雨曼陀罗华。"此处说放鱼的善举感动天公,降下曼陀雨。

《如梦令[1]》

[宋]苏轼

　　水垢何曾相受[2]？细看两俱无有。寄语揩背人，尽日劳君挥肘。轻手，轻手。居士本来无垢[3]。

　　自净[4]方能净彼。我自汗流呀气。寄语澡浴人，且共肉身游戏。但洗，但洗。俯为人间一切。

【注释】

[1]词序中有："元丰七年(1084)十二月十八日，浴泗州雍熙塔下，戏作《如梦令》两阕。"

[2]相受：互相接纳。

[3]《大乘义章五本》曰："染污净心，说以为垢。"佛教多以"垢"比喻烦恼。苏轼认为"居士本来无垢"，烦恼尘垢并非自身本具，且"细看两俱无有"，不会对清净自性造成真正的污染，所以告诉擦背之人"轻手"就可以了。

[4]佛教将"八正道"分为三类：自调、自净、自度，"自净"包括"正念"和"正定"。苏轼寄语世间人，以游戏的态度对待肉身，但也不要忘了"自净"。

《口占[1]绝句》

[宋]道潜[2]

寄语东山窈窕娘[3]，好将幽梦恼襄王[4]。禅心已作沾泥絮，不逐春风上下狂。

【注释】

[1]口占：不起草稿，随口而成。

[2]道潜(1043~1106)：北宋诗僧。俗姓何，字参寥，赐号妙总大师。于潜(今属浙江临安)浮村人。自幼出家。与苏轼等人交好，曾因写诗语涉讥刺，被勒令还俗。后得昭雪，复削发为僧，著有《参寥子诗集》。

[3]东山窈窕娘：本指东晋名士谢安在东山居住时畜养的家妓，这里指向道潜求诗的歌妓。《侯鲭录》："(苏)东坡在徐州，参寥(道潜)自钱塘访之。坡席上令一妓戏求诗，(道潜述)口占云云，一座大惊，自是名闻海内。"

[4]襄王：楚襄王。宋玉《高唐赋》记载，楚襄王与宋玉游于云梦之台，望高唐之观，见"其上独有云气，崒兮直上，忽兮改容，须臾之间，变化无穷"，宋玉告诉襄王此云气名为"朝云"，"昔者先王尝游高唐，怠而昼寝，梦见一妇人曰：'妾，巫山之女也。为高唐之客。闻君游高唐，愿荐枕席。'王因幸之。去而辞曰：'妾在巫山之阳，高丘之阻，旦为朝云，暮为行雨。朝朝暮暮，阳台之下。'旦朝视之，如言。故为立庙，号曰'朝云'。"《神

女赋》中，楚襄王听宋玉讲完高唐之事，念念不忘，晚上睡觉时"果梦与神女遇，其状甚丽"，第二天，襄王将此事告诉宋玉，并讲述了自己做梦时的复杂感觉："晡夕之后，精神恍忽，若有所喜，纷纷扰扰，未知何意？目色仿佛，乍若有记：见一妇人，状甚奇异。寐而梦之，寤不自识；罔兮不乐，怅然失志。于是抚心定气，复见所梦。"又极言神女之绝世美貌，命宋玉赋之。

《六月十七日昼寝》

[宋]黄庭坚[1]

红尘席帽[2]乌靴里，想见沧洲白鸟双[3]。马龁枯萁喧午枕[4]，梦成风雨浪翻江[5]。

【注释】

[1]黄庭坚(1045~1105)：字鲁直，号山谷道人，晚号涪翁，洪州分宁(今江西修水)人，北宋著名的文学家、书法家。治平进士，历官校书郎、著作佐郎等。在王安石变法的新旧党争中，因修史"多诬"、《承天院塔记》事两次遭贬。能诗，与苏轼并称"苏黄"，元人方回立江西诗派"一祖三宗"说，将之列为"三宗"之首。兼善书法，是"宋四家"之一。一生与僧人多有交往，《五灯会元》将其列入黄龙祖心禅师法嗣。

[2]席帽：以藤席为骨架的草帽。

[3]沧洲：滨水的地方，常用以称隐士的居处，《南史》引袁粲《五言诗》："访迹虽中宇，循寄乃沧洲。"作者说自己在头戴

席帽、脚穿乌靴,于红尘俗世中奔波不息的时候,想到栖居水边时双飞的白鸟。

[4]龁(hé):咬。枯萁(qí):枯萎的豆萁。

[5]全联说马吃豆萁的声音传来,使正在午睡的作者梦到风雨交加,波浪翻江。宋人叶梦得说自己最初"不解风雨翻江之意",但"一日憩于逆旅,闻傍舍有澎湃鞁鞳之声,如风浪之愙船者,起视之,乃马食于槽,水与草龃龉于槽间而为此声,方悟鲁直之好奇。然此亦非可以意索,适相遇而得之也。"(《石林诗话》)其实佛典中早就对此有了论述,《楞严经》云:"如重睡人,眠熟床枕。其家有人,于彼睡时,捣练春米,其人梦中,闻春捣声,别作他物,或为击鼓,或为撞钟,即于梦时自怪其钟为木石响。"

《又答斌老病愈遣闷二首》

[宋]黄庭坚

百疴[1]从中来,悟罢本谁病。西风将小雨,凉入居士径。苦竹绕莲塘,自悦鱼鸟性。红妆倚翠盖[2],不点禅心静。

风生高竹凉,雨送新荷气。鱼游悟世网,鸟语入禅味。一挥四百病[3],智刃有余地[4]。病来每厌客,今乃思客至。

【注释】

[1]疴(kē):病。

[2]红妆:红色的荷叶。翠盖:颜色翠绿,形如车盖的荷叶。

196

[3]四百病:《维摩诘经》云:"是身为灾,百一病恼。"僧肇
注曰:"一大增损,则百一病生。四大增损,则四百四病同时
俱作。"

[4]智刃:智慧之剑。此二句说智慧之剑一挥,便可斩断四
百病恼,游刃有余。

《病起荆江亭即事十首》

[宋]黄庭坚

其一

翰墨场中老伏波[1],菩提坊里病维摩[2]。近人积水无鸥鹭,
时有归牛浮鼻过[3]。

【注释】

[1]伏波:古代将军封号,最有名的伏波将军是东汉的马
援。《后汉书》记载,马援少有大志,常谓宾客曰:"丈夫为志,穷
当益坚,老当益壮。"一生战功卓著,62岁时自请出征,皇帝以
其年老,没同意,马援说:"臣尚能被甲上马。"并"据鞍顾眄(跨
上马鞍回头看),以示可用",皇帝笑曰:"矍铄哉是翁也!"遂许
其出征。黄庭坚创作此诗时57岁,用马援的典故,表示自己依
然愿意为国效力。

[2]菩提坊:菩提道场。《华严经》:"佛在摩竭提国阿兰若法

菩提场中,始成正觉。"维摩诘是位精通佛理,神通广大的在家居士,曾"以权道,现身有疾",众人前去探望,维摩诘借此机会为他们讲说佛法。黄庭坚称自己"病维摩",表明自己希望得到关注探望,也显示了在家居士的身份。

[3]近人积水成潭,不见鸥鹭等水鸟,只有水牛游过,露出鼻子呼吸。此二句化用唐人陈咏的"隔岸水牛浮鼻渡,傍溪沙鸟点头行"而来,任渊注曰:"此本陋句,一经妙手,神彩顿异。"

《题槐安阁并序》

[宋]黄庭坚

东禅僧进文,结小阁于寝室东,养生之具,取诸左右而足。彼虽闻中天之台百常之观,盖无慕娽之心。予为题曰:槐安阁而赋诗。夫据功名之会,以媖娇一世,其与蚁丘亦有辨乎?虽然,陋蚁丘而仰泰山之崇崛,犹未离乎俗观也。

曲阁[1]深房古屋头,病僧枯几[2]过春秋。垣衣蛛网蒙窗牖[3],万象纵横不系留。
白蚁战酣千里血[4],黄粱炊熟百年休[5]。功成事遂人间世,欲梦槐安向此游[6]。

【注释】
[1]曲阁:弯曲相连的楼阁。
[2]枯几:枯木小桌,泛指简陋的家具。

[3]垣(yuán)衣：墙上背荫处所生的苔藓植物，覆蔽如人之衣，故名。窗牖(yǒu)：窗户。

[4]唐人李公佐着传奇小说《南柯太守传》，说一个叫淳于棻的人在棵古老的大槐树下醉倒，梦见自己变成槐安国的驸马，任"南柯太守"，显贵一时，后有檀萝国进犯，他带兵交战，吃了败仗，不久妻子金枝公主病死，淳于棻引起国王猜忌，被遣发回家，荣耀不再……此时他从梦中醒来，发现"槐安国"和"檀萝国"是两个蚁穴。"白蚁"句说的就是"槐安国"和"檀萝国"的战争。

[5]"黄粱"句：详见王安石《渔家傲·平岸小桥千嶂抱》注释[3]。

[6]"功成"二句：世人若想功成事遂，不妨到槐安阁中做一个梦。

《圆通院白衣阁》

[宋]秦观[1]

白衣阁外绕珠栏，人在琉璃菡萏[2]间。谁把此花为刻漏[3]，修行不放一时闲。

无边刹境一毫端[4]，同住澄清觉海[5]间。还似此花并此叶，坏空成住未曾闲[6]。

一根反本六根同，古佛传家有此风。满目红蕖参翠盖[7]，不唯门里获圆通[8]。

【注释】

[1]秦观(1049~1100):字太虚,又字少游,号淮海居士,高邮(今江苏省高邮市)人,元丰进士,历官秘书省正字、国史院编修官等职,得苏轼赏识提拔,为"苏门四学士"之一,尤工于词,婉丽细密,感人至深。

[2]菡(hàn)萏(dàn):荷花。

[3]晋代慧远禅师发明莲花形状的计时器,名"莲花漏"。唐代李肇《唐国史补》:"初,惠远以山中不知更漏,乃取铜叶制器,状如莲花,置盆水之上,底孔漏水,半之则沉。每昼夜十二沉,为行道之节,虽冬夏短长,云阴月黑,亦无差也。"

[4]刹境:佛土。毫指白毫,佛陀眉间白净光明的毫毛。《佛藏经》云:"或有比丘,因以我法出家受戒。于此法中勤行精进,虽诸天神诸人不念,但能一心勤行道者,终亦不念衣食所须,所以者何?如来福藏无量难尽。舍利弗!如来灭后,白毫相中百千亿分,其中一分供养舍利及诸弟子。舍利弗!设使一切世间人,皆共出家随顺法行,于白毫相百千亿分不尽其一。舍利弗!如来如是无量福德,若诸比丘所得饮食及所须物趣得皆足。"说佛陀眉间白毫中蕴含无尽宝藏,取其中的百千亿分之一,即可供世间人衣食有余。全句说一毫端中包含无边佛土,显示出佛陀的无量福德,以及法界的广大无碍,极其细微之处也可包容巨大的空间。

[5]觉海:觉性甚深,湛然如海,故称觉海。

[6]此花、此叶指荷花、荷叶。坏空成住:又作成、住、坏、空,

指万物都要经历形成、存续、坏灭、空无四个阶段的变化,循环不息。

[7]红蕖:红荷花。

[8]寺院周围的荷花、荷叶反映出万物成、住、坏、空的发展过程,可知日常生活中即包含着圆通无碍的佛理,不必偏要到庙门中去寻。

《处州水南庵》(二首)

[宋]秦观

竹栢萧森溪水南,道人为作小圆庵。市区收罢鱼豚税,来与弥陀共一龛[1]。

此身分付一蒲团,静对萧萧玉[2]数竿。偶为老僧煎茗粥[3],自携脩绠汲清宽[4]。

【注释】

[1]"市区"联说作者完成公务之后,来到庵中。

[2]玉:可能指竹子。

[3]茗粥:茶粥。晁载之《续谈助》卷五引唐杨华《膳夫经手录》:"茶,古不闻食之,近晋宋以降,吴人采其叶煮,是为茗粥。"

[4]脩绠:汲水的长绳。脩(xiū):同"修",长。绠(gěng):绳索,汲水器上的绳索。清宽:清澈的溪水。

《好事近·梦中作》

[宋]秦观

春路雨添花，花动一山春色。行到小溪深处，有黄鹂千百。
飞云当面化龙蛇，夭矫转空碧[1]。醉卧古藤阴下，了不知
南北[2]。

【注释】

[1]夭矫：纵恣屈伸貌。空碧：澄碧的天空。全句写出飞云在
天空自在伸展，变化万端，来去无踪的景象。

[2]《苕溪渔隐丛话》引《冷斋夜话》云："秦少游在处州，梦
中作长短句曰：'山路雨添花，……'后南迁，久之，北归，逗留
于藤州，遂终于瘴江之上光华亭。时方醉起，以玉盂汲泉欲饮，
笑视之而化。"少游词中的"醉卧古藤阴下，了不知南北"似乎
预言了自己在滕州的死亡。

《斋居》

[宋]陈师道[1]

青奴白牯[2]静相宜，老罢形骸不自持[3]。一枕西窗深闭阁，
卧听丛竹雨来时。

[1]陈师道(1053~1102):北宋诗人。彭城(今江苏徐州)人,字履常,一字无己,号后山居士,因官秘书省正字而又称"陈正字"。一生安贫乐道,闭门苦吟,有"闭门觅句陈无己"之称。江西诗派"一祖三宗"的"三宗"之一。

[2]青奴:青衣小奴,这里指牧童。白牯(gǔ):白色的牛。

[3]自持:自己维持,自己坚持。此处可能是说自己身心渐衰,无法像牧童和牛儿一样在自在逍遥,只能静居斋中,引出下句对自己斋居生活的描述。

《以拄杖供仁山主二首》(其二)

[宋]陈师道

洗足投筇[1]只坐禅,厌寻歧路费行缠[2]。老来不复人间事,不用山公更削圆[3]。

【注释】

[1]投筇:扔下拄杖。

[2]行缠:裹足布,绑腿布,古时男女都用,后惟兵士或远行者用。诗人将拄杖送给仁山主,表明自己今后安心坐禅,不再四方奔走以寻求佛法。

[3]山公:对山的拟人化称呼。削圆:拄杖使用久了,下端自然磨得圆滑。诗人不再执杖奔走,拄杖也就不用"劳烦"山公来磨圆滑了。

《段居士粟庵》

[宋]王庭珪[1]

若人胸臆着万卷[2]，始信此庵藏大千。维摩室中坐狮子[3]，莲花须上集人天。十方国士[4]从坐起，聚此一粒空中圆。尔时宝刹现毫端[5]，跳出云门向上关[6]。痴儿正抱古公案，对面不纳须弥山[7]。便向粟中寻世界，含元殿里觅长安[8]。

【注释】

[1]王庭珪(1079~1171)：字民瞻，吉州安福(今属江西)人，政和进士。个性刚直，曾弃官隐居卢溪，因以自号泸溪老人、泸溪真逸。绍兴中，胡铨上书请斩秦桧，被贬谪，王庭珪以诗送行，遭讪谤，流放夜郎(一作岭南)。秦桧死，许自便。孝宗时，召对内殿，赐国子监主簿、直敷文阁。

[2]着(zhuó)：放置，安放。唐代江州太守李渤问庐山归宗寺的智常禅师："佛教中所说的'须弥纳芥子'，我自是不怀疑，至于'芥子纳须弥'，大概只是虚妄之谈吧？"智常禅师说："人们都说您读过万卷书籍，是真的么？"李渤答"是"。智常禅师说："您的头颅只如椰子般大，这万卷书安放于何处呢？"

[3]"坐狮子"指容纳狮子座。狮子座，又名"师子座"，指佛的座席，佛为人中狮子，故称佛所坐之处为"狮子座"。维摩诘居士的卧室仅一丈见方，却能容纳三万二千师子座，《佛说维摩诘经》云："(须弥灯王如来)遣三万二千师子座(入维摩诘

室），高广净好，昔所希见。一切弟子菩萨，诸天释梵，四天王来入维摩诘舍，见其室极广大，悉苞容三万二千师子座，所立处不迫迮(狭窄，局促)，……"

[4]国士：一国中最为勇敢有力，才能优秀的人物，此处指来维摩诘室中听法的佛菩萨与其他众生。

[5]宝刹：佛土的敬称。毫端：白毫的末端，详见《圆通院白衣阁》注释[2]。

[6]云门：禅宗的云门宗。向上关：直契佛心，立时觉悟的方法。

[7]"痴儿"联：迂腐的人苦苦参究古代公案，却对现实中包含佛性的万物视而不见。

[8]含元殿：唐代宫殿名，遗址在长安(今陕西省西安市)。全句与"宝刹现毫端""芥子纳须弥"一样表明了万物间的相互融摄，重重无尽。

《崇胜寺后，有竹千余竿，独一根秀出，人呼为"竹尊者"，因赋诗》[1]

[宋]惠洪[2]

高节长身老不枯，平生风骨自清癯。爱君修竹为尊者[3]，却笑寒松作大夫[4]。未见同参木上座[5]，空余听法石于菟[6]。戏将秋色分斋钵，抹月批风得饱无[7]。

[1]吴曾《能改斋漫录》记载,黄庭坚很欣赏这首诗,"因手书此诗,故名以显"。

[2]惠洪(1070~1128):一名德洪,字觉范,自号寂音尊者。俗姓喻(一作姓彭),瑞州(江西省高安)人。北宋著名诗僧。14岁父母双亡,入寺为沙弥,19岁入京师,于天王寺剃度为僧,冒用他人度牒,遂用度牒上的"惠洪"之名。一生多次入狱,经历坎坷,善诗文,著述丰富,代表作品《石门文字禅》《林间录》《冷斋夜话》等。

[3]尊者:佛门中德智俱尊的人。

[4]《史记》载:"秦始皇登泰山中阪,风雨暴至,休松树下,封为五大夫。""爱君"二句说竹为隐逸的尊者,而松树却接受了秦始皇"五大夫"的封号,成为世俗官吏,受到讥笑。

[5]同参木上座:共同参拜木莲花座上的佛。

[6]于菟(tú):虎的别称。

[7]抹月批风:苏轼《与何长老六言次韵》:"贫家何以娱客,但知抹月批风。""戏将"二句说若将竹尊者之秀色分入斋钵,能否饱人饥肠?是一种幽默戏谑的说法。

《西江月》

[宋]惠洪

大厦[1]吞风吐月,小舟坐水眠空。雾窗春晓翠如葱[2],睡起云涛正涌。　　往事回头笑处,此生弹指声中。玉笺佳句敏惊鸿[3]，闻道衡阳价重。

【注释】

[1]大厦：高大的房屋。

[2]春日的清晨，透过带有雾气的窗户看外面，觉青翠如葱。

[3]玉笺(jiān)：对纸张的美称。敏：疾速，敏捷。全句说敏捷利落地在纸上写下佳句，如惊鸿疾飞一般。

《鹧鸪天[1]》

[宋]惠洪

蜜烛[2]花光清夜阑。粉衣香翅绕团团[3]。人犹认假为真实，蛾岂将灯作火看[4]？　　方叹息，为遮拦。也知爱处实难拚。忽然性命随烟焰，始觉从前被眼瞒[5]。

【注释】

[1]惠洪《冷斋夜话》云："余至琼州，刘蒙叟方饮于张守之席，三鼓矣，遣急足来觅长短句，问欲叙何事，蒙叟视烛有蛾扑之不去，曰：'为赋此。'急足反走持纸，曰：'急为之，不然获谴也。'余口授吏书之曰：'蜜烛花光清夜阑……'"可知本词描写的是夜晚围绕着蜡烛，扑之不去的飞蛾。

[2]蜜烛：蜡烛。

[3]飞蛾似穿着粉衣一般，扇动翅膀，团团飞舞。

[4]灯：泛指能发出光亮的东西。现代研究发现，飞蛾夜间

活动时,靠月光来辨别方向,但总会把其他发光的东西错认为月亮,围绕着它们东西飞。全句说人尚且认假为真,飞蛾难道能认清那发光的东西就是火?

[5]比惠洪年长些的白云守端禅师有咏蝇之作:"为爱寻光纸上钻,不能透处几多难。忽然撞着来时路,始觉从前被眼瞒。"

《浪淘沙》

[宋]惠洪

城里久偷闲[1],尘浣云衫[2],此身已是再眠蚕[3]。隔岸有山归去好,万壑千岩。　霜晓更凭阑[4],减尽晴岚[5]。微云生处是茅庵。试问此生谁作伴,弥勒同龛。

【注释】

[1]偷闲:(在繁忙中)抽出一点空闲时间。

[2]浣(huàn):洗涤。"尘浣云衫"说衣衫上沾满了尘土,似被尘土洗涤过一般。

[3]再眠蚕:第二次蜕皮时休眠的蚕,详见了元《答可遵》注释[5]。

[4]霜晓:有霜的早晨。凭阑:同"凭栏",身倚栏杆。

[5]晴岚:晴日山中的雾气。

《学道犹如守禁城》

[宋]妙普[1]

学道犹如守禁城,昼防六贼[2]夜惺惺[3]。中军主将能行令[4],
不动干戈致太平[5]。

【注释】

[1]妙普(1071~1142):宋代禅僧。字性空,人称"性空妙
普"。汉州人,依黄龙死心密受心印,品格高古,气宇宏迈,因慕
船子德诚遗风,抵秀水结庵于青龙之野,身无长物,唯吹铁笛
以自娱,好吟咏。

[2]六贼:指产生烦恼根源之色、声、香、味、触、法,又名"六
尘"。因"六尘"以眼耳鼻等六根为媒,能劫夺一切善法,故以贼
譬之。

[3]惺(xīng)惺:清醒貌。

[4]行令:发布命令。

[5]干戈:干、戈皆为古代常用武器,因以"干戈"为兵器的通
称。全诗亦守禁城比喻学道,以"中军主将"喻众生之心,众生本
具的清净自性,说明心性才是抵御"六贼",修成正果的关键。

《船子[1]渔歌》

[宋]妙普

船子当年返故乡,没踪迹处妙难量。真风遍寄知音者,铁笛横吹作散场[2]。

【注释】

[1]船子:唐代的德诚禅师,人称"船子和尚"。

[2]南宋绍兴十年(1140)冬天,妙普命人造一大盆,上打一洞,塞以木栓,而后修书给雪窦持禅师曰:"吾将水葬矣。"两年后,持禅师见性空尚在,作偈嘲之:"咄哉老性空,刚要餧(音wèi,喂)鱼鳖,去不索性去,祇(但,只)管向人说。"性空阅偈笑曰:"待兄来证明耳。"令遍告四众,说偈曰:"坐脱立亡,不若水葬,一省柴烧,二省开圹。撒手便行,不妨快畅,谁是知音,船子和尚。高风难继百千年,一曲渔歌少人唱。"说罢盘坐大盆中,顺潮而下,见众人都到海边相送,性空拔掉大盆的木塞,大盆乘水流而返,须臾又乘流而去,性空吹起笛子,唱道:"船子当年返故乡,没踪迹处妙难量。真风遍寄知音者,铁笛横吹作散场。"笛声鸣咽,弥漫天地间,不一会儿,笛子被掷到空中,再无踪迹。三日之后,众人见性空在沙上趺坐如生,道俗将其迎归火化,有二鹤徘回空中,火尽始去。

《奉别知事、头首,兼云堂诸禅师》[1]

[宋]净如[2]

七年林[3]下冷相依,自愧铅刀[4]利用微。聚散莫云千里远,轮灭一月共同辉。

【注释】

[1]知事、头首:禅寺设东西两序班,分掌诸事,西序多选学德兼修者担任,称"头首",东序多选精通世事者担任,称"知事"。云堂:僧众聚集修行的地方,又名僧堂。

[2]净如(1073~1141):号妙空,俗姓陈,福建侯官(今福建福州)人。曾住持多所寺院,善诗书。

[3]林:可理解为禅林。

[4]铅刀:用铅制成的刀。铅质软,作刀不锐,故比喻无用的人或物。

《南徐好·金山寺化城阁》

[宋]仲殊[1]

南徐[2]好,浮玉旧花宫。琢破琉璃闲世界,化城楼阁在虚空。香雾锁重重。　　天共水,高下混相通。云外月轮波底见,倚阑人在一光中[3]。此景与谁同。

211

【注释】

[1]仲殊:北宋僧人、词人。本姓张,名挥,字师利,安州(今湖北安陆)人,生卒年不详。少为士人,游荡不羁,遭妻子投毒,险些丧命,食蜂蜜而解,医生说再食肉则毒发,无药可救,遂弃家为僧。常食蜂蜜,人称"蜜殊",与苏轼往来甚厚,徽宗崇宁年间自缢而死,有词一卷,名《宝月集》。

[2]南徐:古代州名,今江苏省镇江市。

[3]倚阑人:同"倚栏人"。"云外"一句勾勒出万物浑融一体的圆满境界,并将倚靠着栏杆的人也纳入其中,彻底断除了物我之别,给人豁然开朗之感,似乎比"永嘉四灵"中翁卷的"闲上山来看野水,忽于水底见青山"(《野望》)更胜一筹。

《颂古》

[宋]怀深[1]

丰城宝剑[2]沉埋久,一道寒光射斗牛。
不是张华辨端的,只应千古枉淹留。[3]

【注释】

[1]怀深(1076~1132):号慈受,怀深,安徽人,俗姓夏。十八岁游方,二十六岁到福建资圣寺,依于长芦崇信。三十七岁请住城南资福寺,学徒云集。

[2]丰城宝剑:《晋书·张华传》载吴灭晋兴之际,天空斗牛

之间常有紫气。张华闻雷焕妙达纬象，乃邀与共观天文。焕曰"斗牛之间颇有异气"，是"宝剑之精，上彻于天耳"，并谓剑在豫章丰城。华即补焕为丰城令，"焕到县，掘狱屋基，入地四丈余，得一石函，光气非常，中有双剑，并刻题，一曰龙泉，一曰太阿。其夕斗牛间气不复见焉"。后世诗文用"丰城剑"赞美杰出人才，或谓杰出人才有待识者发现。

[3]此颂之本事为：裴相出宛陵，游开元寺，见壁上绘高僧像，遂问僧职云："高僧仪相可观，未审高僧在甚么处？"于时僧职莫知所措。公云："此间有禅僧么？"僧职云："近有一僧，舍身扫地，身披百衲，恐是。"及乎请得来，乃黄檗断际运禅师也。裴相乃举前话问黄檗，檗乃召相公，公应："喏！"檗云："是什么？"相公豁然大悟。此颂赞颂了高僧黄檗希运禅师隐身禅僧，扫地做杂物，毫无"高僧"的样子；同时也赞颂了唐代名相裴休的识人，如同张华能够辨识宝剑一样。

《渔父词》（节选）

[宋]赵构[1]

一湖春水夜来生。几叠春山远更横。烟艇小，钓丝轻。赢得闲中万古名。

薄晚烟林澹翠微。江边秋月已明晖。纵远柂[2]，适天机[3]。水底闲云片段飞。

云洒清江江上船。一钱何得买江天。催短棹，去长川。鱼蟹来倾酒舍烟。

侬家[4]活计岂能明。万顷波心月影清。倾绿酒，糁藜羹[5]。保任衣中一物灵[6]。

暮暮朝朝冬复春。高车驷马趁朝身[7]。金拄屋[8]，粟盈困[9]。那知江汉独醒人[10]。

远水无涯山有邻。相看岁晚更情亲。笛里月，酒中身。举头无我一般人。

谁云渔父是愚翁。一叶浮家万虑空。轻破浪，细迎风。睡起篷窗[11]日正中。

春入渭阳花气多。春归时节自清和。冲晓雾，弄沧波。载与俱归又若何[12]。

【注释】

[1]赵构(1107~1187)：字德基，南宋开国皇帝。他是宋徽宗第九子，宋钦宗之弟，靖康二年(1127)金兵俘徽、钦二宗北去，被宋钦宗封为天下兵马大元帅的赵构在南京应天府(今河南商丘)即位，改元建炎，重建宋朝，史称"南宋"。在位期间，他迫于形势起用岳飞、韩世忠等大将抗金，但更多地重用主和派人士，后来甚至处死岳飞，罢免李纲、张浚、韩世忠等主战派大

臣。81 岁去世，是我国历史上少有的长寿帝王之一。

[2]柂(duò)：船舵。

[3]天机：谓天之机密，犹天意。

[4]侬(nóng)家：自称，犹言我。

[5]绿酒：美酒。糁(sǎn)：以米和羹。藜(lí)羹：藜菜作的羹，泛指粗劣的食物。

[6]指自身本具的真实自性。

[7]驷马：显贵者所乘的驾四匹马拉的高车，表示地位显赫。朝身：朝中之身。全句形容在朝时的富贵荣华。

[8]金拄屋：以金子支撑房屋。拄(zhǔ)：支撑，顶着。

[9]粟盈囷：粮食堆满粮仓。囷(qūn)：圆形谷仓。

[10]江汉独醒人：指屈原。"江汉"是长江与汉水之间以及附近的一些地区，古荆楚之地。屈原是楚国人，他在《楚辞·渔夫》中将自己被放逐的原因总结为："举世皆浊我独清，众人皆醉我独醒。"

[11]篷窗：犹船窗。

[12]若何：怎样。

《辞侍郎蒋公宴客见招》

[宋]惟政[1]

昨日曾将今日期，出门倚杖又思惟[2]。为僧只合居岩谷，国土筵中甚不宜[3]。

【注释】

[1]惟政:俗姓黄,秀州华亭(今上海松江县)人,师承惟素,住杭州净土院。为人高简,律身精严,尝冬不拥炉,以芦花作球纳足其中,夏秋则好玩月,盘膝坐于大盆中,浮在池上,自旋其盆,吟笑达旦,出入常跨一黄牛,人称"政黄牛",备受名卿巨公推尊。曾制作《锦溪集》三十卷,大词人秦观见之,必加收集留存。

[2]思惟:同"思维"。

[3]《续补高僧传》载,守钱塘的蒋侍郎堂与惟政为方外友,惟政"每谒之,则跨一黄牛,以军持挂角上,市人争观之,师自若也。至郡庭,始下牛,笑谈终日。一日蒋公留师曰:'适有过客,明日府中,当有会。吾师固奉律,为我少留一日,因款清话。'师诺之。明日使人要之,留一(此)偈而去矣"。蒋侍郎赠惟政诗云:"禅客寻常入旧都,黄牛角上挂瓶盂。有时带雪穿云去,便好和云画作图。"

《自题像》

[宋]惟政

貌古形疏倚杖藜,分明画出须菩提[1]。解空不许离声色,似听孤猿月下啼。

【注释】

[1]须菩提:释迦牟尼"十大弟子"之一,透彻领悟般若空性之理,有"解空第一"之称。

《湖上春光》

[宋]道济[1]

湖上春光已破悭[2]，湖边杨柳拂雕栏。算来不用一文买，输与山僧闲往还[3]。

【注释】

[1]道济(1150~1209)：南宋代临济宗僧。俗姓李，名心远，字湖隐，号方员叟，临海(浙江)人。十八岁在杭州灵隐寺出家，行踪无定，言行颠狂，嗜酒肉，人称"济颠"，后移居净慈寺，六十岁圆寂，葬于虎跑塔中。民间传说他是降龙罗汉转世，尊称为"济公"。

[2]破悭(qiān)：本意为使悭吝者拿出钱财，这里指春光不再吝啬，开放显露。

[3]往还：往返，来回。

《湖中夕泛归南屏四绝》(其一)

[宋]道济

几度西湖独上船，篙师[1]识我不论钱。一声啼鸟破幽寂，正是山横落照边[2]。

[1]篙师：撑船的熟手，泛指船夫。

[2]落照：夕阳的余晖。全句谓山被落日的余晖包围。

《辞世偈》

[宋]道济

六十年来狼藉，东壁打倒西壁，如今收拾归来，依旧水连天碧[1]。

【注释】

[1]《济颠道济禅师语录》记载，嘉定二年(1209)五月十六日，济公说："今日我归去也。"又命人找来剃头匠，烧好洗澡水。剃头沐浴后，济公换上洁净衣服与僧鞋，后端坐禅椅上，令人取来文房四宝，写下这首《辞世偈》，似是说明自己六十年不守清规的"狼藉"生涯即将结束，要回复清净庄严的本来面目。写完后，下目垂眉，圆寂去了。

《西江月·五柳坊中烟绿》

[宋]向子諲[1]

五柳坊中烟绿，百花洲上云红[2]。萧萧白发两衰翁，不与时人[3]同梦。　　抛掷麟符虎节[4]，徜徉江月林风。世间万事转头空,个里如如不动[5]。

【注释】

[1]向子諲(yīn)(1085~1152):宋代文人、政治家。字伯恭,自号"芗林居士",临江清江县(今江西樟树市)人。哲宗元符三年(1100)以荫补官,素与抗金名臣李纲相善。金兵围潭州时,曾率军民坚守八日。因反对秦桧议和,致仕归隐。

[2]作者自序中称自己"建炎初,解六路漕事,中原儌扰,故庐不得返,卜居清江之五柳坊。绍兴癸丑,罢帅南海,即弃官不仕。乙卯起,以九江郡复转漕江东,入为户部侍郎。辞荣避谤,出守姑苏。到郡少日,请又力焉,诏可,且赐舟曰泛宅,送之以归。己未暮春,复还旧隐。时仲舅李公休亦辞春陵郡守致仕,喜赋是词"。可知本词是作者第二次归隐,回到曾经隐居的清江时所作,五柳坊、百花洲皆在清江附近。

[3]时人:当时的人,同时代的人。

[4]麟符虎节:古代朝廷颁发的符节,多制成麟、虎等形状。

[5]如如不动:平等不二,无有增减牵变,此处用来形容本有的真实自性,也就是佛性。

《西江月·见处莫教认着》

[宋]向子諲

见处莫教认着,无心慎勿沉空[1]。本无背面与初终,说了还同说梦。 欲识芗林居士,真成渔父家风[2]。收丝垂钓月明中,总是神通妙用。

【注释】

[1]"见处"二句:词序云:"吴穆仲与法喜以禅悦为乐,寄唱酬《醉蓬莱》示苕林居士,有'见处即已,无心即了'之句,戏作是词答之。"可知作者同意"见处即已,无心即了"的观点,但补充说明"见处"不可贪着,"无心"但不可沉迷于空。

[2]渔父家风:唐代"船子和尚"德诚禅师的道风,详见《拨棹歌(节选)》。

《卜算子·雨意挟风回》

[宋]向子諲

雨意挟风回,月色兼天静。心与秋空一样清,万象森如[1]影。   何处一声钟,令我发深省。独立沧浪忘却归,不觉霜华冷。

【注释】

[1]森如:森然交错。

[2]霜华:皎洁的月光。

《卜算子·时菊碎榛丛》

[宋]向子諲

时菊碎榛丛[1]，地僻柴门静。谁道村中好客稀，明月和清影。　　天地一蘧庐[2]，梦事慵思省[3]。若个[4]知余懒是真，心已如灰冷。

【注释】

[1]榛丛：丛生的草木。作者自序云："重阳后数日，避乱行双源山间，见菊，复用前韵。"可知本词创作于重阳之后，菊花已凋零散落。

[2]蘧(qú)庐：古代驿传中供人休息的房子，犹今言旅馆。

[3]慵思省：懒于省察考虑。

[4]若个：哪个。

《卜算子·胶胶扰扰中》

[宋]向子諲

胶胶扰扰[1]中，本体元来静。一段澄明绝点埃，世事如泡影。　　歇即是菩提，此语须三省[2]。古道无人着脚[3]行，禾黍[4]秋风冷。

[1]胶胶扰扰:纷乱不宁。

[2]三省:反复省察思量。

[3]着脚:立足,涉足。

[4]禾黍:本指禾与黍,两种粮食作物,《诗经·王风·黍离序》云:"《黍离》,闵宗周也。周大夫行役至于宗周,过故宗庙宫室,尽为禾黍。闵宗周之颠覆,彷徨不忍去而作是诗也。"后人遂以"禾黍"表达悲悯故国破败、胜地荒废的情感。

《卜算子·千古一灵根》

[宋]向子諲

千古一灵根,本妙元明静。道个如如已是差,莫认风番[1]影。　　枯木夜堂深,默坐时观省。月落乌鸡出户飞,万里关河冷。

【注释】

[1]风番:疑为"风幡"之误,详见《咏兴国寺佛殿前幡》注释[7]。全句说不要向法性寺的两个和尚一样,只见风与幡,不见自心。

《洞仙歌·中秋》

[宋]向子諲

　　碧天如水,一洗秋容净。何处飞来大明镜[1]。谁道斫却桂[2],应更光辉,无遗照,泻出山河倒影又云:"表里山河见影。"人犹苦余热[3],肺腑生尘,移我超然到三境[4]。问姮娥、缘底事,乃有盈亏,烦玉斧、运风重整。教夜夜、人世十分圆,待拚却[5]长年,醉了还醒。

【注释】

[1]大明镜:指中秋时节明亮的月亮。

[2]斫却桂:被砍斫过的桂树。

[3]余热:(夏天)残余的暑气。

[4]三境:又名"三类境",指识所变现的三种境界——性境、独影境、带质境。性境是真实之境,不随心;独影境是依心之分别而变起之境,没有本质,仅为影像,如龟毛、兔角、空花等;带质境由心、境二者之力合成,介于性境与独影境之间,例如人回想的过去的影像。

[5]拚(pàn)却:甘愿,宁愿。全句说作者甘愿长年"醉了还醒"。

《怀天经、智老[1],因访之》

[宋]陈与义[2]

今年二月冻初融,睡起苕溪绿向东[3]。客子光阴诗卷里,杏花消息雨声中。西庵禅伯还多病,北栅儒先只固穷[4]。忽忆轻舟寻二子,纶巾鹤氅试春风[5]。

【注释】

[1]天经:姓叶,名懋(mào)。智老是僧人大圆洪智。

[2]陈与义(1090~1138):字去非,号简斋,洛阳(今河南洛阳)人,政和进士,官参政知事。南北宋之交著名诗人,江西诗派"一祖三宗"中的"三宗"之一。

[3]苕溪:水名,源出浙江天目山,注入太湖。夹岸多苕,秋后花飘水上如飞雪,故名。绿向东:绿水向东流。

[4]西庵禅伯指智老,北栅儒先指叶天经。儒先:儒生。固穷:信守道义,安于贫贱穷困,是儒者推崇的重要品德,出自《论语·卫灵公》:"子曰:'君子固穷,小人穷斯滥矣。'"

[5]纶(guān)巾:用青色丝带做的头巾,一说配有青色丝带的头巾,相传三国时诸葛亮曾经佩戴,故又称"诸葛巾"。鹤氅(chǎng):鸟羽制成的裘,用作外套。纶巾、鹤氅皆为名士喜爱的高雅穿戴。

《蝶恋花》

[宋]张元幹[1]

　　窗暗窗明昏又晓。百岁光阴,老去难重少。四十归来犹赖早。浮名浮利都经了。　　时把青铜[2]闲自照。华发苍颜,一任傍人笑。不会参禅并学道。但知心下无烦恼。

【注释】

[1]张元幹(1091~约 1161):字仲宗,号芦川居士、真隐山人,晚年自称芦川老隐。芦川永福人(今福建永泰嵩口镇人)。历任太学上舍生、陈留县丞。金兵围汴,秦桧当国时,入李纲麾下,坚决抗金,力谏死守。曾赋《贺新郎》词赠李纲,因此事被秦桧除名削籍,后漫游江浙等地,客死他乡,卒年约七十。

[2]青铜:指铜镜。

《浣溪沙·曲室明窗烛吐光》

[宋]张元幹

　　曲室[1]明窗烛吐光,瓦炉灰暖炷瓢[2]香,夜阑茗碗间飞觞[3]。坐稳蒲团凭几[4],熏余纸帐掩梨床[5],个中风味更难忘。

【注释】

[1]曲室:犹密室。

[2]炷(zhù):灯炷,灯心。瓢:将葫芦对半剖开制成的舀水或盛酒器,亦泛指其他材料制成的匙、勺等器具。

[3]茗碗:茶碗。飞觞:举杯饮酒,或指行觞(依次敬酒)、传杯行酒令。

[4]凭几:凭靠几案。

[5]梨床:梨木制成的床。详见《赠闻聪师》注释[3]。

《浣溪沙·目送归州铁瓮城》

[宋]张元幹

目送归州铁瓮城[1],隔江想见蜀山青,风前团扇[2]仆频更。
梦里有时身化鹤,人间无数草为萤[3],此时山月下楼明。

【注释】

[1]铁瓮城:江苏镇江古城。

[2]团扇:圆形有柄的扇子。

[3]"萤"指萤火虫。《礼记·月令》云"季夏之月……腐草为萤",谓萤火虫由腐烂的草变化而成。

《渔家傲·题〈玄真子图〉》[1]

[宋]张元幹

钓笠披云青障绕[2],艣头细雨春江渺。白鸟飞来风满棹。收纶了,渔童拍手樵青笑[3]。　　明月太虚同一照,浮家泛宅[4]忘昏晓。醉眼冷看城市闹。烟波老,谁能惹得闲烦恼。

【注释】

[1]"玄真子"指唐代的张志和,他博学能文,进士及第,做官时因事贬南浦尉,遇赦还,以亲丧为由不复仕,游泛三江五湖,自称"烟波钓徒",着《玄真子》,亦以自号。张志和借鉴吴地的渔歌,创作的《渔父》(亦作《渔歌子》)可谓家喻户晓:"西塞山边白鸟飞,桃花流水鳜鱼肥,青箬笠,绿蓑衣,斜风细雨不须归。"后人沿用其字句格式作为固定的词牌。正史记载张志和溺水而亡,道家典籍《续仙传》却称颜真卿见他"酒酣,为水戏,铺席于水上独坐,饮酌啸咏,其席来去迟速,如刺舟声,复有云鹤随覆其上",最终"于水上挥手以谢真卿,上升而去"。

[2]钓:鱼钩。笠:斗笠。披云:拨开云层。全句说作者垂钓时挥动钓具,仿佛将云层拨开,露出周围环绕的青山。

[3]渔童:童仆。樵青:婢女。唐颜真卿《浪迹先生玄真子张志和碑》云:"肃宗尝锡奴婢各一,玄真配为夫妻,名夫曰渔僮,妻曰樵青。"

[4]浮家泛宅:以船为家,浪迹江湖。《新唐书·隐逸传》云:

"颜真卿为湖州刺史,(张)志和来谒,真卿以舟敝漏,请更之。志和曰:'愿为浮家泛宅,往来苕霅间。'"

《瑞鹧鸪·彭德器出示胡邦衡新句次韵》

[宋]张元幹

白衣苍狗[1]变浮云,千古功名一聚尘。好是悲歌将进酒,不妨同赋惜余春[2]。　　风光全似中原日,臭味要须我辈人[3]。雨后飞花知底数,醉来赢取自由身。

【注释】

[1]白衣苍狗:比喻世事变化无常。杜甫《可叹》诗有"天上浮云如白衣,斯须改变如苍狗"。

[2]"将进酒"是汉乐府曲牌之一,李白沿用乐府古体作《将进酒》,影响最大。"惜余春"为词牌名。

[3]臭(xiù)味:气味。全句说只有与我辈人"臭味相投",合得来。

《满庭芳》

[宋]张元幹

三十年来,云游行化[1],草鞋踏破尘沙。遍参尊宿,曾记到京华。衲子如麻似粟,谁会笑、瞿老拈花[2]。经离乱,青山尽处,海角又天涯。　今宵闲打睡,明朝粥饭,随分僧家。把木佛烧却,除是丹霞。撞着门徒施主,蓦然个、喜舍由他。庐陵米,还知价例[3],毫发更无差。

【注释】

[1]行化:游行各地,教化众生。

[2]瞿老拈花:指佛陀拈花,摩诃迦叶微笑。《联灯会要》:"世尊在灵山会上,拈花示众。众皆默然,唯迦叶破颜微笑。世尊云:'吾有正法眼藏,涅槃妙心,实相无相,微妙法门,不立文字,教外别传,付嘱摩诃迦叶。'"禅宗以此作为佛陀传法不立文字、以心传心的重要依据,并将摩诃迦叶尊为印度禅宗初祖。

[3]"庐陵米价"是一禅宗公案,又作"青原米价"。《景德传灯录》卷五,有僧问六祖慧能座下弟子青原行思禅师:"如何是佛法大意?"行思答道:"庐陵米,作么价?"庐陵位于江西省,是著名的良米产地,行思不答僧所问之"佛法大意"作答,而另提出"庐陵米价",意在指出佛法本就该自己在日常生活中直接体悟,不宜向外驰求,或做抽象化、观念化的解释,正如《六祖坛经》所云:"佛法在世间,不离世间觉,离世觅菩提,恰如求兔角。"

《学诗诗[1]》(三首)

[宋]吴可[2]

学诗浑似[3]学参禅,竹榻蒲团不计年。直待自家都了得,等闲[4]拈出便超然。

学诗浑似学参禅,头上安头[5]不足传。跳出少陵[6]窠臼外,
丈夫志气本冲天[7]。

学诗浑似学参禅,自古圆成[8]有几联?春草池塘一句子[9],
惊天动地至今传。

【注释】

[1]学诗诗:谈论诗歌创作,阐发诗歌理论的诗。

[2]吴可:字思道,号藏海居士,生卒年不详,宋代诗人、诗
评家。金陵(今南京市)人,一说瓯宁(今福建建瓯)人。大观三
年(1109)进士,曾官于汴京,宣和末辞官,建炎后,转徙楚豫
之间。

[3]浑似:完全像。

[4]等闲:轻易,随便。

[5]头上安头:本来有头,再安上一个头,比喻事物累赘繁
复,弄巧成拙。

[6]少陵:指杜甫,杜甫自号少陵野老,世称杜少陵。

[7]同安常察禅师《十玄谈之尘异》有:"丈夫皆有冲天志,
莫向如来行处行。"

[8]圆成:圆满成就。

[9]指谢灵运《登池上楼》中的"池塘生春草,园柳变鸣禽",
历来广为传诵。

《六月十四日宿东林寺》

[宋]陆游[1]

看尽江湖千万峰,不嫌云梦芥[2]吾胸。戏招西塞山[3]前月,来听东林寺里钟。远客岂知今再到,老僧能记昔相逢。虚窗[4]熟睡谁惊觉,野碓无人夜自春[5]。

【注释】

[1]陆游(1125~1210):字务观,号放翁,汉族,越州山阴(今绍兴)人,南宋诗人、史学家,"中兴四大家"之一。一生宦海沉浮,自称"六十年间万首诗",尤以爱国题材作品最为著名。

[2]芥:梗塞。

[3]西塞山:在浙江省湖州市西南,唐代张志和《渔歌子》词有:"西塞山前白鹭飞,桃花流水鳜鱼肥。"

[4]虚窗:透过窗纱或窗纸可以望见外面的窗户。

[5]碓(duì):春米的工具。可能是诗人半夜听到春米的声音,产生联想。

《山寺》

[宋]陆游

篮舆[1]送客过江村,小寺无人半掩门。古佛负墙[2]尘漠漠,孤灯照殿雨昏昏。喜投禅榻聊寻梦,嬾为啼猿更断魂。要识人间盛衰理,岸沙君看去年痕。

【注释】

[1]篮舆:古人乘坐的交通工具,形制不一,多以人力抬着行走,类似后世的轿子。

[2]负墙:靠着墙。

《宿灵鹫禅寺二首》

[宋]杨万里[1]

暑中带汗入山中,霜满风篁[2]雪满松。只是山寒清到骨,也无霜雪也无风。

初疑夜雨忽朝晴[3],乃是山泉终夜鸣。流到前溪无半语,在山做得许多声[4]。

【注释】

[1]杨万里(1127~1206):字廷秀,号诚斋,吉州吉水(今江西吉水)人。南宋诗人,"中兴四大家"之一。诗歌以描写自然景物见长,清新自然,人称"诚斋体"。

[2]风篁:被风吹过的竹林。

[3]诗人听见水声彻夜不息,怀疑夜间下雨,早上忽然放晴。

[4]泉水流经开阔处,平缓无声,流过山中时,因水道狭窄、岩石阻塞等原因发出响声。

《和李天麟二首》

[宋]杨万里

学诗须透脱，信手自孤高。衣钵无千古，丘山只一毛[1]。句中池有草[2]，字外目俱蒿[3]。可口端[4]何似，霜螯略带糟[5]。

句法天难秘，工夫子但加。参时且柏树，悟罢岂桃花[6]。要共东西玉[7]，其如南北涯[8]。肯来谈个事，分坐白鸥沙[9]。

【注释】

[1]衣钵：三衣(三种袈裟)与钵，出家人的重要法物，也是师辈传法于弟子的凭证，法统的象征。丘山：山丘，山岳。诗人认为师承与法统并非千古不变，应"信手自孤高"，将重若丘山的祖师视为鸿毛，不受他的限制。

[2]指谢灵运《登池上楼》中的名句"池塘生春草，园柳变鸣禽"。

[3]《庄子·骈拇》有"今世之仁人，蒿目而忧世之患"。后人遂以"蒿目""蒿目时艰"形容担忧时局。"句中"一联说诗句中应有"池塘"二句那样自然清新的内容，对于现实的表现则应见于字句之外，不可直露。

[4]端：准定，应当。

[5]糟：酒渣或未漉清的带滓的酒，亦指用酒或糟腌制食物。螯：蟹螯，"霜螯"是秋天霜降时节的蟹，最为肥美，用糟腌

制后，更是滋味无穷。

[6]"柏树""桃花"分别出自赵州从谂的"庭前柏树子"，和灵云志勤见桃花悟道的典故，皆体现了禅师修行证悟的机智灵活、圆融自在，说明诗歌创作也要如此。

[7]东西玉：又作"玉东西"，玉酒杯，代指酒。

[8]其如：怎奈，无奈。"要共"一联说想与君共饮美酒，怎奈天各一方。

[9]最后一联，诗人邀请对方来白鸥栖息的幽静沙地，共话作诗之事。

《风铃》

[宋]如净[1]

通身是口[2]挂虚空，不管东西南北风。一等与渠谈般若，滴丁东了滴丁东[3]。

【注释】

[1]如净(1163~1228)：宋代曹洞宗僧人。俗姓俞，明州苇江(今浙江鄞县)人。历住华藏褒忠寺、建康清凉寺、明州瑞岩寺等，后奉敕住持天童山景德寺，世称"天童如净"。日本僧人道元渡海入宋后，学于天童如净，并嗣其法。

[2]通身是口：全身都是口，说明佛性周遍世间的每一个角落，万物都在宣说，也消除了口与耳，说者与听者的分别，代表泯灭主客对立，进入不二不异，平等无差别的境界。

[3]模拟风铃的响声,暗示佛理不能用普通语言来表达。

《一上座下火[1]》

[宋]如净

　　万法归一,生也犹如着衫。一归何处,死也还同脱裤[2]。生死脱着不相干[3],一道神光常独露。咦!疾焰过风发大机[4],尘尘刹刹没回互[5]。

【注释】

[1]上座:对出家时间较长,或者在寺院中地位较高的僧尼的尊称。下火:佛教徒火葬时举行的燃火仪式。

[2]首二句借鉴赵州从谂禅师的公案。《景德传灯录》载:"僧问:'万法归一,一归何所?'师(赵州从谂)云:'老僧在青州作得一领布衫,重七斤。'"

[3]脱着(zhuó):脱衣穿衣。

[4]大机:又作大机用、大机大用,指明示宗旨的境界,具有极大作用。

[5]尘尘刹刹:多如微尘的无量世界。刹:国土。回互:回环交错,曲折宛转。

《盆荷》

[宋]居简[1]

萍粘古瓦水泓塝[2]，数叶田田贴小钱[3]。才大古来无用处，不须十丈藕如船[4]。

【注释】

[1]居简(1164~1246)：字敬叟，宋代临济宗僧。俗姓王(一说姓龙)，潼川府(四川三台)人。曾驻锡杭州净慈寺，于寺之北涧筑一室居之。世称"北涧居简"。

[2]栽荷的小盆，因不常清洗而有浮萍粘在盆壁上。

[3]田田：指莲叶。莲叶初生，如小铜钱一般贴在水面上。

[4]化用韩愈《古意》诗中的"太华峰头玉井莲，开花十丈藕如船"。

《春花秋月》

[宋]慧开[1]

春有百花秋有月，夏有凉风冬有雪。若无闲事挂心头，便是人间好时节[2]。

【注释】

[1]慧开(1183~1260):宋代临济宗禅僧,杭州(浙江)钱塘人,俗姓梁。字无门,世称"无门慧开"。幼年入道,年长,于南峰石室独居,禅思六载,忽有省悟,乃出礼谒诸山尊宿,得法于江苏万寿寺月林师观禅师座下。绍定二年(1229)因为皇帝祝寿,精选诸禅录之著名公案四十八则,另加评唱与颂,编撰成《无门关》一卷,至今仍盛行于世。

[2]全诗显示出禅者任运自然,无念无作的精神。

《浪淘沙·寄剑阁》

[宋]善珍[1]

相对两衰翁。身似枯蓬。分飞吹聚谢天风[2]。零落交游无一个,五十年中。　　生客语藏锋,不答阳聋[3]。心期[4]难话与儿童。共结庵招猿鹤侣,烟锁云封。

【注释】

[1]善珍(1194~1277):字藏叟,宋代僧人。俗姓吕,泉州人。十三岁落发,十六岁游方,至杭,受具足戒。谒妙峰善于灵隐,入室悟旨。历迁名刹,后住径山。

[2]"天风"就是风,说自己与友人身似枯萎的蓬草,纷飞聚散全凭风吹动。

[3]藏锋:暗藏锋芒。阳:假装。全句说陌生的客人言辞尖

利,自己装聋来避免回答。

[4]心期:心中相许,引申为相思、期望、胸怀等义。

《望梅词》

[宋]善珍

寸阴堪惜。趁身强健去,结茅苍壁。错料事、临老方知,国师与高僧,二途俱失。识字吟诗,敌不得、死生何益。看寒山着语,李杜也输,莫道元白[1]。千年过如瞬息。共飞鸿缥缈,沉没空碧[2]。问懒瓒、因甚遭逢,芋魁[3]亦联翩,著名金石。遗臭流芳,老子勿、许多心力。旋消磨、数百瓮齑,掩关入寂[4]。

【注释】

[1]李杜:李白和杜甫。元白:元稹和白居易。全句说寒山蕴含佛理的诗歌胜过李、杜、元、白单以文辞见长的作品。

[2]飞鸿:飞行着的鸿雁。空碧:澄碧的天空。全句说高飞的鸿雁缥缈无迹,顷刻消失在天空中。

[3]芋魁:芋头的块茎。用李泌问懒瓒的故事。

[4]瓮齑:瓮装的黄齑(咸菜),以喻薄禄。全句说老子放弃了周朝"守藏室之史"(管理藏书的官员)微薄的俸禄,修行去了。

《偈二首》

[宋]空室道人[1]

浩浩尘中体一如[2]，纵横交互印毗卢。全波是水波非水，全水成波水自殊。

物我元无异，森罗镜像同。明明超主伴，了了彻真空。一体含多法，交参帝网[3]中。重重无尽处，动静悉圆通。

【注释】

[1]空室道人：龙图阁直学士范峋之女，自幼聪慧，长大后嫁给丞相苏颂的孙子苏悌，不久厌倦俗世，返回娘家请求落发，父亲不准，遂居家清修。

[2]一如：不二不异、平等无差别。

[3]帝网：本指于帝释所居忉利天宫上的珠网，缀有宝珠无数，重重叠叠，交相辉映，后多比喻事物间错综复杂的联系和牵掣。

《水调歌头·和吴秀岩韵》

[宋]程公许[1]

驼褐[2]倚禅榻，丝鬓飏茶烟。谁知老子方寸，历历着千年。试问汗青[3]余几，一笑腰黄蒙梦[4]，我自乐天全。出处两无累,赢取日高眠。 　八千里,西望眼,断霞边。弁苍苕碧[5],随分[6]风月不论钱。执手还成轻别,何日归来投社,玉海得同编。经世付时杰[7],觅个钓鱼船。

【注释】

[1]程公许(?~1251):字季与,一字希颖,号沧州。嘉定进士。历官著作郎、起居郎,数论劾史嵩之。后迁中书舍人,进礼部侍郎,又论劾郑清之。屡遭排挤,官终权刑部尚书。有文才。

[2]驼褐:用驼毛织成的衣服。

[3]汗青:古时在竹简上记事,先以火烤青竹,使水分如汗渗出,便于书写或改抹,并免虫蛀,称为"汗青",后以之指代书册、著述。

[4]腰黄:犹腰金,腰金为古代朝官的腰带,按品级镶以不同的金饰,品级高者以纯金制成,或佩金印或金鱼袋,表明身居显要。萦梦:萦回往复于梦中。

[5]弁苍苕碧:苍山碧草。"弁(biàn)"是古代贵族的一种帽子,此处可能指形状与弁相似的山。苕(tiáo),草名。

[6]随分:到处,随时。

[7]经世:治理国事。时杰:当代俊杰。全句说经国大事交给豪杰才俊们去做,我辈只愿寻个钓鱼船,自在遨游。

《吹面不寒杨柳风》

[宋]志南[1]

古木阴中系短篷[2],杖藜扶我过桥东。沾衣欲湿杏花雨[3],
吹面不寒杨柳风[4]。

【注释】

[1]志南:南宋僧人,生平事迹不详。

[2]短篷:小船。

[3]杏花雨:清明前后所降之雨,正值杏花盛开,故称。陈元
靓《岁时广记》卷一:"《提要录》:杏花开时,正值清明前后,必
有雨也,谓之杏花雨。"

[4]杨柳风:杨柳随风飘荡,使春风带上了杨柳的气息。

《手影戏》

[宋]惠明[1]

三尺生绡[2]作戏台,全凭十指逗诙谐。有时明月灯窗下,一
笑还从掌握来。

【注释】

[1]惠明:生卒年不详,南宋僧人,出家于华亭县普照寺,潦
倒猖狂,人莫能测,谈灾福辄验,亦能诗,人称"明颠"。

[2]生绡:未漂煮过的丝织品。

《书木牌诗》(二首)

[宋]无梦[1]

身为车兮心为轼[2],车动轼随无计息。交梨火枣[3]是谁无,自是不除荆与棘。

身为客兮心为主,主人平和客安堵[4],若还主客不康宁,精神管定[5]随君去。

【注释】

[1]无梦:生平不详,自称是鄞州人,多教化村落间,手持一木牌,上书诗二首。

[2]轼:古代设在车厢前,供立乘者凭扶的横木。

[3]交梨火枣:道教所称的仙果。陶弘景《真诰·运象二》:"玉醴金浆,交梨火枣,此则腾飞之药,不比于金丹也。"

[4]安堵:犹安居。

[5]管定:一定。

《西来意颂》

[宋]灵澄[1]

因僧问我西来意[2],我话居山七八年。草履只栽三个耳,麻衣曾补两番肩。东庵每见西庵雪,下涧长流上涧泉。半夜白云消散后,一轮明月到床前[3]。

【注释】

[1]灵澄:生卒年不详,宋代诗僧,人称"散圣",有诗偈集传世。

[2]"西来意"就是菩提达摩从西方天竺来到东土的用意,是禅门经常参问的话头。

[3]禅僧对于"祖师西来意"的回答五花八门,例如"庭前柏树子""坐久成劳""老僧昨夜栏里失却牛""待石乌龟解语即向汝道",甚至"起立,以杖绕身一转,翘一足云:'会么?'"可知禅僧们只是借此话头来参究禅法的真谛,帮助弟子开悟。灵澄以自己的山居生活作答,说明领悟佛性不可离开自然生活。

《小吴轩》

[宋]智愚[1]

结茅初不为孤峰,只爱登临眼底空[2]。风淡云收见天末,始知吴在一毫中[3]。

【注释】

[1]智愚(1185~1269):号虚堂,俗姓陈,四明象山(今属浙江)人。十六岁依近邑之普明寺僧师蕴出家。后辞亲出乡,首依雪窦焕和尚、净慈中庵皎和尚。宝祐四年(1256),在灵隐鹫峰

庵受请入住庆元府阿育王山广利寺。景定元年(1260)，入住柏岩慧照寺。五年，受诏住临安府净慈报恩光孝寺。度宗咸淳元年(1265)，迁径山兴圣万寿寺。五年卒，年八十五。为运庵禅师法嗣，有《虚堂智愚禅师语录》十卷。

[2]结茅：编茅为屋，建造简陋的屋舍。老子云"大象无形"，登高远眺，万物同时映入眼帘，反倒觉得一片混茫，难以看清，故云"眼底空"。首联说明了僧人在孤峰上结茅隐居的原因。

[3]天末：天的尽头，极远的地方。僧人登上高处，天边景物尽收眼底，再看平日活动的吴地，只觉十分渺小，似可纳入一毫中。我们大多有过类似的感受，真切感受到圆融无碍的"芥子纳须弥"境界。

《颂古》

[宋]智愚

夜阑天际堕金盆，膝上焦桐调转新。易水悲风轻按指，鸾胶难续断肠人。[1]

【注释】

[1]颂前自注云"罽宾国王仗剑问师子尊者，颂曰"。此处所举公案过于简单。实际上，这则公案在宋代禅宗语录中不断被提及，如《大慧普觉禅师语录》卷一所举，较为详尽："罽宾国王仗剑问师子尊者曰：'师得蕴空否？'尊者曰：'已得蕴空。'王曰：'脱生死否？'尊者曰：'已脱生死。'王曰：'可施我

头?'尊者曰:'身非我有,岂况于头!'王遂斩之。白乳高丈余,王臂自落。"明其"本事"之后,对于虚堂此颂便能会意,他其实是将刺杀秦王的荆轲与师子尊者相比,意谓一个人能够彻底将生死放下,就能坦然地面对生死,这样的人实际上已经获得了永生。实际上,也只有易水悲风的荆轲那样的大丈夫才能够参禅。

《悟道诗》

[宋]某尼[1]

尽日寻春不见春,芒鞋踏遍陇[2]头云。归来笑拈梅花嗅,春在枝头已十分[3]。

【注释】

[1]某尼:宋朝(一说唐朝)尼姑,生平不详。

[2]陇:通"垄",高丘、田垄。

[3]女尼踏破芒鞋,入岭穿云,费尽心力寻春而不得,归来见枝头盛开之花,方悟春色就在其中。佛性亦如"春"一般,不可闻见捉摸,却普遍存在于一切事物中,脱离了世间万物,去寻觅一个有形有相的佛性,自然不可得。这首诗历来为人所称道,清代名僧八指头陀化用之,做《过天竺林和翠云长老原韵》:"草鞋踏破为谁忙?一锡飞来满面霜。长老不须重说偈,梅花犹在鼻头香。"

《醉义歌》(节录)

[辽]寺公大师[1]

请君举盏无言他,与君却唱醉义歌。风云不与世荣别,石火又异人生何。荣利悦来岂苟得[2],穷通夙定徒奔波[3]。梁冀跋扈德何在[4],仲尼削迹名终多[5]。古来此事元如是,毕竟思量何怪此。争如[6]终日且开樽,驾酒乘杯醉乡里。醉中佳趣欲告君,至乐无形难说似。泰山载斫为深杯,长河酿酒斟酌之[7]。迷人愁客世无数,呼来掐耳充罚卮[8]。一杯愁思初消铄,两盏迷魂成勿药[9]。尔后连浇三五卮,千愁万恨风蓬落。胸中渐得春气和,腮边不觉衰颜却[10]。四时为驱驰太虚,二曜为轮辗空廓[11]。须臾纵辔入无何[12],自然汝我融真乐。陶陶一任玉山颓[13],藉地为茵[14]天作幕。

问君何事从劬劳[15],此何为卑彼岂高。蜃楼日出寻变灭,云峰[16]风起难坚牢。芥纳须弥亦闲事[17],谁知大海吞鸿毛[18]。梦里蝴蝶勿云假,庄周觉亦非真者[19]。以指喻指指成虚,马喻马兮马非马[20]。天地犹一马,万物一指同[21]。胡为一指分彼此,胡为一马奔西东。人之富贵我富贵,我之贫困非予穷。三界唯心更无物,世中物我成融通。君不见千年之松化仙客,节妇登山身变石[22]。木魂石质既我同,有情于我何瑕隙[23]。自料吾身非我身,电光兴废重相隔[24]。

【注释】

[1]寺公大师：辽代高僧，生卒年不详。《醉义歌》本由契丹语写成，经耶律楚材翻译成汉语，收入《湛然居士文集》卷八，并作序云："辽朝寺公大师者，一时豪俊也。贤而能文，尤长于歌诗。其旨趣高远，不类世间语，可与苏、黄并驱争先耳。有《醉义歌》，乃寺公之绝唱也。昔先人文献公尝译之。先人早逝，予恨不得一见。及大朝之西征也，遇西辽前郡王李世昌于西域，予学辽字于李公，期岁颇习。不揆狂斐，乃译是歌。庶几形容其万一云。"

[2]倘来：自来。苟得：不当得而得。《礼记·曲礼上》："临财毋苟得。"孔颖达疏："非义而取，谓之苟得。"

[3]夙(sù)：早，早年。全句说人的穷困或通达早已注定，奔波争夺皆是徒劳。

[4]梁冀，字伯卓，东汉外戚、权臣，汉顺帝皇后的哥哥，以专横跋扈著称。顺帝驾崩后，两岁的太子即位，是为汉冲帝，不久亦死，梁冀拥立另一支刘汉皇族后代、汉章帝玄孙、八岁的刘缵为帝，称汉质帝。质帝少而聪慧，知梁冀骄横，曾在朝见群臣时，看着梁冀说："此跋扈将军也。"梁冀怀恨在心，命人将鸩毒加入煮饼中，毒死了他。梁冀又立汉桓帝，陷害名臣李固、杜乔，海内人人自危，个个嗟叹。汉桓帝也对梁冀把持朝政颇为不满，逐步削夺了他的势力，梁冀夫妇自杀，家族被灭。

[5]孔子名丘，字仲尼。"削迹"亦作"削迹"，削除车迹，谓不被任用。《庄子·让王》："夫子再逐于鲁，削迹于卫，伐树于宋。"

[6]争如：不如，怎么比得上。

[7]"泰山"一联谓将泰山斫为巨杯,以长河之水酿酒,注入其中。

[8]卮(zhī):古代盛酒的器皿。全句说将无数的"迷人愁客"呼来,搯住耳朵罚他们喝酒。搯,亦作"稻""搯(tāo)"。

[9]勿药:指病愈。

[10]却:退去。

[11]二曜(yào):当指日月。"曜"有光辉、明亮之意,也是日、月、五星的统称。空廓:天空。

[12]纵辔:放开马缰,纵马奔驰。辔(pèi):缰绳。无何:"无何有之乡"的简称,指空无所有的地方。《庄子·逍遥游》:"今子有大树,患其无用,何不树之于无何有之乡,广莫之野。"成玄英疏:"无何有,犹无有也。莫,无也。谓宽旷无人之处,不问何物,悉皆无有,故曰无何有之乡也。"

[13]玉山颓:人酒醉欲倒之态。刘义庆《世说新语》:"嵇叔夜(嵇康)之为人也,岩岩若孤松之独立;其醉也,傀俄若玉山之将崩。"

[14]茵:衬垫,褥子。

[15]劬(qú)劳:劳累,劳苦。

[16]云峰:状如山峰的云。

[17]芥纳须弥:芥菜的种子,体积微小。《维摩经·不可思议品》:"若菩萨住是解脱者,以须弥之高广,内芥子中,无所增减,须弥山王本相如故。"谓巨大的须弥山可以纳入一颗小小的芥子中,原本的体积形象丝毫不变,后因以"芥子纳须弥"喻法界之体性广大不可思议,万物巨细兼容,圆融无碍的状态,尤为华严宗所重视。禅宗多以"须弥纳芥子"形容超越大小、高

低、迷悟、生佛等差别见解,达于彻底觉悟,融通自在境界。闲事:寻常事、无关紧要的事。

[18]与上句结合,说明佛法之神奇广大,能如"大海吞鸿毛"般融摄世间其他法门。

[19]《庄子·齐物论》:"昔者庄周梦为蝴蝶,栩栩然蝴蝶也。自喻适志与,不知周也。俄然觉,则蘧蘧然周也。不知周之梦为蝴蝶与,蝴蝶之梦为周与?周与蝴蝶,则必有分矣。此之谓物化。"

[20]公孙龙是战国时期"名家"的代表,以论辩名实问题著称,提出"物莫非指,而指非指""白马非马"等命题。

[21]《庄子·齐物论》云:"以指喻指之非指,不若以非指喻指之非指也,以马喻马之非马,不若以非马喻马之非马也。天地一指也,万物一马也。"谓"指"与"非指"、"马"与"非马"没有区别,天地万物皆是个统一体,同于一指、一马。

[22]我国许多地方都有"望夫石",传说因妇人伫立望夫,日久化而为石。《初学记》卷五引南朝宋刘义庆《幽明录》:"武昌北山有望夫石,状若人立。古传云:昔有贞妇,其夫从役,远赴国难,携弱子饯送北山,立望夫而化为立石。"辽宁省兴城市西南望夫山的望夫石,据说是孟姜女所化。

[23]瑕隙:可乘的间隙,嫌隙。

[24]佛教观点认为,我身并非实有,凡人的生命也是极其短暂,电光石火间已是生死相隔。

《西域和王君玉诗十二首》（选一）

[元]耶律楚材[1]

竹径风来自破禅[2]，修篁青剑叶垂千[3]。烂吟风月元无碍，高卧烟霞未是贤。迷处无由逃绊锁，悟来何处不林泉。纵横触目皆真理，坐卧经行鸟路玄[4]。

【注释】

[1]耶律楚材(1190~1244)：元代杰出政治家。字晋卿，号玉泉老人，法讳从源，号湛然居士。出身契丹贵族家庭，是辽太祖耶律阿保机的九世孙。元世祖忽必烈攻占燕京，听说他才华横溢，特来询问治国大计，耶律楚材转投成吉思汗帐下，为元朝的建立奠定基础。曾从圣安寺澄、万松行秀参禅，屡获印可。忽必烈欲举兵西征之际，耶律楚材以动兵犯不杀戒，非慈忍行而谏止之。五十五岁去世，著有《湛然居士文集》等。

[2]破禅：打破禅定。

[3]篁(huáng)：竹林，泛指竹子。全句说修长的竹子如青剑一般，垂下千条叶。

[4]鸟路：鸟道，鸟飞行的道路。渐西本在"路玄"下有小字夹注："案永寿云：见道忘山，人间亦寂。"永嘉玄觉《答朗禅师书》指出"其或心径未通，瞩物成壅，而欲避喧求静者，尽世未有其方"，因为山中亦有鸟兽鸣咽、藤萝萦绊、节物衰荣、晨昏眩晃等种种喧杂，同样会给没有彻底觉悟的人带来困扰阻滞，

"是以先须识道后乃居山。若未识道而先居山者,但见其山,必忘其道。若未居山而先识道者,但见其道,必忘其山。忘山则道性怡神,忘道则山形眩目。是以见道忘山者,人间亦寂也;见山忘道者,山中乃喧也"。

《无碍》

[元]祖钦[1]

一处通兮处处通,如风过树月行空。藕丝窍里轻弹指,推出须弥第一峰[2]。

【注释】

[1]祖钦(1214~1287):元初禅僧。婺州(浙江)人,号雪岩,世称"雪岩祖钦"禅师。五岁出家,十六岁得度,后嗣径山参无准师范之法,曾出住潭州龙兴寺等六大寺院,得黄帝赐紫衣,名震一时。

[2]《杂阿含经》载,阿修罗与天帝作战,大败,四军(象车、马军、车军、步军)尽退入一藕孔中。诗句说藕孔中容纳着须弥山,用手指轻弹即出,描绘出万物相互融摄,圆融无碍的境界。

《山居》(二首)

[元]祖钦

竟日[1]窗间坐寂寥,岩前稚笋[2]欲齐腰。幽禽忽起藤花落,涧瀑飞声渡石桥。

夹岸桃花红欲然,洞中流水自涓涓[3]。山家不会论春夏,石烂松枯又一年[4]。

【注释】

[1]竟日:终日,整天。

[2]稚笋:幼嫩的笋。

[3]涓涓:细水缓流貌。

[4]僧人描绘出万物生长变化,怡然自得的境界,比唐代太上隐者的"山中无历日,寒尽不知年"(《答人》)更多了几分活泼的生气。

《题〈飞、鸣、宿、食四雁图〉》

[元]行端[1]

年去年来年复年,帛书[2]曾达茂陵前。影连蓟北[3]月横塞,声断江南霜满天。雨暗芦花愁夜渚,露香菰米[4]下秋田。平生千

252

里与万里，尘世网罗空自悬。

【注释】

[1]行端(1254~1341)：元代临济宗禅僧。俗姓何，号元叟，浙江临海人，家世业儒。六岁随母习儒学，及长，随化城院的叔父茂上人剃发，参藏叟善珍得法。曾住湖州(浙江)翔凤山资福禅寺、灵隐景德寺等，三度受赐金襕袈裟，并受历代皇帝之皈依。善诗，"文字不由师授，自然能诵，自称寒拾里人"(《灵隐寺志》)，尝拟寒山诗百余篇，流传广远。

[2]帛书：写在缣帛上的书信，古人常用大雁传递书信。

[3]蓟北：北京以东、河北北部一带。与下句中的"江南"对照，显出大雁飞翔之远。

[4]菰(gū)米：茭白的种子，一名雕胡米，古代"六谷"之一。

《拟寒山子诗》(二首)

[元]行端

我住在峰顶，白云常不开。窗扉沿薜荔，门径叠莓苔[1]。山果猿偷去，岩花鹿献来。长年无一事，石上坐堆堆[2]。

世上无上宝，其宝非青黄。在人日用间，皎洁明堂堂。万象他为主，万法他为王。与他不相应，盲驴空自行。

[1]莓苔:青苔。

[2]堆堆:久坐不移貌。

《天目山》

[元]明本[1]

一山未尽一山登,百里全无一里平。疑是老僧遥指处,只堪图画不堪行[2]。

【注释】

[1]明本(1263~1323):元代临济宗僧。俗姓孙,号中峰,又号幻住道人,浙江钱塘人。性睿敏,至元二十三年(1286),参谒高峰原妙于天目山师子院,一日诵读《金刚经》,恍然开悟,24岁从原妙剃度出家。原妙示寂后,隐于他处。延祐五年(1318)应众请,还居天目山,僧俗瞻礼,誉为"江南古佛"。元仁宗召聘不得,敕号"佛慈圆照广慧禅师",并赐金襕袈裟,又改师子院为"师子正宗寺"。至治三年示寂,世寿六十一,得追谥"智觉禅师""普应国师"。

[2]全诗形容天目山峰峦叠起,高峻难行。

《醉乘》

[元]明本

醉乘白鹤登银阙[1]，梦跨青鸾入绛宫[2]。酒醒眼开俱不见，一川桃李自东风。

【注释】

[1]银阙：道家谓天上有白玉京，是仙人或天帝所居。

[2]青鸾：古代传说中凤凰一类的神鸟，赤色多者为凤，青色多者为鸾，多为神仙坐骑。绛宫：传说中神仙所住的宫殿。

《山居[1]》

[元]明本

头陀真趣在山林，世人谁人识此心。火宿篆盘[2]烟寂寂，云开窗槛月沉沉。崖悬有轴长生画，瀑响无弦太古琴[3]。不假修治常具足[4]，未知归者漫追寻。

【注释】

[1]明本禅师有《四居诗》，包括《山居》《水居》《船居》《廛居》，均有十首，本书各选一首。

[2]篆盘：香盘。"火宿篆盘"就是点燃香盘。

[3]太古：远古，上古。"无弦太古琴"指陶渊明的无弦琴，萧统《昭明太子集·陶靖节传》云："渊明不解音律，而蓄无弦琴一张，每酒适，则抚弄以寄其意。"

[4]修治：修理整治。具足：具备满足。

《水居》
[元]明本

极目弥漫水一方，水为国土水为乡。水中缚屋水围绕，水外寻踪水覆藏[1]。水似禅心涵镜像，水如道眼印天光。水居一种真三昧[2]，只许水居人厮当[3]。

【注释】

[1]覆藏：遮掩隐藏。

[2]三昧：梵语音译，又作三摩地、三摩提，意译为等持、定、正定、定意、调直定、正心行处等，即将心定于一处（或一境）的安定状态，也用来形容妙处、极致、蕴奥、诀窍等。句中当是后一种含义。

[3]厮：犹"相"。厮当：相当。最后一联说水居的真谛只有真正居于水上的人才能了解。

《船居》
[元]明本

　　水光沉碧[1]驾船时,疑是登天不用梯。鱼影暗随蓬[2]影动,雁声遥与槽声[3]齐。几回待月停梅北,或只和烟系柳西[4]。万里任教湖海阔,放行收住不曾迷。

【注释】
[1]沉碧:若碧玉沉入水中一般。
[2]蓬:同"篷"。
[3]槽声:船在水面经过时发出的声音。槽,水道、河床。
[4]梅北、柳西泛指岸之北,岸之西。

《廛[1]居》
[元]明本

　　足迹无端遍海涯[2],现成山水不堪夸。市崖既可藏吾锡[3],城郭何妨着吾家。四壁虚明连栋月[4],数株红白过墙花。见闻不假存方便,只么随缘遣岁华[5]。

【注释】
[1]廛(chán):民居、市宅。

[2]涯:边际,界域。"海涯"犹"天涯海角"。

[3]市厘:朝市之中。锡:锡杖,比丘随身携带之物,代表了比丘的行踪,"可藏锡"就是可藏身。

[4]连栋:近邻。全句说近邻的月光照进来,房中四壁光洁明亮。

[5]只么:这么,如此。"见闻"一联说自己不需借助善巧方便,只愿随缘度过年华。

《题郭西铁佛寺[1]》

[元]贡奎[2]

铁佛铸成应人计,崖碑读尽亦空名。茫茫大梦谁先觉,趺坐无言听竹声。

【注释】

[1]铁佛寺:位于襄阳西门的护城河边。乾隆时期的《襄阳府志》载:"铁佛寺在西门外,寺昉于晋释道安与习(凿齿)居士铸佛像以镇海眼。"

[2]贡奎(1269~1329):字仲章,宣城(今属安徽)人,天资聪颖,生性至孝,曾任太常奉礼郎、翰林国史院编修等职,颇有诗名。

《赠拙讷子[1]》

[元]贡奎

辩口悬河巧镂冰[2]，人间机祸政须惩。若人真得忘言趣[3]，裹手从渠笑不能。

【注释】

[1]拙讷子：口拙、不善言辞的僧人。

[2]辩口悬河：犹"口若悬河"，说话如河水下泻，滔滔不绝，形容能言善辩。镂冰：雕刻冰块，因冰块终将融化，故常以喻徒劳无功。全句说能言善辩之人看似聪明机巧，实为徒劳。

[3]忘言趣：得意忘言的真谛。

《山居诗》

[元]清珙[1]

纸窗竹屋槿篱笆，客到篛汤[2]便当茶。多见清贫长快乐，少闻浊富不骄奢。看经移案就明月，供佛簪瓶[3]折野花。尽说上方兜率好，如何及得老僧家。

【注释】

[1]清珙(1272~1352)：字石屋，元代高僧。俗姓温，江苏常

熟人。幼时出家，后参高峰原妙禅师，经三年，嗣法于及庵信禅师，深受器重，有"法海中透网金鳞"之美誉。元顺宗至正年间，诏赐金襕袈裟。后频出入吴越，弘扬禅风，广结善缘。

[2]蒿汤：植物熬成的汤。

[3]簪瓶：插花于瓶。

《裁缝诗》

[元]清珙

手携刀尺走诸方，线去针来日日忙。量尽别人长与短，自家长短几时量？

《无敌》

[元]清珙

眼空湖海气凌云，杰出丛林思不群。古往今来谁是我？得饶人处且饶人。

《临终偈》

[元]清珙

青山不着臭尸骸，死了仍须掘地埋。顾我也无三昧火[1]，光前绝后[2]一堆柴。

【注释】

[1]三昧火:《传法正宗记》卷一载,释迦牟尼自知化期已近,将清净法眼及金缕僧伽梨衣付与首座弟子摩诃迦叶,随后即往拘尸那迦罗城娑罗双树间,敷座设床,右胁而卧,在诸比丘及众弟子围绕之下,泊然入寂,摩诃迦叶闻讯赶至,见金棺内之三昧真火燔然而焚,舍利光焰普照天地。

[2]光前绝后:利落而不留痕迹。元至正十二年(1352年),清珙患疾,一日与众人诀别,侍僧问后事如何,遂书此偈,掷笔而逝,火化后得舍利"五色灿然,不知其数"(《继灯录》)。

《湖村庵即事》

[元]惟则[1]

竹根犬吠隔溪西,湖雁声高木叶飞。近听始知双橹响,一灯浮水夜船归。

【注释】

[1]惟则(? ~1354):又称维则,元代禅僧。俗姓谭,号天如,吉安永村(江西吉安)人。幼年出家,得法于中峰明本禅师,为其法嗣,大扬临济宗风,兼弘净土,得敕赐"佛心普济文慧大辩禅师"及金襕衣。

《偈》

[元]惟则

一念回光路不多[1]，外边寻讨转蹉跎[2]。太湖三万六千顷，
月在天心不在波[3]。

【注释】

[1]一念：发起一个意念之间，或指极短的时间，佛经说"一
弹指顷有六十念"。回光：蓦然回首，直下照见自心之灵性，禅
籍中有"一念回光，豁然自照""一念回光，不举步而遍周沙
界"，本诗首句亦说觉悟就在一念之间，不须多路。

[2]蹉跎：虚度光阴。

[3]《永嘉证道歌》云"一月普现一切水，一切水月一月摄"，
但寻真月却要到天空的中心，不可去"太湖三万六千顷"的水
中，恰如修行必须直契本心，不必向外驰求。

《悟道偈》

[元]梵琦[1]

崇天门外鼓腾腾，蓦札[2]虚空就地崩。拾得红炉一片雪，却
是黄河六月冰[3]。

【注释】

[1]梵琦(1296~1370)：元代禅僧。俗姓朱，字楚石，襁褓期间，有神僧手摩其顶说："此儿是佛日，他日必能引导群迷，振兴佛法。"故又被称为昙曜。明州(浙江)象山人。九岁出家，十六岁受具足戒，后嗣元叟行端之法，历住多所寺院，得帝赐号"佛日普照慧辩禅师"，受敕说法于蒋山(江苏江宁县东北，即钟山)。洪武三年示寂，世寿七十五。

[2]蓦(mò)：忽然，一下子。札(zhā)：扎，刺。

[3]据《楚石梵琦禅师语录》等书记载，梵琦自幼聪颖，出家后"文采炳蔚，声光蔼着，两浙名山宿德，争欲招致座下"，后阅《首楞严经》有所悟，"由是阅内外典籍，宛如宿习"，然"于佛祖向上一着，终有滞碍"。后参元叟行端禅师，问："如何是言发非声，色前不物？"行端曰："言发非声，色前不物，速道速道。"梵琦欲再言，却因行端震威一喝，错愕而退，群疑塞胸，如填巨石。正值元英宗诏善书者，赴京城书写金文大藏经，梵琦入选，来到京城，宿于万宝坊，近崇天门，一夕睡起，闻彩楼上鼓鸣，豁然大悟，汗下如雨，彻见行端用意，乃述此偈，同一年东归，再参行端，行端迎笑曰："且喜汝大事了毕。"僧人形象地写出自己闻鼓声顿悟，胸中群疑消散的感觉，若巨石轰然崩塌，霜雪入烘炉，刹那消融一般，而红炉一片雪，黄河"六月"冰看来不可思议，但本质相同，正反映了超越表相，打破一切限制、分别，直契本心的禅宗精髓。

《拟陶[1]》

[元]梵琦

　　新蝉何处来,鸣我高槐阴。流水欲入屋,好风自开襟。床头一束书,壁上三尺琴。琴以散哀乐,书以通古今。所幸车马稀,非邀里人钦[2]。虚名如北斗,有酒不能斟。纵洗爱居耳[3],宁知钟鼓音。

【注释】

[1]拟陶:模仿陶渊明。

[2]钦:尊敬,恭敬。

[3]爱居:迁居,此处指迁往别处隐居。洗耳,洗去耳朵听到的污浊之声,表示坚决不愿听闻。皇甫谧《高士传·许由》云:"尧让天下于许由……(许)由于是遁耕于中岳颍水之阳,……尧又召为九州长,(许)由不欲闻之,洗耳于颍水滨。"

《晓过西湖》

[元]梵琦

　　船上见月如可呼,爱之且复留斯须[1]。青山倒影水连郭[2],白藕作花香满湖。仙林寺远钟已动,灵隐塔高灯欲无。西风吹人不得寐,坐听鱼蟹翻菰蒲[3]。

【注释】

[1]斯须:须臾,片刻。

[2]廓:外周。本句说青山倒影与水完全连为一体。

[3]菰(gū)蒲(pú):菰和蒲,两种生长在水中的植物,借指湖泽池沼。

《怀净土诗》(节选)

[元]梵琦

一寸光阴一雨金,劝君念佛早回心。直饶凤阁龙楼贵,难得鸡皮鹤发[1]侵。鼎内香烟初未彻,空中法驾已遥临。尘尘刹刹虽清净,独有弥陀愿力深[2]。

【注释】

[1]鸡皮鹤发:起皱的皮肤,变白的头发,比喻人衰老的相貌。

[2]阿弥陀佛为法藏比丘时,曾发下四十八大愿,在每一愿后立誓若做不到则"不取正觉",得不到真正觉悟的无上智慧,不能成佛,如今阿弥陀佛已经成佛,说明他的大愿全部实现,足见其"愿力"之深切广大。"四十八大愿"中包括接引众生去往他的国土(西方极乐世界)的内容,最重要的一条是:"设我得佛,十方众生至心信乐,欲生我国,乃至十念,若不生者,不取正觉,唯除五逆、诽谤正法。"没有犯过五逆等重罪的人,只

要至心信乐,愿生彼国,并称念十声佛号就能往生,净土宗念佛法门的根据正在于此,正是这些"大愿"为众生提供了往生极乐世界机会的方法。

《示华严会[1]诸友八首》(之五)

[元]梵琦

于刹那时觉道成,了无一法可留情。十方法界[2]从心现,大地山河似掌平[3]。铁树[4]枝头红果熟,泥牛额下白毛生。分明指出通天路,南北西东自在行。

【注释】

[1]华严会:讲赞《华严经》的法会。

[2]十方法界:"十方"是佛教对各种方位的总称,包括东、西、南、北、东南、西南、东北、西北、上、下,代表了所有方向。十方诸法各有自体,分界不同,故名法界,而法界之法,本质为一,实为周遍圆融的境界。

[3]似掌平:像手掌一样平。

[4]铁树:一种热带常绿乔木,一般不可能开花结果。

《旃檀瑞像[1]赞》

[元]梵琦

　　不取一法如微尘,不舍一法如秋毫。我常如是见于佛,而亦无见不见者。善哉优填[2]亦如是,不取不舍于释迦。目连神足亦复然[3],三十二匠无不尔[4]。所以成此旃檀像,八十种好[5]皆具足。惟于世间无取舍,乃能取舍于世间。众生心欲种种殊,佛之所化亦差别。众生不孝化以孝,是故为母升忉利。众生不慈化以慈,是故复从忉利下。世间尊邪而背正,是故去霸而就王。欲令闭恶开大道,示现如斯来去相。咨尔[6]十方瞻礼众,作是观者名正观。我今稽首释迦文,刹刹尘尘为垂证。

【注释】

　　[1]旃檀:香木名,据说有去肿除疾、使身安乐的功效,故译名"与乐",出自南印度摩罗耶山,其山形似牛头,故又名牛头旃檀。"旃檀瑞像"是优填王发愿造成的,佛陀成道后,升至三十三天为生母说法,经时甚久,优填王未能礼佛,思慕不已,遂组织能工巧匠用旃檀木造成佛像 (一说佛像乃群臣为优填王造成),是为雕造佛像之始。《梁书》载:"十八年,复遣使送天竺旃檀瑞像、婆罗树叶,……"梵琦自己也说:"至治三年,岁在癸亥,六月被诏至京师,八月诣白塔寺。观优填王所刻旃檀瑞像。百拜稽首,而为之赞。"(《佛日普照慧辩楚石禅师语录》)可见旃檀瑞像(有可能是仿制品)曾流传到中国。

[2]优填:即优填王,是佛在世时中印度憍赏弥国的国王。他最初不信佛,听信一妃子的奸言,以百箭射向笃信佛法的王后,箭绕王后的身体三圈,还至王前,王后亦丝毫无惧色。优填王大惊,听王后讲说佛法,并至佛所,受佛教化,皈依三宝,大力护持佛教。

[3]据说优填王造旃檀瑞像时,得到了佛陀"十大弟子"之一目犍连的帮助。宋蔡绦《铁围山丛谈》卷五:"释氏有旃檀瑞像者,见于内典。谓释氏在世时说法于忉利天,而优填王思慕不已,请大目犍连运神力于他方取旃檀木,摄匠手登天,视其相好,归而刻焉。释氏者身长丈六尺,紫金色,人闲世绝不可拟。独他方有旃檀木者能比方故也。瑞像则八尺而已,盖减师之半。"目连:又作摩诃目犍连、大目犍连、目连等,是古印度的婆罗门种,自幼与佛陀弟子中"智慧第一"的舍利弗交情甚笃,在舍利弗的指点下拜佛陀为师,能"神足轻举,飞到十方"(《增壹阿含经》),号称"神通第一"。《盂兰盆经》记载,目犍连的母亲生前造恶,死后堕入饿鬼道,食物未入口,便化成火炭,无法食用。目犍连请教解救之法,佛陀告诉他需要十方众僧威神之力才得解脱,所以应在每年的七月十五日僧自恣日时,以饭食、百味五果、香油锭烛、床敷卧具等置于盆中,供养十方大德众僧,可使当世健在之父母福乐百年,已故去的七世父母得生天道,脱离恶趣。目连依佛所言,使其母解脱恶鬼之苦,这就是"目连救母"故事,以及农历七月十五日"盂兰盆会"的由来。神足:指"神足通",又名心如意通,即身如其意,随念即至,飞行自在,变化无穷,目犍连正是因为具有"神足通"而号称"神通第一"。

[4]三十二匠：三十二位能工巧匠，《铁围山丛谈》载目犍连"摄匠手登天，视其相好，归而刻焉"，带工匠们来到天界，亲见佛陀真容。全句说工匠们依已所见，如实雕刻，不加夸张取舍。

[5]八十种好：佛、菩萨之身的殊胜容貌形相中，显而易见的有三十二种，称为"三十二相"，幽微难见的有八十种，是为"八十种好"。

[6]咨尔：常用于句首，表示赞叹或祈使。《论语·尧曰》："尧曰：'咨，尔舜！天之历数在尔躬。'"邢昺疏："咨，咨嗟；尔，女也……故先咨嗟，叹而命之。"

《多宝佛塔赞》

[元]梵琦

无量劫来多宝尊[1]，全身在塔至今存[2]。五千栏楯[3]绕龛室，万亿金铃垂宝旛。此日听经从地涌，满空奏乐雨花繁。须知两佛跏趺坐[4]，度尽众生始掩门。

【注释】

[1]多宝佛：梵名 Prabhûtaratna，又作宝胜佛、大宝佛、多宝如来，是东方宝净世界之教主、《法华经》的赞叹者。入灭后以本愿力成全身舍利，诸佛宣说《法华经》时，必有舍利从地涌出，现于诸佛之前，为《法华经》之真实义作证明。

[2]多宝佛的舍利从一七宝塔中涌出，是为"多宝佛塔"，由无数宝珠严饰之，显示一切佛土皆具同一宝性。佛性混于众生

之浊恶烦恼中,却不失真如清净的本性,故称"宝性"。

[3]栏楯:栏杆。楯(shǔn):本指栏杆的横木。

[4]多宝佛与释迦牟尼佛并坐于多宝佛塔中,显示诸佛皆为成就度化众生之大事,而示现于世间。

《第二十八祖[1]菩提达磨赞》

[元]梵琦

一言尽破六宗[2]迷,在国还除异见非。汉土初来空圣谛[3],梁王不免挫天威。度僧造寺难论德,断臂安心[4]未入微。留得少林花木在,翩翩只履自西归。

【注释】

[1]佛典中有"拈花微笑"的故事,详见张元幹《满庭芳》注释[2],因此摩诃迦叶被尊为禅宗初祖,不断传续至第二十八代,是为"西天二十八祖"。第二十八祖就是菩提达摩,他将禅法传到中国,亦是东土禅宗初祖。

[2]六宗:佛教以三论、法相、华严、律、成实、俱舍为六宗,代指一切佛教宗派。

[3]圣谛:圣者所见之真谛,神圣的真理。

[4]安心:《景德传灯录》:"光(神光,慧可的原名)曰:'我心未宁,乞师与安。'师(达摩)曰:'将心来,与汝安。'(神光)曰:'觅心了不可得。'师(达摩)曰:'我与汝安心竟。'"

《第二十九祖慧可大师^[1]赞》

[元]梵琦

　　博览群书有正知^[2]，少林大士^[3]是吾师。愿教句下闻心要，来向庭前立雪时^[4]。遍界皆空无一物，众生不了谩多知。屠门酒肆元平等^[5]，肯舍冤亲别起慈^[6]。

【注释】

[1]慧可(487~593)：禅宗第二祖。原名神光，俗姓姬，虎牢(今河南荥阳县)人。少时博通儒道，出家后精研三藏内典，后拜谒菩提达摩，习得禅法精要，传法于弟子后混迹世俗之中，随宜说法，四众皈依。在筦城县(今属河北省)匡救寺讲经时听者如林，遭到同在寺中讲经的辩和法师嫉妒，辩和向县令翟仲侃诽谤慧可，翟仲侃听信谗言，不问事由，以非法手段将慧可迫害致死。

[2]《景德传灯录》云，神光为"旷达之士"，"博览群书，善谈玄理"，常感叹"孔老之教礼术风规，庄易之书未尽妙理"，都有不足之处，所以要去拜访在少林修行的菩提达摩，求得更圆满的法门。

[3]少林大士：指在少林面壁九年的菩提达摩。

[4]《景德传灯录》载，神光来到少林，"晨夕参承"，而达摩只是端坐面壁，不发一语。神光想："昔人求道敲骨取髓，刺血济饥，布发掩泥，投崖饲虎，古尚若此，我又何人？"求法之心更

坚。那一年的十二月九日夜，天下大雪，神光依旧站立门外不动，第二天积雪没过膝盖。达摩怜悯之，询问神光所求何事，又告诉他："诸佛无上妙道，旷劫精勤，难行能行，非忍而忍，岂以小德、小智、轻心、慢心？欲冀真乘，徒劳勤苦。"神光闻之，取利刃自断左臂，置于达摩之前。达摩说："诸佛最初求道，为法忘形，汝今断臂吾前，求亦可在。"遂易其名为慧可。

[5]《景德传灯录》载，慧可将传法于三祖僧璨后，即于邺都(今属河北省)随宜说法，一音演畅，四众归依，如是积三十四载。遂韬光混迹，变易仪相，或入诸酒肆，或过于屠门，或习街谈，或随厮役。人问之曰："师是道人，何故如是？"师曰："我自调心，何关汝事？"

[6]冤亲：仇人和亲人。在遭到县令翟仲侃的迫害时，慧可"怡然委顺，识真者谓之偿债"(《景德传灯录》)。据说慧可未出家前，曾失手误伤一头毛驴，那毛驴转世成人，正是县令翟仲侃。《祖堂集》载，慧可曾对弟子僧璨说："吾往邺都还债。"说明他早已明了此间因果，但是心中早已没了有冤亲之别，只是随顺因果报应，坦然接受。

《布袋赞》

[元]梵琦

花衢柳巷任经过，虎穴魔宫不奈何。背上忽然揩[1]只眼，几乎惊杀蒋摩诃[2]。

乌藤只么往来揩[3]，布袋虽轻未肯抛。无尽重重华藏海[4]，都将一个肚皮包。

十字街头等个人，不知满面是埃尘。重重破纸包干粪，一度揩来一度新。

靠着布袋打瞌睡，百千万年只一忽。娑婆界上无此僧，龙华会[5]中无此佛。

【注释】

[1]揩(kāi)：摩擦，拭抹。

[2]蒋摩诃：指五代时从布袋和尚游的蒋宗简，详见蒋宗简《颂布袋和尚》注释[1]。

[3]乌藤：指藤杖。只么：这么，如此。

[4]华藏：莲华藏世界的简称，是释迦牟尼佛真身毗卢舍那佛的净土，最下为风轮，风轮上有香水海，海中生大莲华，莲华中包藏微尘数之世界，故称莲华藏世界、华藏世界。据说此世界总共有二十层，我们居住的娑婆世界，就在第十三层的中间。

[5]龙华会：弥勒菩萨未来下生人间时，会在华林园中的龙华树下开法会，普度人天，谓之“龙华会”。人们也将庆祝弥勒下生的法会称为“龙华会”，《荆楚岁时记》云：“四月八日，诸寺各设斋，以五香水浴佛，作龙华会，以为弥勒下生之征。”

《寒拾[1]赞》

[元]梵琦

　　闾丘[2]未到国清前，谁识文殊与普贤。三寸舌头轻漏泄，有何伎俩掣风颠。

　　大圆觉海是伽蓝[3]，到了何曾有圣凡。两个头陀高拍手，从教人道太褴褴[4]。

　　国清寺里岂无人，只话寒山拾得贫。苕帚粪箕常在手，可怜净地却生尘。

　　遥望东南紫气堆，崩云泄雨转崔嵬。圣贤面目分明在，莫道斯人去不回[5]。

【注释】

[1]寒拾：寒山、拾得。

[2]闾丘：台州太守的闾丘胤，详见《寒山住寒山》注释[1]。

[3]伽蓝：寺院。

[4]褴(lán)褛：破烂的衣衫，亦形容破落下垂的样子。褛(shān)：同"衫"。

[5]《宋高僧传》："二人(寒山、拾得)连臂笑傲出寺，闾丘复往岩谒问，并送衣裳药物。(寒山、拾得)而高声倡言曰：'贼我！

贼退！'便身缩入岩石穴缝中。复曰：'报汝诸人各各努力。'其石穴缝泯然而合，杳无踪迹。(同丘)乃令僧道翘寻共遗物，唯于林间缀叶书词颂。"

《自题小像》

[元]顾瑛[1]

儒衣僧帽道人鞋，天下青山骨可埋。若说向时[2]豪杰处，五陵鞍马洛阳街[3]。

【注释】

[1]顾瑛(1310~1369)：一名阿瑛，别名德辉，字仲瑛，昆山(今江苏昆山)人。举茂才，署会稽教谕，辟行省属官，皆不就。

[2]向时：从前，昔时。

[3]五陵：汉元帝之前，每立皇陵，辄迁徙四方富豪及外戚于此居住，令供奉园陵，称为"陵县"。其中高帝长陵、惠帝安陵、景帝阳陵、武帝茂陵、昭帝平陵五县，均在渭水北岸(今陕西咸阳市)附近，合称"五陵"，后亦泛指贵族豪富聚居之处。徐陵《〈玉台新咏〉序》："有丽人焉，其人五陵豪族充选掖庭。"杜甫《秋兴八首》亦有："同学少年多不贱，五陵衣马自轻肥。"洛阳为多朝都城，也是繁华富庶之地。诗人以佛家眼光，看年少时策马扬鞭，驰骋四方的情景，皆是过眼云烟。龚自珍《己亥杂诗》中的"青山处处埋忠骨，何必马革裹尸还"可能借鉴了诗中的第二句。

《雪山寺》

[明]朱元璋[1]

极目[2]遥岑[3]起晓烟,深埋凝雪梵王[4]禅。冰枝老树弥千壑,衲被苍僧布法筵。为美浮生贪着处,好将空寂化迷迁。六年岭际今犹见,行致天花覆八埏[5]。

【注释】

[1]朱元璋(1328~1398):字国瑞,原名重八,后取名兴宗,濠州钟离人,明朝的开国皇帝。幼年贫穷,为地主放牛,后入皇觉寺为僧,25岁时参加郭子兴领导的红巾军反抗元朝,至正十六年(1356)被部下诸将奉为吴国公。同年,攻占集庆路,将其改为应天府。至正二十八年(1368),在应天府称帝,国号大明,年号洪武,是一位真正的和尚皇帝。

[2]极目:纵目,用尽目力远望。

[3]遥岑:远处陡峭的小山崖。

[4]梵王:大梵天王,天道中色界初禅天之主。这里有可能是朱元璋自称。

[5]"埏(yán)"指大地的边际,"八埏"就是八方边远的地方。"六年岭"一联说释迦牟尼在六年苦修之后,终于得道,说法时有天人降下天花,表示尊敬皈依。

《僧目空山》

[明]朱元璋

孤寂凄凄一径微,处心应与世尘违。朝观松鹤摩天去,暮见岩猿挽树归。瓶水[1]一炉香满座,锡镮[2]丈室气盈衣。空山僧对知何日,化作苍龙挟雨飞。

【注释】

[1]瓶水:瓶中之净水,比喻佛法。北本《大般涅槃经》中,释迦牟尼说:"阿难事我二十余年,……自事我来,持我所说十二部经,一经于耳,曾不再问,如写瓶水,置之一瓶。""写"同"泻",后人遂以"写瓶""泻瓶"等比喻传法没有丝毫遗漏,如将一个瓶子中的水倒入另一个瓶子中,且"瓶器虽殊,水则无别"(《释氏要览》),佛法本身没有什么差别变化。

[2]"镮(huán)"同"环",指锡杖上的环。锡杖是佛教的重要法器,是大乘比丘游行诸方,托钵乞食时,身常携行的"十八物"之一。上有四股十二环,表四谛十二因缘之义,比丘出外行走时多携带之,用于驱赶毒蛇、害虫,或在乞食等时候,振动锡杖,使杖上小环作声,让人知道。

《赓[1]僧锡杖歌》

[明]朱元璋

　　由来震旦始干竺[2]，扶老应须栖此杖。铃铃琅琅妙且奇，撼振一声空谷响。或时化作飞龙威，长空如水何相持。有时比翼露端的，方觉玄关显现时。志悟未通心委曲，鸿蒙浑沌同尘俗。蓦然一悟凌烟霞，觉此觉他方意足。神眸昭昭[3]众生顾，隐隐微微如法故。每担日月猢狲藤，箪食由来饱祇树[4]。

【注释】

[1]赓(gēng)：抵偿，补偿。

[2]震旦：古代印度称中国为震旦。干竺：天竺，印度的古称。本句说锡杖起源于天竺。

[3]眸(móu)：眼珠，泛指眼睛。昭昭：明亮。

[4]"箪"是古代一种盛饭食的盛器，以竹或苇编成，圆形，有盖。"箪食"出自《论语·雍也》："一箪食，一瓢饮，在陋巷，人不堪其忧，回也不改其乐。贤哉回也！"形容简单，价格低廉的饭食。祇树：即"祇树给孤独园"，详见《望牛头寺》注释[4]。全句说修行之人满足于简单清贫的生活。

《赠别》

[明]朱允炆[1]

江水无情去不还,惟留两岸好青山。轻云藏迹能归岫[2],不向东风向素颜[3]。

【注释】

[1]朱允炆(wén):生于明朝洪武十年(1377),明太祖朱元璋之孙,太子朱标的次子,明朝的第二位皇帝。于1398年到1402年在位,年号"建文"。1399年,朱元璋的第四子朱棣发动"靖难之变",率兵南下,于1402年攻占都城应天(今南京),夺得帝位,改年号永乐,是为明成祖。战乱中朱允炆下落不明,或说于宫中自焚而死,或说由地道逃去,隐藏于云、贵一带为僧。

[2]岫:有洞穴的山。

[3]东风:指春风。素颜:女子白晰的容颜。本句化用唐人崔护的诗。一年清明郊游时,崔护到村子里要水喝,有女持水至,含情倚桃树而立。第二年清明,崔护再访旧地,见门庭如故,但人去室空,因作《题都城南庄》诗曰:"去年今日此门中,人面桃花相映红。人面不知何处去,桃花依旧笑春风。"

《夏夜与钱子贞集西斋赋诗叙别》

[明]宗泐[1]

明月不可招,流光[2]入堂中。白云不可约,挂我屋上松。兹[3]会固难得,后会宁易逢？明朝在东郭[4],隔水但闻钟。

【注释】

[1]宗泐(lè)(1318~1391):明初临济宗僧。俗姓周,字季潭,号全室,台州(浙江临海)人,性厌俗世荣华,八岁开始学法,十四岁剃度出家,二十岁受具足戒。洪武十年(1377),求法西域,得《庄严宝王经》及《文殊经》等,十五年归朝,任僧禄司右善世,掌理天下之僧教。因受朝臣嫉害,建圆通庵隐退。二十四年示寂于江浦石佛寺,世寿七十四。

[2]流光:流动、闪烁的光彩。

[3]兹:代词,此、这。

[4]东郭:东边的外城,或指东城外、东郊。

《落叶》

[明]宗泐

一片复一片,西风与北风。但看阶下满,不觉树头空。缀服[1]犹堪用,题诗[2]自不工。山童朝更扫,闲委[3]古墙东。

【注释】

[1]缀服：装饰、点缀衣服。

[2]古时多有因在树叶上题诗结成良缘的故事，人物各异但情节大致相同，宣宗时，舍人卢渥偶然来到皇宫里流出的"御沟"旁，得一红叶，上题绝句："流水何太急，深宫尽日闲。殷勤谢红叶，好去到人间。"卢渥将之捡起，珍藏于箱。后有宫女被放出宫嫁人，嫁给卢渥的竟是题叶之人。僖宗时，宫女韩氏以红叶题诗，自御沟流出，被于祐捡到，祐亦题一叶，投进沟中，上流入宫为韩氏所得，不久，有宫女被放出宫，韩氏刚好嫁给于祐，成亲之日，二人取叶相示，方知红叶是良媒。

[3]委：丢弃。

《偶地居》

[明]宗泐

偶地[1]即吾庐，绝胜树下宿[2]。不在千万间，安居心自足。古人三十年，辛勤乃有屋。我无一日劳，何必较迟速[3]。燕坐[4]白日闲，青山常在目。明月到床前，更深[5]代明烛。几有寒山诗，兴来时一读。十日不出门，满阶春草绿。

【注释】

[1]偶：窃以为是"隅"之误。隅地，角落处的地方。

[2]佛陀规定出家人应"树下一宿"，佛教传入中国之初，僧

人们仍然坚守这一戒律。

[3]迟速：快慢。

[4]燕坐：同"宴坐"。

[5]更深：夜深。

《大宁寺喜雨》

[明]宗泐

何处新闻雨，深山古寺中。晓声[1]兼蟋蟀，秋意在梧桐。已觉人情喜，深知岁事[2]丰。山翁病全减，相对笑颜同。

【注释】

[1]晓声：报晓的鼓声。

[2]岁事：一年的农事。

《屋舟》

[明]宗泐

吴人舟似屋，今子屋为舟。四面水都绕，百年身若浮。下临知有地，中坐恐随流。梦里天无际，微茫发棹讴[1]。

【注释】

[1]棹讴(ōu)：摇桨行船时唱的歌。

《掩关[1]》

[明]来复[2]

　　槁木形骸百念灰[3]，溪猿野鹤苦相猜。闭门独掩青松雨，笑口逢人亦懒开。

【注释】

[1]掩关：关门。

[2]来复(1319~1391)：元末明初禅僧、诗人。俗姓王，字见心，别号蒲庵，豫章(江西省)丰城人，又称"豫章来复"。曾师事南楚师悦，后居天平山，元末战事起，避居会稽山慈溪，旋出世弘法于会稽邻壤之定水院，后居鄞州(浙江省)天宁寺、杭州(浙江省)灵隐寺，颇有诗名。明初，曾奉诏两度上南京，然于洪武二十四年为胡惟庸案株连，被杀，年七十三，有《蒲庵集》行世。

[3]槁木：干枯的树木。《庄子·齐物论》："形固可使如槁木，而心固可使如死灰乎？"郭象注："死灰槁木，取其寂寞无情耳。"本句说诗人也达到了槁木死灰一般的境界。

《灵岩寺响屧廊[1]》

[明]高启[2]

君王厌丝竹,鸣屧时清耳。独步六宫春,香尘不能起。那知未旋踵[3],麋鹿游遗址。响沉明月中,迹[4]泯荒苔里。此夕意谁过,空廊有僧履[5]。

【注释】

[1]屧(xiè):木屐。春秋时期,吴王夫差在灵岩山为西施修建"馆娃宫",设中空的"响屧廊",命西施等美人着木屐行走,以听其声。宋范成大《吴郡志·古迹》:"响屧廊,在灵岩山寺。相传吴王令西施辈步屧,廊虚而响,故名。今寺中以圆照塔前小斜廊为之,白乐天亦名'鸣屧廊'。"后吴国破灭,"馆娃宫"荒废,旧址上建起灵岩寺,只余"响屧廊"的遗迹。

[2]高启(1336~1373):元末明初著名诗人。字季迪,号槎轩,平江路长洲县(今江苏苏州)人,"明初诗文三大家"之一,"吴中四杰"之一。曾参与编修《元史》,授翰林院国史编修官,受命教授诸王。苏州知府魏观在元末农民起义领袖、朱元璋的对头张士诚的宫址改建府第,请来高启作《上梁文》,因有"龙蟠虎踞"四字,被疑为歌颂张士诚,连坐腰斩。

[3]旋踵:掉转脚跟,形容时间短促。

[4]"迹"指西施等美女走过的足迹。

[5]如今的"响屧廊"已成为一座"空廊",唯有僧侣着木屐

经过时发出响声。同样的走廊与木屐之声，却有着截然不同的况味，足见繁华短暂，世事无常。

《赋得释迦钵赠慧古明上人》

[明]徐贲[1]

圣凡同有体，饮食必借器。如来制石钵，非特传法嗣。偶因受余光，相承成旧事。遂令后代争，纷纷起嗔恚。我愿过量人[2]，要识拈花意。

【注释】

[1]徐贲(bēn)(1335~1380)：明初画家、诗人，"吴中四杰"之一。字幼文，先世由巴蜀(今四川)迁居毗陵(今江苏常州)，后迁平江(今江苏苏州)城北，号北郭生。曾为张士诚僚属，后避居吴兴(今浙江省湖州市)。后被荐入朝，历任御史、刑部主事、河南左布政使等职。洪武十一年(1378)，明军征洮、岷，徐贲以军队过境、犒劳失时获罪下狱。洪武十三年(1380)，以"犒师不周"处死。

[2]过量人：根器不凡的人。

《禅舫[1]为顺上人赋》

[明]史谨[2]

　　一室为舟绝五阴,白云如水绕栏深。暗超彼岸元非楫[3],静载真空即是心。钵吐龙光疑蜃气[4],风传梵呗作潮音[5]。我来只拟曹溪路,笑指青山问宝林[6]。

【注释】

[1]舫:泛指船。

[2]史谨:生卒年不详,公元1367年前后在世,字公谨,一作公敏,号"吴门野樵",江苏昆山人,明代画家,擅长山水。洪武初年,因事谪居云南。

[3]楫(jí):船桨。本句说到达彼岸并非凭借船桨。

[4]蜃气:蜃(shèn),大蛤。古人以为蜃能吐气,使本来没有的景物出现在半空中或地面上,故称之"蜃楼"。实为一种大气光学现象,光线经过不同密度的空气层后发生显著折射,使远方的景物显现出来。

[5]梵呗(bài):按一定曲调诵经,或赞咏、歌颂佛之功德。潮音:海潮的声音,至大且不失时,喻指佛菩萨弘大优美,应机而作的说法之音,或僧众洪亮绵长的唱诵之声。

[6]宝林:指宝林寺,今称南华寺,位于广东韶州曲江县南的曹溪之畔,始建于梁天监元年(502),在隋末兵火中荒废,后有人修缮请慧能居住,慧能在寺中弘传禅法,学者云集,法席大振,宝林寺也被视为我国禅宗的发源地。

《空舟为宝林寺僧题》

[明]沈周[1]

斋舫[2]曾闲只一翁,僧居临水与舟同。指舟为屋身浮世,假屋名舟心太空。就地扫云天影上,开门见月浪痕中。我来把笔闲题壁,白发泠然[3]两鬓风。

【注释】

[1]沈周(1427~1509),明代杰出书画家。字启南,号石田、白石翁、玉田生、有竹居主人等,长洲(今江苏苏州)人。不应科举,专事诗文、书画,是明代中期文人画"吴派"的开创者,与文徵明、唐寅、仇英并称"明四家"。

[2]斋舫:"仓库"又名"斋库",运载斋库物资的船即为"斋舫"。

[3]泠然:轻妙之貌。

《晓窗[1]为明上人赋》

[明]沈周

一个山窗漏幻尘,棂[2]棂白映纸痕新。岂无夜半闻钟者,犹有天明做梦人。自暗暗中劳摸索,到堂堂处弄精神[3]。我今更与作转语[4],推去关来总任真[5]。

【注释】

[1]晓窗:清晨的窗户。

[2]棂:窗户上的格子。

[3]堂堂:光耀,明亮。弄精神:伤神,费心思。

[4]转语:随于机宜,自在转变之语。禅者参禅迷惑不解之时,由师或他人代下一语,拨转机锋,给出新颖见解,使禅者转身自在,转迷为悟,是为"转语"。

[5]任真:听其自然。

《菜庵》

[明]沈周

嗜淡原非食肉侯,圃翁种此托珍羞[1]。霜根下筯兼糜烂,雨叶堆盘荐齿柔[2]。买去固多求益者,拨来应少为人谋。世间至味君何识,三九常充日不忧。

【注释】

[1]珍羞:亦作"珍馐",珍美的佳肴。

[2]筯(zhù):同"箸",筷子。霜根、雨叶:雨水霜雪打过的根叶,泛指野菜。全联说野菜软烂好嚼,适于食用。

《禅者王福》[1]

[明]庄昶[2]

莽将觉悟了心传,坐透鸢鱼[3]自在天。我亦鸢鱼中坐看,此身元是碧圆圆。

一坐蒲团几百功,浑沦[4]打破作圆通。腐儒只欲泥君窍,万古仍收混沌中。

【注释】

[1]原题作《禅者王福省号觉庵。余不知禅,何以应福省?聊据己见塞白然乎?否哉,太虚老僧!千眼观音当一照我》,今取略题。

[2]庄昶(chǎng)(1437~1499):明代官员、学者。字孔旸,一作孔阳、孔抃,号木斋,晚号活水翁,学者称定山先生,江浦孝义(今属南京)人。成化进士,历翰林检讨,因反对朝廷灯彩焰火铺张浪费,不愿献文粉饰太平,与章懋、黄仲昭同被贬谪,人称"翰林四谏"。弘治间,起为南京吏部郎中。罢归卒,追谥"文节"。

[2]鸢鱼:"鸢飞鱼跃"之省称,谓万物各得其所。《诗·大雅·旱麓》:"鸢飞戾天,鱼跃于渊。"孔颖达疏:"其上则鸢鸟得飞至于天以游翔,其下则鱼皆跳跃于渊中而喜乐,是道被飞潜,万物得所,化之明察故也。"

[3]浑沦:囫囵,整个儿。

《风入松·警世》

[明]桑悦[1]

名缰利锁苦重重，没个从容。人生自古无根蒂，大家是，断梗飞蓬。天际悠悠草绿，陌头[2]滚滚尘红。　　东风未久又西风，岁月匆匆。苍梧云影潇湘雨[3]，暗磨尽、多少英雄。千古是非一梦，淡烟落日疏钟。

【注释】

[1]桑悦(1447~1513)：明代学者。字民怿，号思玄，常熟（今属江苏）人。成化举人，迁柳州府通判，丁忧，遂不再出。为人怪妄，才名盛于吴中。

[2]陌头：路上。

[3]苍梧：今属广西。潇湘：湘江与潇水的并称，借指今湖南地区。

《宿摄山[1]栖霞寺》

[明]祝允明[2]

寒林日暮息车徒，却得南朝最胜区。廿[3]载不登禅子榻，一宵权作佛家奴。齐梁寂寞名犹是，儒释纷纭念已无。最是宦心[4]能败道，羞将束带[5]问衣珠。

泉洞迷藏草没梯,倚岩千佛坐高低。叠襟山色周回[6]峭,隔树江声映隐[7]齐。宋刻梁文江令[8]笔,龙蟠龟戴上元题[9]。栖霞只是枯禅宅,尔许[10]头颅向里栖。

枕上红尘白昼深,眼开欲得息劳心[11]。灯花[12]暗入僧床冷,山阁冯江万木林[13]。

【注释】

[1]摄山:栖霞山,在今南京市东郊,为江南佛教名山。

[2]祝允明(1460~1527):明代"吴中四才子"之一。字希哲,因右手有六指,自号枝指生和枝山,又署枝山老樵、枝指山人等。长洲(今江苏苏州)人。他能诗文,工书法,特别是狂草颇受世人赞誉,有"唐伯虎的画,祝枝山的字"之说。

[3]廿(niàn):二十。

[4]宦心:仕宦之心。

[5]束带:官服,引申谓公务。

[6]周回:周围。

[7]映隐:隐映,掩映。

[8]江令:隋代的江总先后仕南朝梁、陈及隋三朝,仕陈时官至尚书令,世称"江令"。

[9]龙蟠:形容书法飞动而苍劲有力。《晋书·王羲之传论》:"烟霏露结,状若断而还连;凤翥龙蟠,势如斜而反直。"龟带:犹龟绶,龟纽印绶,借指官爵,在此形容书法尊贵大气。上元:指上元夫人,是我国古代神话中的仙女,名阿环,传说她是西

王母的小女,三天真皇之母,任上元之官,统领十方玉女名录。据说曾在西汉元封元年(前110)七月七日夜,奉王母旨意下降汉宫,授武帝《六甲灵飞招真十二事》。

[10]尔许:如许,如此。

[11]劳心:尘劳之心。

[12]灯花:灯心余烬结成的花状物。

[13]冯:"凭"的古字,依着,靠着。

《登千佛院塔》

[明]祝允明

八面青红倚碧天,窗中列坐万金仙[1]。排云欲挽三茅袂,拊槛惭升八部肩[2]。尽讶入檐奇影倒,应知出世法门偏。诗题漫道游观胜,只得尘劳一饭缘。

【注释】

[1]金仙:指佛。

[2]排云:排开云层,多形容高。三茅:传说中修仙得道的茅君三兄弟,泛指神仙。袂(mèi):衣袖。拊(fǔ):抚摩。八部:又名"八部众",指八种守护佛法的大力鬼神——天、龙、夜叉、阿修罗、迦楼罗、干闼婆、紧那罗、摩睺罗迦,因以天、龙为上首,故多标举其名,称为"天龙八部"。诗人登上千佛院塔,觉得自己进入高高在上的神佛境界,似要挽住神仙衣袖,立于听闻佛法的"八部众"肩头。

《苏武慢(十二首)》(节选)

[明]祝允明

其一

道味悠悠,尘缘衮衮[1],怎得上他钩钓[2]。面外红颜,心头白发,别有老翁年少。忙杀情怀,弊穷[3]骸骨,换得白麻丹诏[4]。好衣裳、肥马高轩[5],总在一身之表。　　又况有、劳也无功,求之不得,枉却舞蛇奔鸟。树上菩提,台端明镜,不是浊铜枯杪[6]。可惜尘埃,等闲斤斧[7],都把那些忘了。霎时间、返本还原,这个法儿谁晓。

其三

橘子树边,芭蕉林里,结个低低茆宇[8]。绿阴昼合,青盖晴铺,透出茶烟双缕。上究儒编[9],外观佛说,也有道言仙语。或为师为友为朋,三者尽堪吾侣。　　究竟处、俱在无言,都非有象,归宿灵台丹府[10]。广大高明,精微细密,天宰[11]泰然安住。无始无终,无余无欠,无我无今无古。看长空、一色青青,那得赘云疣雨[12]。

其八

缺陷因缘，娑婆世界，受尽夏炎冬雪。梦断云场，走迷人径，想煞[13]旧时高洁。玉宇千重，瑶台万仞[14]，怎得[15]肉躯超越。但当中、一点灵光，不忍自家抛绝。　　须信道、粪土黄金，天堂地狱，相去只争毫发。五岳真形，三峰妙旨，有个人头之诀[16]。假去真还，功成行满，方信一般无别。大虚空、雨散云收，依旧一轮明月。

【注释】

[1]衮(gǔn)衮：旋转翻腾，尘雾频起之貌。

[2]上钩钓：比喻受骗上当，若鱼吞饵咬钩一般。

[3]弊穷：损伤，败坏。

[4]白麻：白麻衣。丹诏：帝王的诏书。

[5]高轩：高车，贵显者所乘。

[6]铜：在此指铜镜。杪(miǎo)：树木末端，树梢。

[7]斤斧：斧头。

[8]茆宇：茅草屋。茆(máo)，同"茅"。

[9]儒编：儒家典籍。

[10]灵台：指心。丹府：赤诚的心。

[11]天宰：天之主宰，谓自然之性。

[12]赘云疣雨：累赘无用的云雨。赘，累赘，患害。疣(yóu)，皮肤上长出突起物，是一种皮肤病，与"赘"皆形容多余无用。《庄子·大宗师》："彼以生为附赘悬疣。"

294

[13]煞:语气助词,相当于"呵""哦"等。

[14]瑶台:美玉砌的楼台,泛指雕饰华丽的楼台。万仞:形容极高,"仞"为古代长度单位,一仞为七尺(一说八尺)。

[15]怎得:怎么,如何。

[16]五岳真形:道家符箓中有《五岳真形图》,据说为太上道君所传,有免灾致福之效。三峰:指江苏"三茅山"的大茅、中茅、小茅三座山峰,得名于在山中修炼成仙的茅氏三兄弟。"三峰妙旨"就是修炼成仙的妙法。入头:入门。

《怅怅词》

[明]唐寅[1]

怅怅[2]莫怪少年时,百丈游丝[3]易惹牵。何岁逢春不惆怅,何处逢情不可怜。杜曲[4]梨花杯上雪,灞陵[5]芳草梦中烟。前程两袖黄金泪,公案三生白骨禅。老后思量应不悔,衲衣持盏院门前。

【注释】

[1]唐寅(1470~1523):字伯虎,又字子畏,号六如居士、桃花庵主等,苏州吴县(今江苏省苏州市)人,明朝著名的画家、诗人。据说他于明宪宗成化六年(庚寅年)寅月寅日寅时生,故取名为寅。个性豪放不羁,而又心思细腻才华横溢,诗、文兼善,"吴中四才子"之一,画名更着,与沈周、文徵明、仇英并称"吴门四家"。

[2]伥(chāng)伥：无所适从貌。

[3]游丝：蜘蛛等吐出，飘荡在空中的丝。易与花草、蝴蝶等相牵绊。王实甫《西厢记》中有："东风摇曳垂杨线，游丝牵惹桃花片。"

[4]杜曲：唐代诗人杜牧所作之曲，常在酒宴歌席中演唱。

[5]灞陵：本作"霸陵"，是汉文帝的陵寝，故址在今陕西省西安市东，旁边是灞水，水上有灞桥，汉人送客至此桥，则折柳赠别，不再前行。灞陵、灞陵桥即成分别之地的代称。

《开门七件事》

[明]唐寅

柴米油盐酱醋茶，般般都在别人家。岁暮[1]天寒无一事，竹时寺里看梅花。

【注释】
[1]岁暮：岁末，一年将终时。

《避事》

[明]唐寅

多凭乖巧讨便宜，我讨便宜便是痴。系日无绳那得住[1]，待天倚杵[2]是何时。随缘冷暖开怀酒，懒算输赢信手[3]棋。七尺形骸一邱[4]土,任他评论是和非。

【注释】

[1]系日:把太阳系住,阻止时光的流逝。那:同"哪"。

[2]倚杵:古代谶纬家言,若干年后天地将变得相近,立杵于地可倚于天。《初学记》引《河图挺佐辅》云:"百世之后,地高天下,不风不雨,……如此千岁之后而天可倚杵,……"

[3]信手:随手。

[4]邱:同"丘"。

《游金山》

[明]唐寅

孤屿崚嶒插水心[1],乱流[2]携酒试登临。人间道路江南北,地上风波世古今。春日客途悲白发,给园兵燹废黄金[3]。阇黎[4]肯借翻经榻,烟雨来听龙夜吟[5]。

【注释】

[1]崚(líng)嶒(céng):高耸突兀。全句说孤岛高耸地立在水中央。

[2]乱流:横渡江河。

[3]给园:"祇树给孤独园"的简称,泛指佛寺。兵燹(xiǎn):因战乱而造成的焚烧破坏等灾害。全句说如果祇树给孤独园遭遇战乱,园中布地的黄金也会被破坏,说明世事之翻覆无常。

[4]阇(shé)黎:亦作"阇梨",梵语"阿阇黎(梨)"的简称,意为教授弟子,使之行为端正合宜,且自身堪为弟子楷模的导师,泛指僧人、和尚。

[5]龙吟:龙的鸣叫,形容声音深沉或细碎。

《奉寿海航俞先生,从德卿解元之请也》

[明]唐寅

七十流年古所稀,一经衰晚[1]竟同归。冰生齑瓮[2]贫能乐,雪满柴门世与违。帽上是天随造化,尊中有物任真机[3]。萧然归榻高眠在,那[4]管檐前日月飞。

【注释】

[1]衰晚:犹暮年。

[2]齑瓮:放咸菜的瓮,反映了主人的清贫生活。

[3]真机:玄妙之理,秘要。

[4]那:同"哪"。

《世情歌》

[明]唐寅

浅浅水,长长流,来无尽,去无休;翻海狂风吹白浪,接天尾闾[1]吸不收。即如我辈住人世,何荣何辱?何乐何忧?有时邯

298

郸梦[2]一枕,有时华胥[3]酒一瓯。古今兴亡付诗卷,胜负得失旧松楸[4],清风明月用不竭,高山流水情相投,瞑荚自晦朔[5],兰菊自春秋;我今视昔亦复尔,后来还与今时伴[6]。君不见,东家暴富十头牛;又不见,西家暴贵万户侯;雄声赫势掀九州,有如洪涛汹涌,世界欲动天将浮。忽然一日风打舟,断蓬绝梗无少留;桑田变海海为洲,昔时声势空喧啾[7]。呜呼!何如浅浅水,长长流?

【注释】

[1]尾闾(lú):古代传说中泄海水之处。

[2]邯郸梦:比喻虚幻之事。详见王安石《渔家傲·平岸小桥千嶂抱》注释[3]。

[3]华胥:传说是伏羲氏的母亲。《列子》云:"(黄帝)昼寝,而梦游于华胥氏之国。华胥氏之国在弇州之西,台州之北,不知斯齐国几千万里。盖非舟车足力之所及,神游而已。其国无帅长,自然而已;其民无嗜欲,自然而已……黄帝既寤,怡然自得。"后用以指理想的安乐和平之境,或作梦境的代称。

[4]松楸(qiū):松树与楸树,墓地多植,因以代称坟墓。

[5]瞑荚:当作"蓂(míng)荚",又名历荚,古代传说中的一种瑞草,每月的初一至十五,它每日结一荚,十六至月终,则每日落一荚,所以从荚数多少,可知是何日。古人称农历每月初一为"朔日",最后的一天为"晦日"。全句说瞑荚随着日期的变化,自然地变换形状。

[6]谓植物之生长循环不息,周而复始。

[7]喧啾(jiū):喧赫,形容声势或权势盛大。

《百忍歌》

[明]唐寅

　　百忍歌,百忍歌,人生不忍将奈何?我今与汝歌百忍,汝当拍手笑呵呵!朝也忍,暮也忍;耻也忍,辱也忍;苦也忍,痛也忍;饥也忍,寒也忍,欺也忍,怒也忍;是也忍,非也忍;方寸之间当自省[1];道人何处未归来,痴云隔断须弥顶。脚尖踢出一字关[2],万里西风吹月影;天风泠泠山月白,分明照破无为镜。心花散,性地[3]稳,得到此时梦初醒。君不见如来割身[4]痛也忍,孔子绝粮[5]饥也忍,韩信跨下辱也忍[6],闵子单衣寒也忍[7],师德唾面羞也忍[8],刘宽污衣怒也忍[9],不疑诬金[10]欺也忍,张公九世[11]百般忍,好也忍,歹也忍,都向心头自思忖[12]。囫囵吞却栗棘蓬[13],恁时[14]方识真根本?

【注释】

[1]自省(xǐng):自行省察,自我反省。

[2]一字关:云门宗祖师云门文偃化导学人时,惯常以简洁之一字说破禅之要旨,禅林乃美称为"云门一字关",又称"一字关"。

[3]性地:禀性,性情。

[4]如来割身:如来过去世曾为忍辱仙人,被歌利王割下身上的肉,详见《值武宗澄汰偈》注释[6]。

[5]孔子绝粮:孔子与弟子们曾被困在陈、蔡二国的边境,

断粮多日。《论语·卫灵公》："(孔子)在陈绝粮，从者病，莫能兴。子路愠见曰：'君子亦有穷乎？'子曰：'君子固穷，小人穷斯滥矣。'"《庄子·让王》亦有："孔子穷于陈、蔡之间，长日不火食，藜羹不糁，颜色甚惫，而弦歌于室。"

[6]韩信少年时，曾受"胯下之辱"。《史记·淮阴侯列传》："淮阴屠中少年有侮信者，曰：'若虽长大，好带刀剑，中情怯耳。'众辱之曰：'信能死，刺我；不能死，出我裤下。'于是信孰视之，俛出裤下，蒲伏。一市皆笑信，以为怯。"

[7]闵子指闵损(前536~前487)，字子骞，孔子的弟子，《渊鉴类函》引《说苑》曰："闵子骞早丧母，为后母所苦，冬月以芦花衣之，其所生二子则衣之以绵。父令闵子御车，体寒失靷，父责之，闵子不自理。父察知之，归谓妇曰：'我所以娶汝，乃为吾子，今汝欺我，去无留。'子骞前曰：'母在一子寒，母去三子单。'其父默然。故曰：'孝哉闵子骞！一言其母还，再言三子温。'"这一故事被编入"二十四孝"中，广为流传，世称"单衣顺母""芦衣顺母"。

[8]师德指娄师德，唐代宰相。《资治通鉴》卷二载："其弟除代州刺史，将行，师德谓曰：'吾备位宰相，汝复为州牧，荣宠过盛，人所疾也，将何以自免？'弟长跪曰：'自今虽有人唾某面，某拭之而已，庶不为兄忧。'师德愀然曰：'此所以为吾忧也！人唾汝面，怒汝也；汝拭之，乃逆其意，所以重其怒。夫唾不拭，自干，当笑而受之。'"后人以"唾面自干"形容逆来顺受，受辱而不计较、反抗。

[9]刘宽为汉代官员，性情"温仁多恕"。《后汉书》："夫人欲试宽令恚，伺当朝会，装严已讫，使侍婢奉肉羹，翻污朝衣。婢

遽收之,宽神色不异,乃徐言曰:'羹烂汝手?'其性度如此,海内称为长者。"

[10]不疑诬金:不疑为人名,指西汉时的直不疑。《史记》:"塞侯直不疑者,南阳人也。为郎,事文帝。其同舍有告归,误持其同舍郎金去。已而金主觉,妄意不疑。不疑谢有之,买金偿。而告归者来而归金,而前郎亡金者大惭。以此称为长者。"

[11]张公九世:张公指唐人张公艺,以宽和忍让著称。《旧唐书》:"郓州寿张人张公艺,九代同居。北齐时东安王高永乐诣宅,慰抚旌表焉。隋开皇中,大使、邵阳公梁子恭亦亲慰抚,重表其门。贞观中,特敕吏加旌表。麟德中,高宗有事泰山,路过郓州,亲幸其宅,问其义由。其人请纸笔,但书百余'忍'字,高宗为之流涕,赐以缣帛。"

[12]思忖(cǔn):考虑,思量。

[13]栗棘(jí)蓬:栗树之果实外壳多刺,唤作栗棘蓬。禅家喻指机语因缘、古人公案。

[14]恁(rèn)时:什么时候。

《江南春·次倪元稹[1]韵》

[明]唐寅

梅子堕花菱孕笋,江南山郭朝晖[2]静。残春鞋袜试东郊,绿池横浸红榆影。古人行处青苔冷,馆娃宫锁西施井[3]。低头照井脱纱巾,惊看白发已如尘。　　人命促,光阴急,泪痕渍酒青衫湿[4]。少年已去追不及,仰看乌没天凝碧[5]。铸鼎铭钟封爵邑[6]，功名让与英雄立。浮生聚散是浮萍，何须日夜苦蝇营[7]。

【注释】

[1]倪元镇：倪瓒(zàn)(1301~1374)，字符瓒，元代著名画家，与黄公望、王蒙、吴镇合称为"元四家"。

[2]朝晖：早晨的阳光。

[3]馆娃宫：古代吴宫名，春秋时吴王夫差为西施所造，在今江苏省苏州市西南灵岩山上，因吴国破灭而荒废，旧址上建起灵岩寺，参见高启《灵岩寺响屧廊》注释[1]。西施井：西施曾汲水沐浴的井。

[4]青衫：古时学子或小官常着青色，泛指微贱者的衣衫，白居易《长恨歌》有"江州司马青衫湿"。

[5]乌：乌鸦。全句说时光流逝，如乌鸦飞过，了无痕迹。

[6]铭钟：铭刻在大钟上。爵邑：爵位和封邑。

[7]蝇营：《诗经·小雅》有："营营青蝇。"后以"蝇营"谓像苍蝇一样营营往来，到处飞逐。比喻为追求名利而到处钻营。

《绝笔》

[明]唐寅

生在阳间有散场，死归地府也何妨？阳间地府俱相似，只当漂流在异乡。

《风入松·咏盆中金鱼》

[明]文徵明[1]

　　白头自笑似儿痴，汲水作盆池。临池尽日看金鲫，悠然逝、群泳群嬉。朱鬣[2]峙翻碧藻，锦麟或漾清漪[3]。　　金梭来往掷如飞，斗水乐恩私[4]。较他玉带高悬处，恩波浩、沧海无稽[5]。一段江湖真乐，只应我与鱼知。

【注释】

[1]文徵明(1470~1559)，原名壁(或作璧)，字征明，先世衡山人，故号衡山居士，世称"文衡山"，长州(今江苏苏州)人，明代文学家、书画家。曾官翰林待诏，"吴中四才子"之一。

[2]朱鬣(liè)：红色的背鳍。

[3]清漪：水清澈而有波纹。《诗·魏风·伐檀》："河水清且涟猗。"

[4]恩私：恩惠，恩宠。全句说金鱼嬉戏水中是一种恩惠。

[5]玉带：饰玉的腰带，多为贵官所用，一定品级以上的官员还会悬挂金质的鱼符，称"金鱼符"，简称"金鱼"。韩愈《示儿》："开门问谁来，无非卿大夫。不知官高低，玉带悬金鱼。"盆中的金鱼虽只有"斗水"可供游动，但与悬挂在玉带上的金鱼比起来，还是逍遥自在多了。

《示诸生诗》

[明]王守仁[1]

尔身各各自天真,不用求人更问人。但致良知[2]成德业,漫从古纸费精神。乾坤是易原非画,心性何形得有尘?莫道先生学禅语,此言端的[3]为君陈[4]。

【注释】

[1]王守仁(1472~1529),幼名云,字伯安。浙江绍兴府余姚县(今属宁波余姚)人,因曾筑室于会稽山阳明洞,自号阳明子,世称阳明先生。明代著名的思想家,心学的集大成者,学术思想流传广泛,影响深远。

[2]"良知"出自《孟子·尽心上》:"所不虑而知者,其良知也。"指一种天赋的道德意识。王守仁提出"致良知"的道德修养方法,认为良知即天理,存在于人的本体中,只要推极良知于客观事物,一切行为活动就自然合乎至理,王守仁将这种"致良知"的功夫叫做"致知格物"。

[3]端的:真的,确实。

[4]陈:陈述。

《金山寺》

[明]吴承恩[1]

十年尘梦绕中泠[2]，今日携壶试一登。醉把花枝歌水调，戏书蕉叶乞[3]山僧。青天月落江鼋[4]出，绀殿鸡鸣海日升[5]。风过下方闻笑语，自惊身在白云层。

何年地涌金山寺，四面空涛卷雪流。佛性真同秋月净，客身暂为水云留。龙宫夜久双珠现，鳌背秋高片玉浮。醉倚石栏时极目，霁霞[6]东起金银楼。

【注释】

[1]吴承恩(1500~1582)：字汝忠，号射阳山人。淮安府山阳县(今属江苏省淮安市)人。明代杰出小说家，被公认为四大名著之一《西游记》的作者。吴承恩一生创作丰富，但是由于家贫，又无子嗣，作品多有散失。

[2]中泠：泉名，在金山下的长江中，相传其水烹茶最佳，有"天下第一泉"之称，今江岸沙涨，泉已没沙中。

[3]乞：给，给与。

[4]江鼋(yuán)：江中的大鳖。

[5]绀(gàn)殿：指佛寺。海日：海上的太阳。

[6]霁(jì)霞：雨后的彩霞。

《木仙庵吟诗》

[明]吴承恩

禅心似月迥无尘,诗兴如天清更新。半枕松风茶未熟,吟怀潇洒满腔春。

《满江红》

[明]吴承恩

穷眼摩挲,知见过,几多兴灭。红尘内,翻翻覆覆,孰为豪杰?傀儡排场才一出,要知关目须听彻。纵饶君,局面十分赢,须防劫。[1]　身渐重,头颇别。手可炙,门庭热。旋安排娇面孔,冷如冰铁[2]。尽着机关连夜使,一锹一个黄金穴。被天公,赚得鬼般忙,头先雪。

【注释】

[1]傀(kuǐ)儡(lěi):偶人,比喻受到操控,不能自主的东西。关目:事件,情节。本句说人生仅有一次,恰如只有一出的傀儡戏,需把重要的事情搞清楚,在胜利的局面中也要防止劫难。

[2]本句说死亡来临时,娇美的面孔立刻变得冷硬如冰铁。

《浣溪沙·题百合》

[明]吴承恩

昨夜懵腾入醉乡[1]，觉来微风射藤床，小斋怪底忽闻香。
阵阵鼻端来旖旎[2]，森森心地也清凉，一枝元在枕屏[3]旁。

【注释】

[1]懵腾：蒙眬，迷糊。醉乡：醉酒后神志不清的状态。

[2]旖旎：婉转柔顺，娇柔美好。

[3]枕屏：枕前屏风。

《题画壁观音像》

[明]徐渭[1]

金身十丈不可问，碧山一带相与还。夜来狮子吼[2]一吼，试
问百兽寒不寒。

【注释】

[1]徐渭(1521~1593)：绍兴府山阴(今浙江绍兴)人。初字
文清，后改文长，号天池山人、青藤居士等。明代文学家、书画
家和军事家，与解缙、杨慎并称为"明代三大才子"，受到汤显
祖、郑板桥等大家的推崇。

[2]狮子吼:又作"师子吼",比喻佛陀说法时毫无怖畏,声震十方,威慑群魔,犹如百兽之王狮子的吼叫,使百兽降服。

《题水仙兰花》

[明]徐渭

水仙开最晚,何事伴兰苕[1]? 亦如摩诘叟,雪里画芭蕉[2]。

【注释】

[1]兰苕(tiáo):兰花。

[2]诗中之"摩诘叟"指唐代诗人、画家王维,王维画过《雪中芭蕉》,引起很大争议,有人说芭蕉是热带植物,生长于我国南方, 不会出现在北方才有的大雪中, 更不可能在大雪中存活,也有人说画中情景为实:"右丞不误,岭外如曲江,冬大雪,芭蕉自若,红蕉方开花,知前辈不苟。"(朱翌《猗觉寮杂记》)更多人以此画为切入点,考查王维文艺创作的特点:"王维画物,不问四时,桃杏蓉莲,同画一景。"(《梦溪笔谈》引张彦远言)"世谓王右丞画《雪中芭蕉》,其诗亦然,如……诸地名,皆寥远不相属。大抵古人诗画,只取兴会神到,若刻舟缘木求之,失其指矣。"(《池北偶谈》)从佛教的角度看来,王维的《雪中芭蕉》反映了突破常规、圆融通达的思想,与善慧大士的"空手把锄头,步行骑水牛"有异曲同工之妙。

《题墨竹》

[明]徐渭

枝枝叶叶自成排,嫩嫩枯枯向上栽。信手扫来非着意[1],是晴是雨任人猜。

【注释】

[1]着意:用心。

《夜听印师礼诵走笔偶成》

[明]王世贞[1]

街鼓初停香篆[2]寒,呗声那为雨声阑[3]。弥陀界远疑城近,慈氏宫深外院宽[4]。正念可争无念好,非心还较即心[5]难。道人别有安身处,未必清晨叩懒残[6]。

【注释】

[1]王世贞(1526~1590):字符美,号凤洲,又号弇州山人,太仓(今江苏太仓)人,明代文学家、史学家。官至刑部尚书,亦是明代中后期"后七子"领袖之一,主导文坛多年。

[2]香篆:古人将香粉压印成连笔的图案或文字形状,使之按一定顺序燃烧,故有"香篆""篆香""篆字"等称呼。

[3]呗声:梵呗之声。阗:阻隔,阻拦。

[4]"慈氏"指弥勒菩萨。天界的第四重"兜率天"分为内外两院,内院是弥勒的"慈氏宫",外院为欲界天,有天人居住。本联意在提醒人们不要只关注渺远的佛境,忽略真实切近的现实生活。

[5]即心:安住于自心且不离。

[6]据《宋高僧传》等的记载,唐代衡岳寺有僧人明瓒,性情疏懒,不惧诋呵,好食残余饭菜,人称"懒瓒""懒残"。权臣李泌为避害隐居寺中,觉其非凡,半夜前去造访。懒残正在用牛粪火烤芋头吃,过了许久才招呼李泌席地坐下,递去半个芋头,待李泌吃完,说道:"慎勿多言,领取十年宰相。"李泌拜谢告辞。可知"叩懒残"指拜见懒残一类的高人。

《一剪梅·登道场山望何山作》

[明]王世贞

小篮舆[1]踏道场山,坐里青山,望里青山。渐看红日欲衔[2]山,湖上青山,湖底青山。　　一弯斜抹是何山,道是何山,又问何山。姓何高士住何山,除却何山,更有何山。

【注释】

[1]篮舆:古代用人力抬着行走,供人乘坐的交通工具,类似后世的轿子。

[2]衔:包含,笼罩。

《鹧鸪天·渔舟》

[明]王世贞

苹末风吹舴艋舟[1]。荡寒[2]村酒两三瓯。蔚蓝天起鱼鳞皱，罨画溪穿燕尾流[3]。 无一事，不知愁。绿蓑衣垫卧船头。相逢莫诧[4]无鱼卖，自是平生用直钩[5]。

【注释】

[1]苹(pín)末：苹的叶尖，亦指风所起处。战国时宋玉《风赋》有："夫风生于地，起于青苹之末。"苹末风就是掠过苹叶尖端的风，泛指微风。舴艋舟：小船。

[2]荡寒：清除寒气。

[3]罨(yǎn)画：色彩鲜明的绘画。全句说小溪分叉流淌，形如燕尾，与周边美景相得益彰，如色泽艳丽的图画一般。

[4]诧：惊讶，诧异。

[5]直钩：传说姜子牙出仕前钓于渭滨，用的就是直钩，且不设饵，故有"姜太公钓鱼，愿者上钩"之说，"直钩"也成了淡泊无求的象征。

《观螟蛉[1]二章》

[明]袾宏[2]

螟蛉螟蛉何其灵,得种归来兮呼訇訇[3]。非己所生兮肖[4]己形,巧矣乎,人不如螟蛉。

螟蛉螟蛉何其冥[5],不惮劬劳[6]兮育而婴。羽翼既成兮去不停,悲矣乎,人亦如螟蛉。

【注释】

[1]螟蛉:一种小虫,《诗经·小雅》云:"螟蛉有子,蜾蠃负之。"蜾蠃常捕螟蛉喂它的幼虫,古人误认为蜾蠃养螟蛉为己子,所以用螟蛉比喻义子。

[2]袾宏(1535~1615):明末僧人,"晚明四大高僧"之一。字佛慧,自号莲池。俗姓沈。浙江杭州人。少年时入县学,后信奉净土宗,31岁出家,历游诸方,遍参知识,37岁回到杭州,见五云山环境清幽,即搭茅棚住下,因该地是吴越钱氏为僧人志逢所建云栖寺之遗址,故以"云栖"为茅棚之名,远近道俗闻云集,渐成一大丛林——云栖寺,袾宏也被称为"云栖大师"。

[3]訇(yíng)訇:小声往来貌。

[4]肖:相似,类似。

[5]冥:昏暗,不明。

[6]惮(dàn):畏惧。劬(qú)劳:劳累,劳苦。

《走马灯》

[明]袾宏

因缘动暖湿坚，和合青黄赤白，灵明一点无亏，轮转千回不歇。圆融首尾交参，行布[1]后先莫越，且道劫劫波波[2]，谁是到家时节？咦！一回火灭烟消，管取安闲寂默。是则是，恐汝黑暗里坐，觑破向上机关，任取光辉洞彻。

【注释】

[1]行布：按照一定顺序。

[2]劫劫波波：同于"劫波""劫"，表示很长的时间。

《放螺蛳有感》

[明]袾宏

盘盘曲曲，深深密密，出门则带水拖泥，闭户则泯踪绝迹。险遭玉鼎[1]调和，几被金针挑剔，今来复入波涛，但愿永离罗织。休嫌肢体廉纤[2]，莫怪廊房窄塞，若知圆觉作伽蓝[3]，眼前便是金刚窟[4]。

【注释】

[1]玉鼎：古代炊具的美称。

[2]廉纤：细小，细微。

[3]伽蓝:意为众园,原意指僧众所居之园林,后一般指称僧侣所居之寺院、堂舍。

[4]金刚窟:指用金刚做成的坚硬无比的洞窟。

《五十初度[1]自咏(六偈)》(节选)

[明]袾宏

之一

我见世人作生日,僧道设斋俗设席。设斋我亦畏奔波,一榻萧然坐虚室。念念回光不背恩[2],是则名为作生日。

之二

我见世人贺生日,酒脯金珠并绮縠[3]。更饶锦字满华堂,衲僧分上毫无益。降魔高竖太平旗,是则名为贺生日。

之四

我见世人认生日,形骸初向胞胎出。便道身心自此成,昧却明珠扪[4]影迹。豁然父母未生前,是则名为认生日[5]。

【注释】

[1]初度:初生之时。"五十初度"就是五十岁生日的时候。

不违佛理,不背佛恩。

[2]禅籍中有"一念回光,豁然自照""一念回光,不举步而遍周沙界",作者在此更进一步,说每一个念头都要照见自心灵性,不背佛恩。

[3]酒脯(fǔ):酒和干肉,泛指酒肴。绮縠(hú):绫绸绉纱之类,泛指丝织品。

[4]扪:蒙住。

[5]世人多将脱离母胎的那一天作为自己的生日,却忽略了自己无始以来本具的真如本性,即"父母未生前"之"本来面目"。

《画像自赞》(节选)

[明]祩宏

瘦若枯柴,衰如落叶,呆比盲龟,拙同跛[1]鳖。无道可尊,无法可说,问渠趺坐何为,但念阿弥陀佛。

又(柳篆法幢上人请题)

依肉像,出纸像,纸像固不真,肉像还成妄。那个是云栖和尚?

【注释】

[1]跛(bǒ):瘸。

《题三教图》

[明]袾宏

胡须秀才[1]书一卷,白头老子丹一片,碧眼胡僧[2]袒一肩,相看相聚还相恋。不知说甚的[3],万古常不厌。想是同根生,血脉原无间。后代儿孙情渐离,各分门户生仇怨。但请高明玩此图,寻取当年宗祖面。

【注释】

[1]胡须秀才:指孔子,在画像中多为须眉长髯。

[2]碧眼胡僧:指菩提达摩。《祖庭事苑》载:"初祖达摩大师眼有绀青之色,故称祖曰碧眼。"

[3]甚的:什么。

《偶成十首》(选三)

[明]袾宏

其一

孤峰千仞立江心,八面洪涛愁杀人。奈是根深自坚固,几回经古又逢今。

其二

素履[1]难欺自反寻,死生祸福等浮尘。了知心与天心合,笑听干戈逼耳根。

其八

由来直道世难行,枉道求容[2]我不能。万里滔滔大江水,从教百折也东倾。

【注释】

[1]素履:本指素白的鞋子。《易·履》:"初九:素履往,无咎。象曰:素履之往,独行愿也。"王弼注:"履道恶华,故素乃无咎。"后遂以比喻质朴无华、清白自守的处世态度。

[2]枉道求容:做违背正道之事,以取悦他人。枉道:违背正道。求容:取悦。

《拟首尾吟[1]》(四首)
[明]袾宏

莲池非是爱栽莲,莲是华中大觉仙[2]。华发莲生因带果,莲成华落实摧权[3]。展开千叶全机[4]现,摄入孤房众德圆。醒尽长安红紫梦[5],莲池非是爱栽莲。

莲池非是爱栽莲,莲是华中混俗仙。内协鱼龙成净侣,外连萍藻结良缘。画船箫鼓凉风夜,青笠丝纶细雨天。身在污泥浑不染,莲池非是爱栽莲。

莲池非是爱栽莲,莲是华中忍辱仙[6]。幸自深根埋浊土,从他名卉[7]占高原。颜开赫日烘偏艳[8],实坠秋霜凛[9]倍坚。一点翠心含造化,莲池非是爱栽莲。

莲池非是爱栽莲,莲是华中解脱仙。洁体迥离[10]红粉鬓,清香不恋绮罗筵。密通千孔除诸碍,秀出孤标绝众缠。碧水青天长自在,莲池非是爱栽莲。

【注释】

[1]首尾吟:一种独特的诗体,为宋代邵雍所创,诗的首句与末句相同。

[2]大觉仙:本为佛之别称。《宋史》记载,宋徽宗于宣和元年(1119)下诏:"佛改号大觉金仙,余为仙人、大士。……"

[3]实摧权:成就真实之后,废弃暂用的便宜权谋。

[4]全机:圆融一切,自在无碍的玄机妙用。机:机用,玄机妙用。

[5]红紫梦:邪僻不正的梦。古代以青、赤、白、黑、黄为正色,红、紫则是正色以外的间色。

[6]忍辱仙:本为佛之别称。详见《值武宗澄汰偈》注释[6]。

[7]名卉:名花。

[8]说莲花开放之际,经红日映照,光艳照人。

[9]凛:寒冷。

[10]迥(jiǒng)离:远远地离开。

《一字至七字与长兄三洲分咏风花雪月》之《月》

[明]袾宏

月，时圆，时缺，玉钩悬，银镜彻。然昏衢灯[1]，生虚室白[2]。斜穿鹤鹳巢，直透蛟龙穴。无端云雾盘旋，顿把本来磨灭。扫开万里黑朦胧，依旧一天光皎洁。

【注释】

[1]然昏衢灯：点燃昏暗的街灯。然，同"燃"。

[2]"虚室生白"出自《庄子·人间世》："瞻彼阒者，虚室生白，吉祥止止。"司马彪注："室比喻心，心能空虚，则纯白独生也。"谓人能清虚无欲，则道心自生，亦说万物本生于虚。

《夜行偈》

[明]真可[1]

星夜经行时，前后步互起。前步若至地，后步不能起。后步若至地，前步亦不起。前后不至地，乃能起不已。即此谛观之，足何尝至地。足既不至地，空水亦可履[2]。空水既可履，神通孰不具。[3]

320

【注释】

[1]真可(1543~1603):字达观,号紫柏,世称紫柏尊者,是"明末四大高僧"之一。俗姓沈,江苏吴江人。十七岁时从虎丘云岩寺出家,一生大力振兴佛法,复兴梵刹十五所,组织募刻《大藏经》,改梵夹为方册,使之更加便于流通,并与憨山德清共议续修明代的《传灯录》,因德清被官府治罪,谪戍广东而未成。明末阉党专权,真可因仗义执言触怒阉党权贵,被以滥用国库帑金、造作"妖书"等罪名逮捕下狱,圆寂于狱中,世寿六十一。

[2]履:行走。

[3]神通本指依修禅定而得的无碍自在、超出凡人能力所及的不可思议的力量,许人都对神通非常向往。真可大师却通过走路这一平凡小事,说明"神通"并没有什么神秘,许多生活中常见的现象从某种角度看来就是神通。

《琉璃灯》

[明]真可

谁把冰轮[1]掷下方,老禅拈取挂虚堂。升沉虽复凭他力,内外从来本自光。未点金容犹冷淡,才燃宝座愈辉煌。莫将龙烛[2]堪相比,不照人王[3]照法王。

【注释】

[1]冰轮:指明月。

[2]龙烛:以龙为饰的蜡烛。

[3]人王:人间帝王。

《瀑布》(二首)

[明]真可

谁家千尺素丝抽,高挂云端永不收。已悟源头来处远,肯将根脚混常流。从他妙手应难剪,许我闲心分自投。此去定当归大海,待看波浪泼天[1]浮。

欲投沧海作波澜,岂惮千重鸟道难。响夺磬声双剑冷,光吞月色一炉寒。银河倒泻青天外,玉树孤悬碧嶂闲。几度天风吹不断,为留云壑[2]伴僧闲。

【注释】

[1]泼天:犹满天。

[2]云壑:云气遮覆的山谷。

《减字木兰花》

[明]瞿汝稷[1]

其二

小儿活计,纸鸢竹马争轩轾[2]。长大生涯,蜗角牵他两鬓华[3]。转头闲觑[4],蜗角纸鸢无异处。风月萧然,乞任侬家直似弦。

其四

临邛歌赋[5],爽人可羡金茎露[6]。偃卧[7]南窗,松菊居然羲与黄[8]。九州泡聚,肯为一官违我素[9]。自在琴樽,好是归来掩荜门[10]。

【注释】

[1]瞿汝稷(1548~1610):字符立,号那罗窟学人,又称槃谈,江苏常熟人,《永乐大典》总校官瞿景淳之子。好学工文,以父荫受职,官终太仆少卿。曾与多位高僧游,协助紫柏真可刻印大藏经,尽心护持佛法,万历三十年(1602),汇集历代禅宿法语为《指月录》三十卷,盛行于世。

[2]轩轾(zhì):车前高后低叫轩,前低后高叫轾,引申为高

低、轻重、优劣。

[3]鬓华:花白的鬓发。

[4]觑(qù):看。

[5]临邛歌赋:快活得意之时的歌赋。司马相如住在临邛(qióng)(今四川邛崃一带)时,遇当地富人卓王孙新寡的女儿卓文君,与之两相吸引,共同私奔。

[6]金茎露:汉武帝迷信神仙,设承露盘以接露水,传说以此露和玉屑服之,可得仙道。金茎:托承露盘的铜柱。

[7]偃卧:仰卧,睡卧。

[8]羲与黄:伏羲与黄帝,皆是上古帝王,泛指明君贤士。

[9]"九州"句:天下尚且如水泡聚集,须臾幻灭,又怎可因一小小官职改变自己素来的作风呢?

[10]荜(bì)门:用竹荆编织的门,常指房屋简陋破旧。

《减字木兰花·涉世调》

[明]瞿汝稷

其一

漫罄深眛[1],赚他交甫空怀佩[2]。瑶草琪花[3],转使迷津问路赊[4]。　　仙源非远,莫向白云寻吠犬[5]。要得飞升,只到无心鹤便迎[6]。

其二

死生荣辱,可消更向灵氛[7]卜。畅杀空王[8],妙授昏衢最吉祥[9]。　　刀山剑树,到处是侬行乐处。指点金沙,五浊莲开九品花[10]。

【注释】

[1]颦(pín):皱眉。睐(lài):斜视。形容美女眼波流转,顾盼神飞的美态。

[2]交甫即郑交甫,相传他曾遇到神女,但转眼消失不见。曹植《洛神赋》:"感交甫之弃言兮,怅犹豫而狐疑。"李善注:"《神仙传》曰:切仙一出,游于江滨,逢郑交甫。交甫不知何人也,目而挑之,女遂解佩与之。交甫行数步,空怀无佩,女亦不见。"

[3]瑶草琪花:仙境中的花草。迷津:迷路。

[4]賖:渺茫,稀少。全句说芳草香花使人迷失沉醉,难寻出路。

[5]"吠犬"同于苍狗,与白云一样代表变幻无常,不可把捉的事物。杜甫《可叹》云:"天上浮云似白衣,斯须改变如苍狗。"

[6]仙鹤来迎,表明即将升入仙界。

[7]可消:可以不要。灵氛:古代善占吉凶者。

[8]杀:副词,表程度深。空王:指佛,因其亲证诸法空性,空无一切邪执,举世无匹,故称。

[9]昏衢:昏暗的道路,代指人间。全句说佛在昏暗的人世

间传授最吉祥的妙理。

[10]五浊莲：亦指人间，佛教理论称，人间在减劫(人类寿命次第减短的时代)会生出五种浊恶不净之法：劫浊、见浊、烦恼浊、众生浊、命浊，故为"五浊恶世"。九品花：比喻获得解脱。往生极乐净土的众生，因功德智慧等的差异分为九个品类，但无论哪个品类都是永远脱离了轮回之苦，而且"若得见弥陀，何愁不开悟"，迟早能够成就佛道。词的后半片说依据佛法修行，恶世中亦可获得喜悦与解脱。

《烛影摇红·上元》

[明]瞿汝稷

十二街[1]头，千门欢赏冰轮满。龙膏豹焰[2]斗光妍，火树[3]摇天半。笑拥哀弦急管[4]，醉还嫌铜壶漏短[5]。岁华还遇，往事难回，转头皆幻。與寄翛然[6]，贝经[7]相对禅床畔。不同苟令怨今残，吟卧烟霞远。天上花冠苦短，又何论、燕官赵馆[8]。斋心疏磬，共佛禅灯，差堪焉伴[9]。

【注释】

[1]十二街：唐代长安皇城内有南北七街，东西五街，因以"十二街"借指长安城的街道。

[2]龙膏：龙的脂膏，蜡烛的美称。豹焰：豹子形状的火焰。

[3]火树：比喻繁盛的灯火。

[4]哀弦急管：悲凉的弦乐与节奏急速的管乐，泛指各种音乐声。

[5]铜壶是一种铜制的壶形计时器,古人以之盛水,滴漏以计时刻。"铜壶漏短"表明美好的时光所剩不多。

[6]翛然:迅疾貌。

[7]贝经:贝叶经,书写在贝多罗树叶上的佛经。

[8]《古诗十九首》有"燕赵多佳人,美者颜如玉",后人遂以"燕赵"指美女或舞女歌姬。"天上"二句说天上之花尚苦其开放短暂,人间的美女青春易逝,更不必多言。

[9]差堪:略可。焉:语气词。

《莲池坠簪题壁二首[1]》

[明]汤显祖[2]

搔首向东林,遗簪跃复沉。虽为头上物,终是水云心[3]。

桥影下西夕,遗簪秋水中。或是投簪处,因缘莲叶东。

【注释】

[1]1600 年,汤显祖为自己的作品写序,谈到他与达观禅师(紫柏真可,字达观)的交往,以及这组诗歌创作的因缘:"予庚午(1570)秋举,赴谢总裁参知余姚张公岳。晚过池上,照影搔首,坠一莲簪,题壁而去。庚寅(1590)达观禅师过予于南比部邹南皋郎舍中,曰:'吾望子久矣。'因诵前诗,三十年事也。"

[2]汤显祖(1550~1616):明代文学家、戏剧家。字义仍,号海若、若士、清远道人。江西临川人。中进士后历官太常寺博士、礼部祠祭司主事等职。明万历十九年(1591),他因目睹官

场腐败,愤而上疏,惹恼皇帝而被贬,后因压制豪强,触怒权贵而招致非议排挤,终于万历二十六年(1598)弃官归里,将生活重心转向文艺。他的戏剧创作成就最高,"临川四梦"等代表作品久演不衰,其中的《牡丹亭》更被视为世界戏剧艺术的珍品。

[3]水和云无有定型,自在飞扬流淌,安住各处,却又不着于各处,心若水云一般,正是禅家追求的理想境界。

《江中见月怀达公[1]》
[明]汤显祖

无情无尽恰情多,情到无多得尽么?解到多情情尽处,月中无树影无波[2]。

【注释】

[1]达公:达观禅师。

[2]明代戏曲理论家沈际飞评"月中无树影无波"句,云:"窥得宗风。"

《奉和吴体中明府[1]怀达公》
[明]汤显祖

雨花天影[2]见时难,仙令书开九带残[3]。身外有身云破晓,指边非指月[4]生寒。知他曲向谁家唱[5],问汝心将何处安[6]。为报虎溪残笑里[7]，几人林下欲休官[8]。

【注释】

[1]吴体中：吴用先，字体中，安徽桐城人，万历进士，历任临川知县、蓟辽总督等职，政绩卓著，后因宦官魏忠贤之流诬陷杀害左光斗等人，愤而辞官回故里。明府：汉魏以来对郡守牧尹的尊称，唐以后多用以专称县令。

[2]雨花：佛或高僧说法精妙，感动天人，撒下香花如雨，以示供养皈依。天影：天人之影。

[3]仙令：对县令的美称。九带：宋代禅僧浮山法远提示学人的九种宗门语句，经学人汇编为《佛禅宗教义九带集》，略称《浮山九带》。全句说吴体中县令之书义理高妙，胜过有名的"浮山九带"。

[4]"指月"为著名的佛教譬喻，详见白居易《和李澧州题韦开州经藏诗》注释[2]。

[5]禅僧参学中，常以"师唱谁家曲，宗风嗣阿谁"相提问。

[6]《庐山莲宗宝鉴》："(东晋高僧慧远)每送客以(虎)溪为界，时陶渊明、陆修静(来访)，师尝送之，语道契合，不觉过溪，相与大笑。后世因传《三笑图》焉。"

[7]《佛祖统纪》载，禅宗二祖慧可对菩提达摩说："我心未安，乞师安心。"达摩曰："将心来，与汝安。"慧可说："觅心了不可得。"达摩曰："与汝安心竟。"

[8]语出唐代僧人灵澈《东林寺酬韦丹刺史》之"相逢尽道休官好，林下何曾见一人"。

《闺人禅诵甚勤，喜赠二首》

[明]袁宗道[1]

应是新年福力增，六时功课胜山僧。每持贝叶询难字，时向蒲团学小乘。一缕天风吹梵呗，半轮闰月照香灯。却惭庞叟[2]心情懒，拥衲齁齁[3]呼不应。

高楼终日礼弥陀，天女生来厌绮罗。愿以幻身酬半偈[4]，羞将素额涴长蛾[5]。绣幡针脚花还密，诵咒乡音字欲讹。自是灵山佳姐妹，何缘结伴到娑婆。

【注释】

[1]袁宗道(1560~1600)：字伯修。明代文学家，湖广公安(今属湖北)人。万历进士，选庶吉士，授编修，与弟袁宏道、袁中道皆有才名，人称"公安三袁"，三兄弟所代表的文学流派为"公安派"。

[2]庞叟：庞居士，作者自比。

[3]齁(hōu)齁：熟睡时的鼻息声。

[4]酬：抵偿，交换。释迦牟尼过去世为"雪山大士"时，愿用身体来交换半个偈子。当时，天帝释(天道三十三天之主)见大士在雪山中独自修行，自变其身作罗刹像，甚可怖畏，上前口说半偈："诸行无常，是生灭法。"大士闻偈，心生欢喜，询问偈的后半段。罗刹说自己因饥饿而不能言，大士许诺若得后半

偈,则以己身奉施供养,供罗刹食。罗刹说出后半偈"生灭灭已,寂灭为乐",大士深思,并书写于各处的石壁道树之上,而后登上高树,投身而下。未至地时,罗刹恢复帝释身,接住大士安置于平地,忏悔辞谢,顶礼而去。大士因此为半偈舍身的因缘,超十二劫,在弥勒前成无上道。

[5]涴(wò):浸渍,染上。长蛾:长长的蛾眉,蚕蛾触须细长而弯曲,因以比喻女子美丽的眉毛。全句说闺人清新出尘,不愿画眉打扮。

《戏题飞来峰二首》

[明]袁宏道[1]

试问飞来峰,未飞在何处[2]？人世多少尘,何事不飞去？高古而鲜妍,扬雄[3]不能赋。

白玉簪其巅,青莲借其色。唯有虚空心,一片描不得。平生梅道人,丹青如不识。

【注释】

[1]袁宏道(1568~1610):字中郎,又字无学,号石公,又号六休,"公安三袁"的老二。万历进士,历官吴县知县、礼部主事、国子博士等,一般认为是"三袁"中文学成就最高的。

[2]飞来峰在浙江省灵隐山的东南,高160公尺左右(一说200公尺),遍布怪石洞壑,奇险多变。《咸淳临安志》引《舆地

志》云："晋咸和元年,西天僧慧理登兹山,叹曰:'此是中天竺国灵鹫山之小岭,不知何年飞来。佛在世日,多为仙灵所隐,今此亦复尔邪?'因挂锡造灵隐寺,号其峰曰飞来。"

[3]扬雄:西汉著名辞赋家,代指出色的文人墨客。

《寄武氏园居即景》

[明]洪恩[1]

雨后微风不废池,柳条优拂镜中丝[2]。凭栏只与禽鱼共,水底月明方自知[3]。

【注释】

[1]洪恩(?~1607):字三怀,号雪浪,明代僧人。上元(今南京)人,十二岁在南京大报恩寺剃度出家,受业于无极湛法师,创讲经典正文不牵注疏,受到僧俗一致推崇。

[2]"雨后"二句:微风吹过,没有打破池塘的宁静,作者以池塘为镜,看到柳枝拂过发丝。

[3]作者与自然融为一体,忘记了其他事情,直到看见水底明月中自己的影子,才意识到时间的悄然流逝与自己的存在。

《云门寺九日》

[明]陈洪绶[1]

　　九日[2]僧房酒满壶,与人听雨说江湖。客来禁道兴亡事,自悔曾为世俗儒。枫树感怀宜伏枕[3],田园废尽免追呼[4]。孤云野鹤终黎老[5],古佛山癯[6]托病夫。

【注释】

[1]陈洪绶(1599~1648):明末清初著名书画家、诗人。字章侯,号老莲,一号老迟。诸暨县(今浙江省诸暨市)人。明代诸生,崇祯中召为中书舍人。明亡入云门寺为僧,后还俗,以卖画为生,死因说法不一。绘画上长于花鸟山水,亦工诗善书,有《宝纶堂集》。

[2]九日:重九之日,重阳节。

[3]伏枕:伏卧在枕上。

[4]追呼:官吏到门号叫催租,逼服徭役。

[5]黎老:老人。

[6]山癯(qú):清癯的山。

《卜算子》

[明]陈洪绶

剪落似乎僧,潦倒依然我。水落石出问根源,都要离我
所[1]。　　莫说罗香因,漫道三生果。妄想无如作佛心,忏悔些
儿个。

【注释】
[1]我所:"我所有"之略,自身为我,自身外之万物皆为我
所有。《维摩诘经》僧肇注曰:"我为万物主,万物为我所。"

《惜字庵题赠悟缘老衲并序》

[明]陈确[1]

【序】癸巳冬,惜字庵僧为梓潼君[2]索联句,题之曰:"众造
此业,留一字遗臭无穷;帝赫[3]其灵,化亿身除恶未尽。"书毕,
又遗以长篇,感慨系之,非敢助秦虐[4]也。

惜字庵僧苦惜字,终日提篮走街遂。伛偻掇拾不辞劳,安
得分身遍大地。世间书卷日纷纷,锦轴牙签倍可怜。误人子弟
千万亿,无边罪孽欲通天。废掷泥涂差足慰,如彼凶人方弃市。
快绝何当复收恤,辛苦焚理烦钠子。浩荡王仁遍八区,当年曾
及道旁枯。为德谁能别善恶,吾师之意岂然乎。我怀郁结未敢

陈,嗫嚅[5]欲告梓潼神。那能尽殷群士业,一洗世界无纤尘。咄我秦帝真神人,定是文昌变化身。

【注释】

[1]陈确(1604~1677):初名道永,字非玄,后改名确,字干初,浙江海宁人,明代思想家。

[2]梓潼君:梓潼帝君,道教掌管人间功名禄位的神仙,相传名为张亚子,居蜀中七曲山,侍母至孝,仕晋战死,得人立庙祀之,后与文昌帝君合二为一。

[3]赫:显赫,显耀。

[4]秦虐当指秦国焚书坑儒的暴虐政策,此处作者意在说明自己并非如秦始皇一般不问青红皂白地销毁书籍,而是别有自己的用意。

[5]嗫嚅:欲言又止貌。

《竹枝》(二首)

[明]真慎[1]

讨珓祈谶[2]问后因,大槐宫[3]里话前程。凭君金玉过于斗,四月啼鹃能几声。

大苏堤[4]头西复西,那株杨柳不莺啼。无数青旗争驻马[5],一番红雨[6]怕沾泥。

【注释】

[1]真慎:字心一,松江人。

[2]珓(jiào):杯珓,占卜之具,用蚌壳或形似蚌壳的竹木两片,投空掷于地,视其正反,以定吉凶。谶(chèn):预言吉凶的符箓、文字、图画等。

[3]大槐宫:大槐安国的王宫,详见黄庭坚《题槐安阁并序》注释[4]。

[4]苏堤:亦称"苏公堤",在浙江省杭州市西湖中。北宋元祐年间,苏东坡知杭州时,疏浚西湖,堆泥筑堤,南起南屏山,北接岳王庙,分西湖为内外两湖。

[5]青旗:青色的旗帜,此处可能指落叶。全句说许多树叶落到马背上,似争先恐后一般。

[6]红雨:落花。

《一剪梅·自题小影》

[明]本昼[1]

舛错乖张到十分,亲也平平,疏也平平。不知何劫佛该成,输得今生,赢得今生。   好个顽皮懵袋[2]僧,真也难凭,假也难凭。狂来鬼火骂燃灯[3],宽处翻身,窄处翻身[4]。

【注释】

[1]本昼:号寒泉子,浙江平阳人。生于明,康熙初尚在世,著有《直木堂持集》。

[2]懵(měng)袋：昏昧无知的皮袋，形容自己的身体。

[3]燃灯：指燃灯佛，过去世诸佛之一，生时周身光明如灯，故名燃灯太子，作佛后亦名燃灯，此处泛指佛。

[4]《续传灯录》载，有僧问如何是道，唐州大乘山的慧果禅师答："宽处宽，窄处窄。"可见大小、亲疏、宽窄等对立之事在觉悟者看来没有什么分别，任其自然便是。

《江城子》

[明]济日[1]

飞来小岭削芙蓉，树青葱，石玲珑。断壑横桥，疑与石梁通。林籁[2]寂时溪水静，云影里，出疏钟。　　山僧定起万缘空，石床中，落花重。雨过门前，多少虎狼踪。天地不知何岁月，看草木，自春冬。

【注释】

[1]释济日，字句玹，有《逸庵词》。

[2]林籁(sù)：林间发出的籁籁之声。籁籁：象声词。

《菩萨蛮·幽居》

[明]济日

无能只合栖茅屋，春来喜发千竿竹。翠竹绕山房，藤床午梦凉。　　素琴闲不理，茶灶松烟细。坐看日将斜，庭风扫落花。

《江城子》

[明]静照[1]

卸却蝉钗軃翠[2]鬐,戴黄冠[3],拜蕉团[4]。一卷黄庭[5],长跪叩香奁。愿作瑶台[6]双桂树,朝集凤,暮栖鸾。

【注释】

[1]静照:俗姓曹,字月士,宛平人。明泰昌时选入宫中,在掖庭二十五年。明亡,祝发为尼。

[2]蝉钗:蝉形的钗子。軃(duǒ)翠:下垂的翠叶形头饰。

[3]黄冠:道士之冠。

[4]蕉团:芭蕉蒲团。

[5]黄庭:《黄庭经》,道教经典。

[6]瑶台:传说中的神仙居处。晋王嘉《拾遗记·崑仑山》:"傍有瑶台十二,各广千步,皆五色玉为台基。"

《祝发[1]偈》

[清]大错[2]

一杖横担日月行,山奔海立问前程。任他霹雳眉前过,谈笑依然不转睛。

[1]祝发:剃发,出家皈依佛门时剃除须发,是正式成为僧尼的重要标志,象征去除一切烦恼障碍和不良习气。

[2]大错(1600~1673):原名钱邦芑(qǐ),江苏丹徒人,万历进士。明末永历年间,曾以御史巡按四川,明亡后削发为僧。

《江月晃重山·赠罗浮道者》

[清]大汕[1]

卖酒田简白堕[2],铁桥西畔人家。满林霜月浸梅花。清香过,一盏赵州茶。　　落落归松野鹤,累累卧垄寒瓜。闲窗随意了南华[3]。生涯拙,不觉老烟霞。

【注释】

[1]大汕:俗姓徐,字石濂,吴人,康熙初年主广州长寿庵,夺飞来寺为下院,每年收租,又"下海兴贩",积蓄下丰厚财富。工诗书,有巧思,行事不羁,曾与屈大均等名士交往,后多破裂,有《离六堂集》。

[2]白堕:本是人名,北魏杨衒之《洛阳伽蓝记·法云寺》:"河东人刘白堕善能酿酒。季夏六月,时暑赫晞,以罂贮酒,暴于日中。经一旬,其酒不动,饮之香美而醉,经月不醒。"后用作美酒的别称。

[3]南华:南华真人的省称,即庄子。全句说随意而行,过庄子一般的生活。

《除夕》

[清]通际[1]

　　半生埋涧壑，幽事逐清真。煮雪消残夜，推窗见早春。得教双眼阔，不厌一身贫。坐拨炉中烬，红轮[2]特地新。

【注释】

[1]通际(1608~1645)：字山茨，号钝叟，通州人，本姓李。

[2]红轮：比喻红日。

《连雨》

[清]函可[1]

　　顽云[2]重雾裹城郭，旧民新民惨不乐。田中有黍谁能获，山中有木谁能斫[3]。盘翻灶冷守空橐[4]，檐溜[5]虽多不堪嚼。老僧一钵久庋阁[6]，出门半步泥没脚。紫蛇有光蜗有角，抱书昼卧肠萧索。庭边杏树惊摇落，燕巢已破子漂泊。眼前大地何时廓[7]，辽海浪高势磅礴。愿浮我尸填大壑[8]，毋使蛟龙终日恶。

【注释】

[1]函可(1612~1660)：字祖心，号剩人，博罗人，本姓韩，名宗騋。浑阳千山僧，有《千山诗集》。

[2]顽云:密布不散的乌云。

[3]斫(zhuó):砍、削。

[4]橐(tuó):盛物的袋子。

[5]檐溜:檐沟,亦指檐沟流下的水。

[6]庋阁:搁置在柜子里。庋(guǐ),置放,收藏。阁,放食物等的橱柜。

[7]廓:广大,空阔。

[8]大壑:大海、大坑谷或大沟。

《丙戌元旦顾家楼》

[清]函可

多难还余善病身,栖栖终不怨风尘。挈瓢戴雪[1]逢遗老,着屐寻诗有故人。夜雨暂将山色改,年光又逐泪痕新。遥知乡国[2]东风早,花信[3]凭吹薄海春。

【注释】

[1]挈瓢戴雪:谓将瓢举在头上挡雪,雪落瓢上,若帽子戴在头上。

[2]乡国:家乡,故国。

[3]花信:花信风,应花期而吹来的风,相传共有二十四番,人称"二十四番花信风"。

《春佃[1]》（节选）

[清]函昰[2]

幽谷逢春至，蔼然郁予情[3]。江流日以长，山鸟时一鸣。重云蔽群木，冥蒙[4]遂所生。斯人独不然，耳目余聪明。万物纷其前，安得返无名[5]。役役百年中，毁誉争虚声。何不乘青阳[6]，优游同耦耕[7]。旷观古与今，贤智多无成。惜此荷锄人[8]，来往空生平。

一身寄天地，生事随人间。山泽吾自为，勤苦有余闲。乐道当如是，名誉匪所干[9]。招隐愧郑谷，矜贫薄袁安[10]。饥渴苟可支，泉石足忘年。春林生意[11]满，心逐禽鱼欢。种蔬不待暖，布谷畏犹寒。去年瓜豆迟，野羹良辛酸[12]。万事须及时，岂但[13]耕锄然。

甲子行当健，今春逾往年[14]。日食几一升，颂诗尝百篇。措心无他营，所慕维耕田。贫贱固其分[15]，畎亩[16]诚多贤。燕逸岂不娱，揣己难为安[17]。迩[18]因老且病，众务惭身先。徒以口舌劳，兀傲[19]谁与怜。君子贵自处，吾亦非苟然[20]。

【注释】

[1]印度僧人多游化四方，以"乞食"为生，与中国人安土重迁、以农为本的历史文化背景相违背，佛教传入中国，不得不改变"乞食"等做法。禅宗出现之后，逐渐形成以定居为主，自耕自足，"农禅一味"的道风，并以之作为特殊的修行法门。订

立《百丈清规》的怀海禅师提出"一日不作、一日不食",至今为人称道。《春佃》一诗便是我国"农禅"思想的体现。

[2]函昰(shì):字丽中,别字天然,本姓曾,名起莘,番禺人,明崇祯癸酉举人。己卯落发,甲申后避地雷峰。历华首、海幢、丹霞诸刹,有《瞎堂诗集》

[3]蔼然:温和、和善貌。㓮(chàng):通"畅"。本联说春天温暖和顺,带给作者舒畅的感觉。

[4]冥蒙:幽暗,不明。

[5]本联说因为万物被人类加上种种名称、定义,没法恢复产生之初最本真的"无名"状态。

[6]青阳:春天。

[7]耦耕:二人并耕,亦泛指农事或务农。

[8]荷鉏人:眼前扛着农具种田的人。鉏,同"锄",农具名。

[9]匪:同"非"。干:相干,相关。

[10]郑谷指汉代的郑子真,隐居谷口,世号"谷口子真"。《华阳国志》称他"玄静守道,履至德之行",汉成帝时,皇后的哥哥、大将军王凤带着礼物聘他出山,不应。袁安字邵公,东汉官吏,为官清正廉洁,深得百姓敬重。

[11]生意:生机,生命力。

[12]辛酸:辛辣酸涩。

[13]岂但:难道只是,何止。

[14]甲子:本为我国传统纪年法"干支纪年"中的第一年,泛指岁月,光阴。逾:超过,胜过。全联说今年更要加倍努力。

[15]分:缘分。

[16]畎(quǎn)亩:田地、田野,引申指民间。

[17]燕逸:逸乐,享乐。揣(chuǎi)己:估量自己。全联说享受并非不快乐,只是自己心里难安。

[18]迩:近来。

[19]兀傲:孤傲不羁。

[20]自处:自居,自持。苟然:随随便便。

《出诃林闻罗季作讣[1]》

[清]函昰

别子方三月,倏然[2]成古人。谁知昔日诺,空结再生[3]因。侠骨终难副,诗情孤绝邻。穷交看欲尽,横泗[4]独沾巾。

【注释】

[1]讣(fù):告丧。

[2]倏(shū)然:迅疾貌。

[3]再生:来生。

[4]泗(sì):鼻涕和眼泪。

《寄熊内阁齐云山中》

[清]函昰

富贵功名梦里人,谁知苦乐正相邻。回头大有甘心[1]处,须信身贫道未贫。

【注释】

[1]甘心:快意,心情爽快舒适。

《山居》

[清]大成[1]

一株两株老松青,松下结个小茅亭。三日五日来一次,肩荷桸栗[2]手持经。读经读到山月出,听松听罢天落星。适然抛卷松间卧,梦与松根乞茯苓。

【注释】

[1]大成:清代僧人,字竺庵,醴陵人,学通内外,诗文书画皆善,所至四众崇敬。顺治十四年(1657)出主南岳广济寺,后历圆通、寿昌、景云、栖霞诸刹,康熙五年(1666)十一月圆寂。

[2]桸(jí)栗:亦作"桸枥",木名,可做杖,借为手杖、禅杖的代称。

《伯劳》

[清]大成

伯劳[1]西去雁东来,李白桃红岁岁开。万事无过随分[2]好,人生何用苦安排。

[1]伯劳:一种善鸣之鸟。

[2]随分:随意、任意,或指按照本分、依据本性。

《题簪花[1]图》

[清]上睿[2]

莫摘浓香压鬓鸦[3],懒将时势斗铅华[4]。他年得入维摩室,不许簪花许散花[5]。

【注释】

[1]簪花:把花戴在头上。

[2]上睿:字浔濬,号目存,又号蒲室子,吴县人,初受荐入京师,无心于仕途,旋以疾告归,少居瑞光寺,后居东禅寺,工山水花鸟。

[3]鬓鸦:乌黑的鬓发,色如乌鸦。

[4]铅华:妇女化妆用的铅粉,借指妇女的美丽容貌、青春年华。

[5]《维摩诘经》云,一日,维摩诘居士与诸大德在丈室中说法。时有一天女,将天界的仙花撒向大众。花飘到菩萨身上后悉皆落地,碰到弟子们身上却附着不落,运用任何神通之力都弄不掉。天女问佛陀"十大弟子"中智慧第一的舍利弗为何要把花弄掉,舍利弗答:"此花不如法。"天女说:"花本无分别,是

仁者您自生分别之想啊。有所分别便不如法,无所分别则是如法。菩萨身上的花不附着,是因为菩萨们已经断了一切分别之想!"成语"天花乱坠"即源于此。

《点绛唇·送同寓客[1]》

[清]李渔[2]

一派秋山,代人妆点愁如许。再加寒雨,更使人难觑[3]。
半幅轻帆,眼见归天际。和谁语?凄凉萧寺[4],只有僧堪侣。

【注释】

[1]同寓客:寄居在一处的人。

[2]李渔(1611~1680):初名仙侣,后改渔,字谪凡,号笠翁,浙江金华人,明末清初文学家、戏曲家、美学家。著有《笠翁十种曲》《笠翁一家言》《十二楼》《闲情偶寄》等五百多万字,改定《金瓶梅》,倡编《芥子园画传》。李渔自幼聪颖,素有才子之誉,世称李十郎,家设戏班,至各地演出,从而积累了丰富的戏曲创作、演出经验,提出了较为完善的戏剧理论体系,被誉为"中国戏剧理论始祖""东方莎士比亚"。

[3]觑(qù):看。

[4]萧寺:佛寺。唐代李肇《唐国史补》卷中:"梁武帝造寺,令萧子云飞白大书'萧'字,至今一'萧'字存焉。"

《浣溪沙·题三老看云图》（其一）

[清]李渔

家在云中不识云，偶来山下送游人，同看不觉自消魂[1]

看去既成云世界，原来身在锦乾坤[2]，而今才识下方[3]贫。

【注释】

[1]消魂：同"销魂"，灵魂离开肉体，形容极度的悲愁、欢乐、恐惧等，此处当为欢悦满足之情。

[2]锦乾坤：绚丽美好的世界。锦，有彩色花纹的丝织品，亦用来形容色彩鲜艳华美。

[3]下方：一指山下，一指凡俗的人间世界。

《浪淘沙·秋日登山》

[清]李渔

十日不登山，屐齿[1]留难。杖藜深悔作渔竿。山上足同弦上指，日日须弹。　萧寺怪僧闲，深掩柴关。枫林对户没心看。也类司空由见惯[2]，轻薄红颜[3]。

【注释】

[1]屐齿：本指木屐底下的齿，又指足迹、踪迹。

348

[2]孟棨《本事诗》:"刘尚书禹锡罢和州……李司空罢镇在京,慕刘名,尝邀至第中,厚设饮馔。酒酣,命妙妓歌以送之。刘于席上赋诗曰:'……春风一曲《杜韦娘》。司空见惯浑闲事,断尽江南刺史肠。'"后因以"司空见惯"称常见之事。

[3]说僧人对门口的枫林司空见惯,不去欣赏,如同轻视了红颜佳人一般。

《风入松·僧舍芍药盛开,拉同人赴赏,题壁代偈》

[清]李渔

广陵[1]芍药爱喧阗[2],此独宜偏。万花会里嫌人杂,避来僧舍私妍[3]。独向空中设色[4],时从笑里参禅。　　老僧终日伴花眠,火里生莲。不信折将来供佛,看如来、可作香怜。至美皆全佛性,幽芳怕结人缘。

【注释】

[1]广陵:扬州的别名,代表繁华富庶之地。

[2]喧阗:亦作"喧填""喧嗔",喧哗、热闹。

[3]私妍:悄悄地释放美丽。私,暗中、不公开。妍(yán),美丽、美好。

[4]设色:敷彩,着色。

《独往》

[清]方以智[1]

同伴都分手,麻靴[2]独入林。一年三变姓[3],十字九椎心[4]。听惯干戈信,愁因风雨深。死生容易事,所痛为知音。

【注释】

[1]方以智(1611~1671):明代哲学家、科学家。字密之,号曼公,又号鹿起、龙眠愚者等,安徽桐城人。崇祯进士,官检讨。弘光时为马士英、阮大铖中伤,逃往广东以卖药自给。永历时任左中允,遭诬劾。清兵入粤后,在梧州出家,法名弘智,字无可,别字药地,初为报恩寺僧,后开法于青原山,同时秘密组织反清复明活动。康熙十年三月,因"粤难"被捕,十月,于押解途中自沉于江西万安惶恐滩殉国。

[2]麻靴:麻绳编制成的靴子,常为僧人穿着。

[3]改换姓名以躲避兵乱。

[4]椎(chuí)心:捶击胸口,形容极度悲痛。

《乙酉腊月二十四夜》

[清]方以智

故乡风俗重今夜,儿女班班[1]列堂下。今当树折巢破时,羽毛零落怜枯枝。旅舍檐前一回首,上有白发下黄口[2]。望空剪纸告坟墓,两眼泪接三杯酒。难道年年坐死苦海中,愿为落叶随飘风。

【注释】

[1]班班:清楚显明之貌。

[2]黄口:雏鸟的嘴,借指雏鸟或幼儿。

《满庭芳》

[清]方以智

锦绣园林,芙蓉筵席,从来狼藉东风。玉楼香泪,可惜吊残红。千古章台坑[1]里,活埋却、多少王公。黄昏后,苍天偌大[2],没处放英雄。　　晓窗蝴蝶散,变成花片,出入虚空。问桑田沧海,半晌[3]朦胧。打叠千篇万卷,五更尽、枕上疏钟。惊心处,半生冰冷,只在一声中。

【注释】

[1]章台坑:章台,泛指妓院聚集之地。这里用"章台坑"指"英雄难过美人关"之意。

[2]偌(ruò)大:这么大。偌,这么。

[3]半晌:许久,好久。

《千秋岁·匡庐[1]凌云社作》

[清]方以智

匡君庐后,遂有名山姓。峰顶上,开三径[2]。麻姑招五老[3],列槛窥明镜。君不见,庐山面目何曾定。　　说法东林竟[4],飞瀑消钟磬。随一片,闲心听。香炉休篆字[5],雨洗苔痕净。云起处,浅深染却关同病。

【注释】

[1]匡庐、匡君庐均指庐山。

[2]三径:亦作"三迳"。晋代赵岐《三辅决录·逃名》云:"蒋诩归乡里,荆棘塞门,舍中有三径,不出,唯求仲、羊仲从之游。"后以"三径"代称归隐者的家园。

[3] 麻姑是传说中的长寿仙女, 看起来不过十八九岁, 却"已见东海三为桑田",多次经历海洋陆地的变化。五老是神话中的五星之精。庐山上有麻姑洞、五老峰。

[4]竟:终了,完毕。

[5]谓香炉中的香停止燃烧。休,停止。

《江城子·送石溪仁者》

[清]方以智

　　麻鞋认得一峰孤,杖头呼,耳呜呜。滚出乱云堆里药葫芦。甘露海中才一滴,人醉了,有天扶。　　君山[1]铲却好平铺,是冰壶[2],小浮图。一个琉璃天地看来无。纵有探竿千百丈,量不得,洞庭湖。

【注释】

[1]君山:又名湘山,在湖南洞庭湖口。

[2]冰壶:盛冰的玉壶,常用以比喻晶莹无瑕或者品德清白廉洁。

《赠檗庵禅师[1]》

[清]沈永令[2]

　　浮生阅尽几沧桑,独卧寒云拥竹床。百炼身犹余铁石,万言字尚挟风霜。列朝文献征遗史,一代天龙护法王。士女争来瞻瑞相[3],使君故是宰河阳。

【注释】

[1]《清诗别裁集》载:"檗庵即熊开元也,以弹周延儒廷杖,

后为僧,门下士感慨赋之,如读本传。"熊开元字玄年,号鱼山,天启进士,历任崇明知县、吴江知县等,因弹劾周延儒而遭廷杖下狱,后辅佐南明唐王,乞归,汀州破,弃家为僧,隐苏州之灵岩以终。沈永令称自己"以昔年童子,受知门下,感赋是诗"。

[2]沈永令(1614~1698):字闻人,号一枝,又号一指,江南吴江人,顺治举人,官高陵知县,兼工诗文书画。

[3]瑞相:象征吉瑞的相貌。

《雪夜闻钟》

[清]吴嘉纪[1]

雪钟[2]声难远,犹能醒静客。哽咽如泉到,衰林尽为白。开户觅余音,满目太古[3]色。立久耳目寒,身忽为枯石。

【注释】

[1]吴嘉纪(1618~1684):字宾贤,号野人,扬州府泰州(今江苏东台)人。明末诸生,入清不仕,隐居泰州安丰盐场。工于诗,其诗法孟郊、贾岛,语言简朴通俗,内容多反映百姓贫苦,以"盐场今乐府"诗闻名于世,得周亮工、王士祯赏识,著有《陋轩诗集》。

[2]雪钟:被雪覆盖的大钟。

[3]太古:远古,上古。

《湖外遥怀些翁》

[清]王夫之[1]

心心长不断湖天,满月孤星旧有缘。野烧三叉余幸草,湘流九面惘胶船[2]。寒深鹤带尧年雪[3],海阔龙分佛口涎[4]。闻说当机唯一指[5],扳心欲扣逆流舷。

【注释】

[1]王夫之(1619~1692):字而农,号姜斋,别号一壶道人,著名的思想家、哲学家。衡州府城南王衙坪(今衡阳市雁峰区)人,晚年居南岳衡山下的石船山,著书立说,故世称其为"船山先生"。一生主张经世致用的思想,坚决反对程朱理学,自谓"六经责我开生面,七尺从天乞活埋",著作经后人编为《船山全书》,思想广播四方,影响深远。

[2]野烧:野火。胶:黏住,使不能移动,亦指舟船搁浅。全联说即使野火从多个方向烧过来,也有草留存下来,湘水奔流四方,却还是有船搁浅难行。

[3]尧年雪:古老的雪。尧为上古贤君,"尧年"比喻时间久远。

[4]涎(xián):唾液,口水。"佛口涎"形容海水之珍贵。

[5]当机:抓住时机,或指适应众生的根基。一指:用唐代俱胝禅师"一指头禅"之典,详见重显《颂古》注释[1]。

《宿雪竹山同茹蘗大师夜话》

[清]王夫之

不知情在与无情,丈室挑灯魄自惊。海溅云飞千峰断,烟笼雪压一枝轻。破船载月浮寒水,别路寻芳驻晚晴[1]。自护杨坟茎草绿,春归闲唱踏莎行。

【注释】

[1]晚晴:傍晚晴朗的天色。

《落叶编》(之三)

[清]董说[1]

芳树歌残雁影横,西风袅袅暮云平。鹤归凉月松巢爽,僧踏晴霜[2]竹杖轻。江上乱峰青缥缈,灯前白发瘦峥嵘。孤舟今夜枫桥客,听到寒钟第几声[3]。

【注释】

[1]董说(1620~1686):明末小说家。字若雨,号西庵,又号鹧鸪生、漏霜,乌程(今浙江吴兴)人,世代显贵,但至其父时已趋衰落。自幼聪颖但无意功名。明亡后,隐居丰草庵,改姓林,名蹇,字远游,号南村,又名林胡子,自称槁木林。中年在苏州

灵岩寺出家为僧,法名南潜,字月涵,一作月岩。一生著述繁复,据《南浔志》载共有一百多种。

[2]晴雪:天晴后的积雪。

[3]化用唐代张继《枫桥夜泊》:"月落乌啼霜满天,江枫渔火对愁眠。姑苏城外寒山寺,夜半钟声到客船。"

《拈花颂呈圣禅师》

[清]汪琬[1]

默然相向宝莲台,触处天花烂漫开。翻[2]怪世尊多事极,无端拈出一枝来。饶伊拈出总无干[3],平地干戈起祸端。毕竟瞿昙元未彻,至今个个被颟顸[4]。

【注释】

[1]汪琬(1624~1691):字苕文,号钝庵,初号玉遮山樵,晚号尧峰,小字液仙。长洲(今江苏苏州)人,清初官吏学者、散文家,与侯方域、魏禧合称明末清初散文"三大家"。

[2]翻:反而。

[3]伊:他。无干:没有关系。

[4]彻:通,贯通。颟(mán)顸(hān):糊涂而马虎。说现在的修行人大多糊涂,未能了悟世尊拈花的真意。

《觉尘余故人子也，以僧来谒，书此赠之》

[清]李来泰[1]

　　昔年曾访王官谷[2]，故苑飘零事已非。为问故人谁白发，忽惊孺子变缁衣[3]。江湖远道难通回，丘壑终身不疗饥[4]。太息廿年尘土梦，钝根未解箭锋机[5]。

【注释】

[1]李来泰（1624~1682）：字石台，江西临川人。顺治进士，康熙己未召试博学鸿词，官翰林院侍讲，参与修撰《明史》，分撰"纪""传"百余篇，成绩卓著，被誉为"独备三长（史才、史识、史德）"，著有《石台集》。

[2]王官谷：著名的观光景区，在山西省西南部的中条山中，唐代著名诗论家司空图曾隐居于此。一说指王朝官员的山谷。

[3]缁衣：僧人穿着的法衣，为紫黑一类不正之色，亦是僧侣的代称。

[4]疗饥：解饿，充饥。

[5]太息：大声长叹，深深地叹息，屈原《离骚》有："长太息以掩涕兮，哀民生之多艰。"钝根：愚钝的根基，与"利根"相对。箭锋机：箭锋一般锐利迅捷的根基或机缘。最后一联是作者自叹愚钝，不能理解故人之子为何出家。

《赠凤凰山咸庵禅丈，庵名凰巢》

[清]邓旭[1]

万绿藏深壑，苔龛[2]路几层。侧身同蚁进，牵臂学猿腾。累重缘留发，栖幽欲妒僧[3]。半生迟引退，应悔镂春冰[4]。

【注释】

[1]邓旭：字无照，江南寿州人。顺治进士，官翰林院检讨，著有《林屋诗集》。

[2]苔龛：布满青苔的佛龛或小室。

[3]诗人说自己受到种种繁重牵累是因为"留发"，即留在俗世之中，栖于幽静之地时常会嫉妒清静闲适的僧人。

[4]"春冰"就是春天的冰，薄而易碎裂，多喻指容易消失的事物或者危险的境地。此处是诗人感叹半生官场生活如"镂春冰"一般危险，自己退隐得太迟。

《秋夜闻梵[1]》

[清]彭孙遹[2]

黄花翠竹[3]隐禅扉，仙梵泠泠[4]静者机。余响互分清磬永，曼音轻绕定者微[5]。心栖止水初光发[6]，听入秋空万籁稀。已觉浮名真我累，十年出处两无依。

【注释】

[1]梵:诵唱佛经之声。

[2]彭孙遹(yù)(1631~1700):字骏孙,号美门,又号金粟山人,清代诗人、学者。顺治进士,官至吏部右侍郎兼翰林院掌院学士,总裁《明史》纂修。彭孙遹工诗词文赋,作品风行海内,与王士禛并称"彭王",有《松桂堂全集》《延露词》等传世。

[3]佛性周遍万物,草木金石等"无情"之物也是佛性的体现,故有"青青翠竹,尽是法身,郁郁黄花,无非般若""黄花翠竹,总是真如"等说法。

[4]泠泠:清凉、泠清之貌,或者形容声音清越、悠扬。

[5]曼音:舒缓的长音。"机微"指事物变化的最初征兆,拆为"机""微"二字用在首联与第二联的末尾。静者、定者通过闻梵察觉到事物变化的征兆,足见梵声之意蕴深远,内涵丰富。

[6]止水:静止的水。《庄子·德充符》:"仲尼曰:'人莫鉴于流水而鉴于止水。'"成玄英疏:"止水所以留鉴者,为其澄清故也。"句中提到"初光发",在澄净之外有更多的收获。

《响石[1]》

[清]光鹫[2]

偶因传语者[3],识得点头谁[4]。真宰[5]互相答,太虚[6]原不知。求声出函谷[7],闻籁忆南綦[8]。此意难为赠,潮音[9]长与期。

【注释】

[1]响石:能发出声响的石头。

[2]光鹫(1637~1722):清初广东肇庆鼎湖山庆云寺僧。字成鹫,又字迹删,号东樵山人。俗姓方,名觊恺,字麟趾,番禺(今属广东省)人,出身书香仕宦世家,明末举人,四十一岁剃度出家。与陶璜等南明抗清志士为生死之交,与屈大均等唱酬,粤中士人多从交游,被沈德潜喻为诗僧第一,有《咸陟堂诗集》。疑与成鹫为一人。

[3]传语者:传话的人。

[4]点头谁:指石头。东晋时期,《涅槃经》部分译出,称不信因果业报,不随诸佛所说教戒,断灭诸善根,乃至不生一念之善者为"一阐提",并指出"一切众生皆有佛性……除一阐提",高僧竺道生不同意这种理论,坚持"一阐提人皆得成佛",被守旧者视为邪说,逐出僧团。他来到苏州的虎丘山,以石头为徒,讲《涅槃经》,说到阐提人有佛性时问道:"如我所说契佛心否?"群石全都点头,后来,全本《涅槃经》译出,内容果如道生所言,众皆叹服,"顽石点头"的成语也流传开来。

[5]真宰:自然之性。

[6]太虚:空寂玄奥之境。

[7]函谷:函谷关,在今河南灵宝县境,路在谷中,深险如函,故名。据说老子曾骑青牛从函谷关经过。

[8]南綦(qí):指南郭子綦,又称南郭綦,《庄子·齐物论》中的人物,他"隐机而坐,仰天而嘘,荅焉似丧其耦",与颜成子游论及宇宙间的三种声音——天籁、地籁和人籁。

[9]潮音:海潮的声音,至大且不失时,喻指佛菩萨宏大优美,应机而作的说法之音,或僧众洪亮绵长的唱诵之声。

《赠刘旗峰明府》

[清]光鹫

多生慧业[1]宰官身,神武抽簪[2]着幅巾[3]。北面[4]曾为强项令[5],西方甘作折腰人[6]。俸钱买鹤清还白,净食调猿躁亦驯。抛却簿书[7]期贝叶,心空从此不忧贫。

【注释】

[1]慧业:此处指智慧的善业。

[2]神武抽簪:指弃官隐退。"神武"是神武门,南朝建康皇宫西首之门,陶弘景因"家贫,求宰县不遂",而"脱朝服挂神武门,上表辞禄"。古时为官者须束发整冠,用簪连冠于发,"抽簪"即表不再做官。

[3]幅巾:古代男子以全幅细绢裹头的头巾,多被视为儒雅的象征。

[4]北面:面向北,亦指居于臣下、晚辈之位。古礼,臣拜君,卑幼拜尊长,皆面向北行礼。

[5]强项令:刚正不阿的官员。

[6]折腰人:弯腰行礼的恭敬之人。

[7]簿书:官署中的文书簿册。

《弹子几》(三首)

[清]光鹫

薄暮轻舟过石几[1]，重寻金弹没苔衣[2]。而今大地无征战，不用阳戈返落晖[3]。

欲买丹青写十洲[4]，谁知茎草即琼楼[5]。真山真水无人量，笑煞当年顾虎头[6]。

识得山中更有山，点头顽石未曾顽[7]。修罗[8]钻入蜗牛角[9]，碧藓苍苔处处闲。

【注释】

[1]石几：水边突出的巨大岩石。

[2]苔衣：苔藓。

[3]阳戈：鲁阳公之戈。落晖：夕阳、夕照。《淮南子·览冥训》记载，日暮时分，鲁阳公与人激战正酣，举戈挥向正在下落的太阳，使之"反三舍"(返回到九十里之外)。

[4]十洲：道教所说的十处海中仙岛，后泛指名山胜境。

[5]琼楼：又作"璚楼"，华美的建筑物，亦指仙宫中的楼台。

[6]顾虎头：东晋著名画家顾恺之，小字虎头。作者意在说明真山真水就在微小平凡的茎草之中，因为万物本就是相互融摄的，正如雨山和尚所言之："大道无拘，触处成现，一尘一

刹一如来,一叶一花一世界。"

[7]第二个"顽"为愚顽,迟钝之意,本句说石块虽名为"顽石",却能听懂竺道生讲说佛法,并不真的愚顽迟钝。

[8]修罗:阿修罗,梵语 Asura 的音译,"六道"之一,"天龙八部"之一,男丑陋而女美貌,常怀嗔妒、猜忌等心,勇猛好战,一般被视为恶神。

[9]蜗牛角:蜗牛的两个触角。《庄子·则阳》说在蜗牛的左右触角上各有一个国家,左名触氏,右名蛮氏,常因争地而战,伏尸数万,追逐败兵要十五天才能返回。

《将入丹霞^[1]留别同学》

[清]光鹫

名山说着便精神,夜束腰包晓问津^[2]。老去尚能夸健足,从来不信有闲身。岭梅开日匆匆别,岳雪消时处处春。我自不留君不去,中间得失问何人^[3]。

【注释】

[1]丹霞:丹霞山,在今广东韶关境内,山呈赤色,若霞光照映。

[2]问津:寻访或探求。作者说自己对丹霞名山很是向往,连夜准备行李,第二天早上就出发了。

[3]想必作者与同学之人都神通禅理,对去留丝毫不在意,才形成"我自不留君不去"的微妙状况。

《送智峰禅者还丹霞》

[清]光鹫

　　年来慧命似悬丝[1]，鼠啮枯藤[2]信可悲。老我无缘方退院，怜君有志乃工诗。相逢不枉花前约，后会难寻石上期。想到丹霞冰欲泮[3]，试看岩桂几生枝[4]。

【注释】

[1]慧命：法身以智慧为寿命，若智慧之命损伤，则法身之体亡失，这里指生命。悬丝：靠一根丝吊着，比喻极其危险。

[2]鼠啮枯藤：本为佛经譬喻故事，说有一人为避二醉象，抓住一根枯藤躲到枯井中。此时，有黑白二鼠正在啮咬枯藤，马上就要咬断，井边有四条毒蛇盘桓，井下是三毒龙吐火张爪，二象也已追到井上，此人忧恼无限，忽有蜂群飞过，滴落蜂蜜，此人食蜜，全忘危惧。故事中的二醉象比喻生死，枯藤喻命根，井喻无常，黑白二鼠喻日月，四蛇喻"四大"，三毒龙喻"三毒"，蜂蜜喻"五欲"，谓凡人得"五欲"之短暂乐趣，便忘记了所处的危急环境。此处比喻自己的生命到了垂危时刻。

[3]泮(pàn)：融解。

[4]最后一联一语双关，以丹霞冰泮、岩桂生枝比喻智峰禅者在丹霞山弘传禅法，培养新的徒众。

《镜》

[清]光鹫

爱尔[1]本无我,虚明识故人[2]。滞形还偶影,顾笑复怜攀[3]。虚室自生白,太虚谁写真。所嗟承弁髦[4],一见一回新。

【注释】

[1]尔:代词,你。

[2]虚明:空明,清澈明亮。前两句说镜子自身不显形,但清澈明亮,使人照出自己,如见故人一般。

[3]偶影:与影为偶。此二句说人与镜中之影为伴,见到它的笑容则生喜爱攀缘之心。

[4]弁髦:弁,黑色布帽;髦,童子眉际垂发,古代男子行冠礼,先加缁布冠,次加皮弁,后加爵弁,三加后,即弃缁布冠不用,并剃去垂髦,理发为髻。因以"弁髦"喻弃置无用之物。全句说人们对镜自怜,嗟叹逝去的青春容貌,却不知容貌本就是日日变改的不实之物。

《为友人写春江图》

[清]石涛[1]

书画非小道,世人形似耳。出笔混沌[2]开,入拙聪明死。理尽法无尽,法尽理生矣。理法本无传,古人不得已[3]。吾写此纸时,心入春江水。江花随我开,江月随我起。把卷坐江楼,高呼曰子美[4]。一啸水云低,图开幻[5]神髓。

【注释】

[1]石涛(1642~1707):清代著名画家。本姓朱,名若极。字石涛,又号苦瓜和尚、大涤子、清湘老人等。广西全州人,晚年定居扬州。明靖江王后裔,南明元宗朱亨嘉之子。幼年遭变后出家为僧,半世云游,以卖画为业,兼工书法诗文。

[2]混沌:传说中世界开辟前元气未分、模糊一团的状态。班固《白虎通·天地》:"混沌相连,视之不见,听之不闻,然后剖判。"全联说画笔具剖开混沌的非凡神力,但若拘于成法,则是"入拙",葬送了智慧灵性。

[3]谓理、法本不可言传,古人的解说是不得已。

[4]子美:你真美呀! 子,第二人称代词。

[5]幻:幻化出。僧人作画时,将心与春江完全融为一体,从自然中感悟画之真髓,与修禅并无二致。

《与友人夜饮》

[清]石涛

忆昔相逢在黄檗[1],座中有尔谈天舌[2]。即今头白两成翁,四顾无人冷似铁。携手大笑菊花丛,纵观书画江海空。镫光[3]见夜如白昼,酒气直透兜率宫。主人本是再来人[4],每于醉里见天真。客亦三千堂上客,英风竦飒多精神。拈秃笔,向君笑,忽起舞,发大叫。大叫一声天宇宽,团团明月空中小。 '

【注释】

[1]黄檗:黄檗山,位于福建省福清县西南三十里,山中多产黄檗,树皮可作药与染料。唐代,希运禅师住山中弘法,影响深远,黄檗山亦成为禅宗圣地。

[2]尔:你。天舌:天人之舌。称赞友人口若悬河、能言善论,若天人一般。

[3]镫(dēng)光:膏镫之光,泛指灯光。膏镫为古代照明用具,青铜制,上有盘,中有柱,下有底,或有三足及柄,盘用来盛膏,或中有锥供插烛。

[4]再来人:转世后再度皈依佛门的人。

《息浪庵夜坐,别叔敦、让木诸子》

[清]张玉书[1]

短棹携樽触浪过,将离莫问夜如何。最怜帆远浮天阔,始信江空得月多。隐隐钟声千佛唱,星星岸火一渔蓑。荒鸡促曙[2]行人去,回首双峰护薜萝。

【注释】

[1]张玉书(1642~1711):字素存,号润甫,江苏丹徒(今江

苏镇江)人。顺治进士,通经学史学,官至大学士,谥号文贞。

[2]曙:天亮,破晓。

《赠行西上人》

[清]刘献廷[1]

铁骑穿云旧拓边[2],大江归去浪连天。五更梦醒荒祠下,百战人酣绣佛[3]前。风急雁行排远岫[4],秋高雕影落寒烟。与君共望中原路,衰草离离倍黯然。[5]

【注释】

[1]刘献廷(1648~1695):清初学者。字君贤,一字继庄,别号广阳子,先世江苏吴县人,父官太医,遂家居顺天府大兴(今北京市)。他喜研究佛经,读《华严经》,参入梵语、拉丁语、蒙古语而体会到四声之变,尝作《新韵谱》,称声母为"韵母",称韵母为"韵父"。刘献廷善于接受新思想、新学说,是"广阳学派"的代表。

[2]铁骑:披挂铁甲的战马,借指精锐的骑兵。拓边:开拓边疆。

[3]酣:酣睡。绣佛:以彩丝刺绣或者织成的佛像。

[4]排:推挤,推开。本句形容大雁急飞,气魄非凡,似乎要把远方挡路的山峦推开。

[5]行西上人可能原来是位勇猛的战将,本诗前半部分形容他当兵时候的情形,后面写当下之景,与前文形成鲜明对比,倍添萧瑟无常之感。

《奉和东山对月有怀之作》

[清]严虞惇[1]

十年一梦[2]鬓垂丝,禅榻茶烟[3]事最宜。正是空江明月夜,相逢尊酒落花时。伤心暮雨还朝雨,瞥眼桃枝更柳枝。身似荷珠原不着[4],从今学道未嫌迟。

【注释】

[1]严虞惇(dūn)(1650~1713):字宝成,清代文学家、藏书家。号思庵,江苏常熟人,康熙进士,官至太仆少卿。

[2]十年一梦:杜牧《遣怀》:"落魄江湖载酒行,楚腰纤细掌中轻。十年一觉扬州梦,赢得青楼薄幸名。"杜牧随牛僧孺出镇扬州,尝出入烟花之地,潇洒自得,后分管洛阳,追思过去,谓繁华如梦,今非昔比,后人常化用诗的后两句以感怀旧事,述时过迁迁之感。

[3]禅榻茶烟:出杜牧的《题禅院》,详见该诗注释。

[4]荷珠:荷叶上的露水。不着:不执着,无挂碍。

《忆旧游》

[清]厉鹗[1]

朔溪流云去,树约风来,山剪秋眉。一片寻秋意,是凉花载雪,人在芦碕[2]。楚天[3]旧愁多少,飘作鬓边丝。正浦溆[4]苍茫,闲随野色,行到禅扉。　　忘机,悄无语,坐雁底焚香,蛩外弦诗[5]。又送萧萧响,尽平沙霜信,吹上僧衣。凭高一声弹指,天地入斜晖。已隔断尘喧,门前弄月渔艇归。

【注释】

[1]厉鹗(1692~1752):字太鸿,又字雄飞,号樊榭、南湖花隐等,钱塘(今浙江杭州)人,清代著名诗人,康熙举人,屡试进士不第。家贫,性孤峭,爱山水,尤工于词,是"浙西词派"的代表作家。

[2]芦碕:满是芦花的河岸。碕(qí):曲折的河岸。

[3]楚天:南方楚地的天空。

[4]浦溆(xù):水边。

[5]蛩外弦诗:在虫鸣之外更作赋诗之声。蛩(qióng):蟋蟀的别名。

《赠博也上人》

[清]郑燮[1]

闭门何处不深山,蜗舍[2]无多八九间。人迹到稀春草绿,燕巢营定画梁闲[3]。黄泥小灶茶烹陆,白雨幽窗字学颜[4]。独有老僧无一事,水禽沙鸟听关关[5]。

[1]郑燮(xiè)(1693~1765):清代画家、文学家。字克柔,号板桥,自称"板桥居士",江苏兴化人。康熙秀才、雍正举人、乾隆元年进士,后曾历官河南范县、山东潍县知县,有惠政,因请求赈济饥民触怒大官,以疾辞归。一生主要客居扬州,以卖画为生,"扬州八怪"之一,诗、书、画兼善,世称"三绝",擅画兰、竹、石、松、菊等植物,最以画竹为人称道。

[2]蜗舍:同"蜗牛舍",以蜗牛壳比喻简陋狭小的房舍,多是谦称自己的住所。

[3]营定:制定,安排好。画梁:有彩绘装饰的屋梁,多为富贵人家所有,一般认为是燕子经常活动栖息的地方。本句说燕子已在山间做好了巢,达官显贵府上的画梁便空闲了下来。

[4]"陆"指"茶圣"陆羽,"颜"指颜真卿,唐代大书法家,"楷书四大家"之一。本联说如陆羽一般烹茶,学着颜真卿写字。

[5]关关:鸟类雌雄相和的叫声,泛指鸟鸣声,《诗经》中有"关关雎鸠,在河之洲"。

《赠勖宗上人》

[清]郑燮

其一

罨画溪边鬓尚鬒[1],便拈荷叶作裁裳。一条水牯[2]斜阳外,种得山头十亩霞。

其三

诗清云淡两无心，人自青春韵自深。好待菊花重九[3]后，万山红叶冷相寻。

【注释】

[1]鬏(zhuā)：梳在头两旁的发髻。

[2]水牯(gǔ)：公水牛。佛典中常以牛为喻，更有些高僧来世想做一头水牯牛。《五灯会元》载："师（南泉普愿禅师）将顺世，第一座问：'和尚百年后向甚么处去？'师曰：'山下作一头水牯牛去。'座曰：'某甲随和尚去，还得也无？'师曰：'汝若随我，即须衔取一茎草来。'"沩山灵祐禅师也说："老僧百年后，向山下作一头水牯牛，左胁下书五字，曰：'沩山僧某甲'，当恁么时，唤作沩山僧又是水牯牛，唤作水牯牛又是沩山僧，毕竟唤作甚么即得。"

[3]重九：农历九月初九，重阳节。

《赠庵僧尔霞》

[清]袁枚[1]

十里山深日易斜，看山人住远公[2]家。晚风初起灯摇阁，溪雨乍来梅落花。漏尽[3]松声翻贝叶，梦回月影上袈裟。羡他窗外千章木[4]，长与高僧共岁华[5]。

【注释】

[1]袁枚(1716~1797)：清代诗人、散文家。字子才，号简斋，晚年自号仓山居士、随园主人、随园老人，钱塘(今浙江杭州)人。乾隆四年进士，历官多地县令，为官清正，但他无意吏禄，于乾隆十四年(1749)辞官隐居于南京小仓山随园。乾嘉时期代表诗人之一，清代诗歌"性灵派"的代表。

[2]远公：东晋高僧慧远。

[3]漏尽：刻漏之水漏尽，表示时间过去很久，或说指断除所有烦恼。刻漏是一种古代计时装置，以铜为壶，底穿孔，壶中立一有刻度的箭形浮标，壶中水滴漏渐少，箭上度数便依次显露，视之可知时刻。佛教认为烦恼眼、耳、鼻等处漏泄，故称烦恼为"漏"，"漏尽"就是断尽了一切烦恼。

[4]千章木：千株大树。

[5]岁华：时光，年华。

《题金正希[1]先生画达摩图》

[清]袁枚

正希先生发清兴，云蓝[2]剪纸如圆镜。画作达摩面壁形，高坐枯龟[3]呼不应。泥金钓发虿尾拳，侧笔裁衣蝉翼劲[4]。人疑道子[5]以墨戏，或道无功将佛佞[6]。以指喻马隔两尘[7]，援儒入墨[8]殊非称[9]。谁知先生画佛即画心，直是诚通非貌敬[10]。事惟诣极[11]方参玄,思不出神[12]难入圣。当其为文惨淡[13]时,天外心归功未竟。颜渊专精能坐忘[14],维摩憔悴常示病。绝无意想结空花[15],那有风泉搅清听[16]。眉毫秃尽肠欲流,三才万象同参证[17]。较彼蒲团枯坐人,禅理文心果谁胜?写静者相示众人,教用思功先练性。碧山烟去月才明,秋水风停波自定。文人学佛即升天,才子谈禅多上乘。我为增题墨数行,胜补云堂[18]一声磬。

【注释】

[1]金正希:明末抗清起义军首领,名声一,字子骏,崇祯元年成进士,曾任御史等职,多次率兵抵抗清军,被俘后不肯投降,被杀害于南京,二十六岁接触佛法,食长斋,并作《断五欲说》,劝人断除色、食、睡、财、名五种欲望,有很高的佛学修养。

[2]云蓝:一种有色的麻纸,为唐人段成式所发明。

[3]枯龟:干枯的龟壳,古时作占卜之用。苏轼的《维摩像唐杨惠之塑在天柱寺》,用枯龟形容维摩诘:"今观古塑维摩像,病骨磊嵬如枯龟。乃知至人外生死,此身变化浮云随。"

[4]泥金是用金箔和胶水制成的金色颜料。虿(chài)是一种毒虫,类似蝎子,虿尾的末端有毒钩,常用来比喻书法上的"趯(yuè)"(钩笔),亦泛指遒劲的书法。本联说画家用泥金的颜料画出虿尾钩,若出拳一般雄健有力;侧笔时却轻如蝉翼,轻重皆善,裁剪得当。

[5]道子:吴道子,唐代画家,人称"画圣",特别擅画佛道题材。

[6]佞:谄媚,讨好。

[7]"以指喻马"要先从"指"到"非指",再到世间万物,再到具体的一物——马,中间隔了两层,故曰"两尘"。

[8]墨:笔墨,泛指诗文书画。

[9]称(chèn):相称,符合。

[10]貌敬:外表上恭敬。

[11]诣极:达到极深的造诣。

[12]出神:本意是元神脱离躯体,亦指超出精神理路之外,遂有"出神入化"之说。

[13]惨淡:尽心思虑。

[14]"坐忘"首先由颜渊提出,并且经他介绍给孔子。颜回说他的道法增进,孔子问是如何,颜回说:"回坐忘矣。"孔子惊讶地问:"何谓坐忘?"颜回道:"堕肢体,黜聪明,离形去知,同于大通,此谓'坐忘'。"孔子曰:"同则无好也,化则无常也。而果其贤乎!丘也请从而后也。"说颜回果真成了贤人,自己要跟从在他后面学习。

[15]意想:想象。空花:空幻不实之花。

[16]清听:灵敏的听觉。

[17]参证:参考验证。

[18]云堂:僧堂,僧众设斋吃饭或商议事情的地方。

《悟道诗》

[清]刘一明[1]

勘破[2]浮生一也无,单身只影走江湖。鸢[3]飞鱼跃藏真趣,绿水青山是道图[4]。大梦场中谁觉我,千峰顶上视迷途。终朝睡在鸿蒙[5]窍,一任时人牛马呼[6]。

【注释】

[1]刘一明(1734~1821):清代著名道士。号悟元子,别号素朴散人,山西平阳曲沃县(今山西闻喜县一带)人,全真道龙门派第十一代宗师。

[2]勘破:看破。"勘"有核对、探测、察看等意。

[3]鸢(yuān):一种猛禽,状类鹰,唯嘴较短,俗称鸱鹰。

[4]道图:指示道法的图画。

[5]鸿蒙:宇宙形成前的混沌状态。

[6]牛马呼:呼作牛马,显示出轻蔑侮辱。诗人看透俗世如"大梦场",又怎会在乎他人"牛马呼"?

《禅悦》(二首)

[清]张问陶[1]

蒲团清坐道心长,消受莲花自在香。八万四千门路[2]别,谁知方寸即西方。

门庭清妙即禅关,枉费黄金去买山[3]。只要心光如满月,在家还比出家闲。

【注释】

[1]张问陶(1764~1814):清代诗人、书画家。字仲冶,一字

柳门，自号船山、老船、蜀山老猿，四川遂宁人。乾隆进士，历官翰林院检讨、吏部郎中等职，后辞官寓居苏州虎丘山塘。晚年遂游大江南北。诗歌天才横溢，与袁枚、赵翼合称清代"性灵派三大家"。

[2]八万四千门路：八万四千种对治众生各种烦恼，帮助众生证入佛境的法门，佛教中常以"八万四千"形容数目之多，并非实指。

[3]买山：出自《世说新语》，书中记载，支道林托人去找深公，想买下印山来隐居，深公说："没听说巢父、许由这样的古代贤士买山隐居啊。"似乎不赞成支道林的做法。

《题韩芸舫抚部(克均)〈龙湫宴坐图〉》[1]

[清]林则徐[2]

雁山在郡不能有，康乐枉为永嘉守[3]。西来尊者此开山，掷杖云中玉龙走[4]。涅槃一去蒲团空，但见法雨飞蒙蒙。黄尘[5]中人那许坐，千二百年留待公。鸣驺拥盖等闲耳[6]，清心誓饮山中水。指月前身见祖师，瓶泉余滴参宗旨。芙蓉村外升朝霞，按部何当来使车[7]。为除烦恼礼真相，自屏骈从[8]安跣跏。老龙喜公再来者，倒卷银河为君泻。峰端溅玉岩跳珠[9]，雷车隆隆驰风马。三千年雪太古冰，龙髯迸出山风腥。行天日月不敢下，山飞水立云冥冥。剪刀剪水水逾怒，不见波涛见烟雾。回飙[10]裂涧龙身翻，牙爪空中掷无数[11]。是时公为入定僧，潮音千偈浑不膺[12]。倏然挂杖一抚掌，龙来听法泉无声。拂衣笑示佛弟子，且

378

为大千众生起。布袜青鞋留此山，为霖事了吾其还[13]。

【注释】

[1]韩克均(1766~1840)：号芸舫，山西汾阳人，清代官吏，曾任贵州、云南、福建等地巡抚，清代各省巡抚多兼兵部侍郎和都察院右副都御史衔，故又称部院、抚部。龙湫(qiū)：瀑布名，在浙江雁荡山。《梦溪笔谈》引《西域书》："阿罗汉诺矩罗居震旦东南大海际雁荡山芙蓉峰、龙湫，唐僧贯休为《诺矩罗赞》，有'雁荡经行云漠漠，龙湫宴坐雨蒙蒙'之句。"佛敕令十六位大阿罗汉永住人间，济度众生，称为"十六罗汉"，诺矩罗是其中的第五位。

[2]林则徐(1785~1850)：字符抚，又字少穆、石麟，晚号俟村老人等。福建侯官(今福州市)人，清代政治家、思想家、诗人。曾任湖广总督等职，受命钦差大臣，人称"清朝开眼看世界第一人"，因主持"虎门销烟"、抵抗西方列强侵略而被视为民族英雄。

[3]"雁山"指雁荡山，位于在浙江省东南部，分南、北两个山群，多悬崖、奇峰、瀑布。《梦溪笔谈》云："谢灵运为永嘉守，凡永嘉山水游历殆遍，独不言此山，盖当时未有雁荡之名。"可知首联说雁荡山就在永嘉郡中，谢灵运却不知道，真是枉为永嘉太守。

[4]西来尊者指诺矩罗，全联说他将锡杖掷入云中，变成飞动的玉龙，也就是龙湫瀑布。

[5]黄尘：黄色的尘土，比喻俗世、尘世。

[6]鸣驺(zōu)：古代随从显贵出行并传呼喝道的骑卒，

有时借指显贵。《史记·管晏列传》:"其夫为相御,拥大盖,策驷马,意气扬扬,甚自得也。"后以"拥盖"指乘车。等闲亦作"等闲",寻常、平常。"鸣驺拥盖等闲耳"指听尽凡俗车马声的耳朵。

[7]使车:使者所乘之车。

[8]屏(bǐng):摈弃。傔(qiàn)从:侍从,仆役。

[9]玉、珠皆比喻晶莹的水滴。

[10]回飙(biāo):旋转的狂风。

[11]牙、爪比喻水花。全联说狂风吹裂山涧,使巨龙得以翻身,尽情伸展爪牙,形容大风吹过瀑布,水花四散飞舞的壮观景象。

[12]将潮音比喻成宣说佛理的偈子,与苏轼《赠东林总长老》:"溪声便是广长舌,山色岂非清净身。夜来八万四千偈,他日如何举似人。"如出一辙。

[13]霖:甘雨,时雨。诗人说瀑布化为甘霖,造福人间。

《理安寺[1]偶题赠道宜上人》(其一)

[清]魏源[2]

六合塔[3]畔舍舟行,峰回路转流泉迎,不闻江声闻涧声。入谷九溪十洞更[4],渐渐穿林略彴[5]横,不闻人声闻鸟声。参天云树无阴晴,日暮空谷林丁丁[6],不闻鸟声闻樵声。再转风蟠出塔层,寺门铃语钟磬鸣,不闻樵声闻梵声。

[1]理安寺：古称"涌泉禅院"，位于杭州九溪风景区杨梅岭村古道旁，是吴越王为高僧伏虎志逢所建，内有与虎跑泉齐名的"法雨泉"。

[2]魏源（1794~1857）：名远达，字默深，号良图，湖南邵阳人，清代启蒙思想家。道光进士，官高邮知州。他依据林则徐《四州志》等史料，编成《海国图志》，囊括世界地理历史、风土人情等，并积极探索强国御侮之路，提出"师夷之长技以制夷"等观点，是近代中国"睁眼看世界"的先行者。晚年弃官归隐，潜心佛学，法名承贯。

[3]六合塔：亦称"六和塔"，位于浙江省杭州市城南钱塘江边的月轮山上。为八角形，外观十三级，内分七层，高约六十米。宋开宝三年（970），吴越王钱俶建以镇江潮，其地旧有六和寺，故名，现为全国重点文物保护单位。

[4]说入谷后更有九溪十洞。

[5]略彴（zhuó）：小木桥。

[6]丁丁：象声词，原指伐木声。

《自笑》

[清]祖观[1]

自笑平生半点痴，观河[2]羞见鬓如丝。乱杂始识承平[3]乐，少壮何知老大悲。避世桃源彭泽记，感时天宝杜陵诗[4]。五湖不少闲田地，一棹烟波信所之[5]。

[1]祖观:字阿觉,一字觉阿。俗姓张,名京度,字莲民,元和(今江苏苏州)诸生,后弃儒入支硎山通济寺为僧,有《梵隐堂诗存》。

[2]观河:在河水中照见自己的影子。

[3]承平:太平。

[4]彭泽:本为县名,在今江西省,因陶渊明做过那里的县令而成为陶渊明的代称。杜陵指唐代大诗人杜甫。

[5]"五湖"一联说的是春秋时期越过大夫范蠡的故事。范蠡帮助越王勾践灭掉吴国,一雪前耻,而后功成身退,辞去官职,隐姓埋名,泛一叶扁舟于五湖之中。

《莲航橹唱》(节选)

[清]祖观

握算持筹[1],甘为儿孙作马牛。红粟仓中朽,珠玉量成斗。(嗟[2]。)阿堵[3]满床头。死时空手。多念弥陀,好带要缠[4]走。因此劝富户钱翁早早修。

蒙袂[5]低头,衣食艰难苦不周。粗粝[6]聊充口,百结鹑衣[7]肘。(嗟。)今世为贫忧,来生依旧。欲免饥寒,早向西方走。因此劝贫苦穷人早早修。

疾病堪忧,枕席呻吟泪暗流。痛苦谁能救,方药无人授。(嗟。)四大本疮瘤,暂时不久。无上医王,我佛遥垂手。因此劝痛苦颠连[8]早早修。

霜雪盈头，老态颓唐出入愁。骨节枯枝朽，面貌龟文皱。(嗏。)风烛[9]一朝休，无常早候[10]。十念[11]临终，应悔蹉跎久。因此劝年老龙钟早早修。

钉坐[12]风流，如水韶光[13]一霎留。卫玠丰姿秀，宋玉才华富[14]。(嗏。)莫唱少年游，几人皓首[15]。莲社[16]追随，添个忘年友。因此劝年少儿郎早早修。

皓齿明眸，二八娇娥住画楼。羞把鸳鸯绣，未结鸾凰耦[17]。(嗏。)红粉泣香邱[18]，美人无寿。离欲婆须[19]，好作华严友。因此劝弱女红闺[20]早早修。

恩爱绸缪，鸿案相庄[21]情意投。帐饮交杯酒，衣结同心钮。(嗏。)大限[22]忽临头，鸳鸯分走。极乐同生，万劫长相守。因此劝夫妇同心早早修。

同室戈矛，鱼水夫妻作怨雠[23]。薄幸郎心负，诟谇闻中帱[24]。(嗏。)枉结凤凰俦[25]，今成怨耦。八德池中，好种同心藕。因此劝反目夫妻早早修。

燕子高楼，节操冰霜咏柏舟[26]。黄鹄伤无耦[27]，只景青镫[28]守。(嗏。)绰楔[29]姓名留，芳徽[30]不朽。高筑怀清[31]，争比莲台[32]久。因此劝寡女孤孀早早修。

禾黍油油[33]，辛苦农夫望有秋。终岁勤田亩，粒米难沾口。(嗏。)旱潦[34]不胜忧，凶荒常有。熟念弥陀，耘去心田莠[35]。因此劝南陌[36]农夫早早修。

负贩[37]营求，赤日当天血汗流。叫喊沿街走，专望谋升斗。(嗏。)微利逐蝇头，饥寒入口。荷担[38]如来，净土生涯富。因此劝负贩谋生早早修。

银烛摇歌帐，珠帘卷翠楼。看花切莫逞风流，一被黄蜂螫手便堪愁。欢事镫前梦，韶华水上沤。探春[39]争唱少年游，试看白杨树下土馒头[40]。

薙发[41]披缁，法门游戏，多生幸结香缘。谈玄说妙，争肯受人瞒。只念弥陀六字[42]，作斋公应胜狂禅。西方路不离当处[43]，一念未生前。他乡流浪久，弥陀念我，望眼将穿。幸还家有日，早办腰缠[44]。多少天伦乐事，聚莲台骨肉团圞[45]，回头望，浮生扰扰，苦海正无边。

笑傲烟霞，讨论桑麻，辟荒田多种梅花。白甘淡泊，不爱奢华。但土墙匡，草亭子，竹篱笆。老树槎枒[46]，破屋敧斜[47]，掩禅关[48]，不到人家。萧闲风味，枯寂生涯。且自打钟，自扫地，自煎茶。

鸦陈斜阳，雁背新霜，渐农家早稻登场。林间宴息[49]，水际倘徉，看枫欲丹。苹已白[50]，菊初黄。日用寻常，空费商量。甚来由，急急忙忙。粗茶淡饭，溷[51]过时光。有一函经，一瓶水，一炉香。

【注释】

[1]算、筹皆为古代计算数目的用具。

[2]嗏(chā)：叹词，表示提醒或应答等。

[3]阿堵：本为六朝人口语，这，这个。《世说新语》中，"雅尚玄远"的王衍口不言钱字，称床边的钱为"阿堵物"。"阿堵物""阿堵"始成钱的代称。

[4]要缠：重要的盘缠。

[5]蒙袂(mèi)：用袖子蒙住脸，不愿见人。

[6]粗(cū)粝:糙米。

[7]百结鹑(chún)衣:破烂的衣衫,经多次补缀,如鹑鸟的秃尾巴一般。

[8]颠连:困顿不堪的人

[9]风烛:风中之烛,随时可能被风吹灭,比喻临近死亡的人或行将消逝的东西。

[10]候:等候。

[11]十念:《观无量寿经》有"十念往生"之说,谓造诸恶业的凡夫,临命终时若遇到善缘相助,急念十声"阿弥陀佛",就能够往生到西方极乐世界去。

[12]饤(dìng)坐:同"饤坐梨",席间供陈设的梨,比喻受人敬慕的秀异之士。

[13]韶光:美好的时光。

[14]卫玠:晋朝官员、玄学家。宋玉:战国时楚国辞赋家,两人都古代有名的美男子。

[15]皓首:白头,谓年老。皓,洁白。

[16]莲社:东晋慧远大师居庐山,与几位贤士同修净土,院中多植白莲,加之象征社中人如莲花一般,不为名利淤泥染污、极乐世界众生皆由莲华化生等原因,号曰"莲社",以后的念佛团体亦多借用此名。

[17]鸾凤耦:好配偶。鸾与凤凰,皆瑞鸟名,常比喻贤士淑女。耦(ǒu):配偶。

[18]香邱:散发着香气的坟墓。本句说红粉佳人多"薄命",只能在坟墓中哭泣。

[19]离欲婆须:本名"婆须蜜多",是善财童子"五十三参"

中拜访过的一名女子。《华严经》说,此女样貌庄严美好,能随顺众生欲乐,示现不同之身,并能以多种方式帮助"欲意所缠"的众生摆脱贪欲,故称"离欲婆须"。

[20]红闺:红楼,少女所居之处,亦代指闺中女子。

[21]鸿案相庄:"举案齐眉"的同义词,形容夫妻和美,相互敬重。《后汉书》载,梁鸿家贫而有节操,妻孟光,有贤德。每次吃饭,孟光必对梁鸿举案齐眉,以示尊敬。

[22]大限:寿数,死期。

[23]怨雠(chóu):怨仇。雠,同"仇"。

[24]诟谇(suì):辱骂。篝:同"构",房屋。谓夫妻间互相辱骂的声音很大,从卧室传到中间的正厅。

[25]俦:伴侣。

[26]柏舟:本为《诗经·鄘风》中的篇名,诗序称柏舟为"共姜自誓",共姜是卫世子共伯之妻,共伯蚤死,其妻守节,父母欲逼她嫁人,共姜发誓不从,作此诗以表示决心。后人遂以"柏舟"谓丧夫或夫死后矢志不嫁。

[27]黄鹄:古乐府中有《黄鹄曲》,汉刘向《列女传·鲁寡陶婴》载,陶婴少寡,不再嫁,"作歌明己之不更二也,其歌曰:悲黄鹄之早寡兮七年不双,鹈颈独宿兮不与众同"。

[28]青镫:青灯。

[29]绰楔(xiē):亦作"绰削""绰屑",古时树于正门两旁,用以表彰孝义的木柱。

[30]芳徽:同"徽芳",盛德、美德。

[31]怀清:四川省长寿县南有"怀清台",是秦始皇为"贞妇"巴寡妇清所筑,后人因此以"怀清台""怀清"象征妇女的贞洁。

[32]莲台:佛、菩萨所坐之莲华台座,一说单指阿弥陀佛所坐的莲华台座。

[33]油油:浓密且饱满润泽。

[34]潦(lào):同"涝",水淹,积水成灾。

[35]耘:除草。莠(yǒu):一种田间常见的杂草,俗称"狗尾草",亦比喻坏的东西。

[36]南陌:南面的道路。

[37]负贩:担货贩卖,亦指小商贩。

[38]荷担:用肩负物,挑担。

[39]探春:早春郊游。唐宋风俗,都城士女在正月十五日收灯后争先至郊外宴游,名为"探春"。

[40]土馒头:坟墓。唐代王梵志诗云:"城外土馒头,馅草在城里。一人喫一个,莫嫌没滋味。"

[41]薙(tì)发:剃发。

[42]弥陀六字:指"南无阿弥陀佛"。

[43]当处:本处。

[44]腰缠:随身携带的钱财,泛指拥有的财富。

[45]团圞(luán):团圆。

[46]槎(chá)枒(yā):树木枝杈旁出之貌。

[47]欹(qī)斜:倾斜,不正。

[48]禅关:此处指僧人居住的寺院或精舍之门。

[49]宴息:休息,安居。

[50]苹:植物名,生浅水中,叶有长柄,夏秋开小白花。苹"已白"表明已经开花。

[51]溷(hùn):同"混",苟且过活。

《绝笔诗》

[清]大悲庵僧[1]

道我狂时不是狂,今朝收拾臭皮囊。雪中明月团团冷,火里莲花瓣瓣香。好向棒头寻出路[2],即从业海[3]驾归航。满炉榾柮都煨烬,十字街头作道场[4]。

【注释】

[1]大悲庵僧:生平不详。

[2]棒打、大喝等非语言的手段是禅僧启发学人的重要方式,故要向"棒头"(借助棒打)来获得觉悟。

[3]业海:众生所造之恶业,深广如海。

[4]榾(gǔ)柮(duò):木柴块,树根疙瘩,可代替炭用。煨(wēi)烬(jìn):烧尽。道场:佛陀成道之处,泛指供佛修行的场所。末二句说自己死后,身如柴块般被炉火烧尽,真性却永不坏灭,随处修行,喧嚣的十字街头亦是道场。

《遣闷[1]》

[清]黄遵宪[2]

花开花落掩关[3]卧,负汝春光奈汝何!天下事原如意少,眼中人渐后生多。声声暮雨萧萧曲,去去流光踏踏歌[4]。今日今时有今我,茶烟禅榻病维摩。

【注释】

[1]遣闷:排解烦闷。

[2]黄遵宪(1848~1905):清末著名诗人,外交家、政治家、教育家。字公度,别号人境庐主人,出生于广东嘉应州,1876年中举人,历充师日参赞、旧金山总领事、驻英参赞等职,被誉为"近代中国走向世界第一人"。喜熔铸新事物入诗,有"诗界革新导师"之称。

[3]掩关:关闭,关门。

[4]踏歌:拉手而歌,以脚踏地为节拍,一说指行吟,边走边歌。"八仙"之一,唐代的蓝采和作《踏歌》,其中"红颜一春树,流年一掷梭"之句家喻户晓。

《题江标(建霞)[1]修书图》(选三首)

[清]谭嗣同[2]

鲁中汲汲弥缝者[3],误尽群乌是旧巢[4]。公意不嫌杀风景,直须取付祖龙[5]烧。

三界惟心不等闲,圣人糟粕[6]亦如山。众生绝顶聪明处,只在虚无飘渺间。

划尽[7]灵根尚有余,来生忏悔又成虚。无聊躯壳相厮混,身已嫌多何况书?

【注释】

[1]江标(1860~1899):字建霞,历任翰林院编修、湖南学政等,工诗文,好藏书,精于目录版本之学,所藏多为精品。

[2]谭嗣同(1864~1898):字复生,号壮飞,湖南浏阳人,我国近代著名资产阶级政治家、思想家,"戊戌六君子"之一。公开提出废科举、兴学校、开矿藏、修铁路、办工厂、改官制等变法维新的主张,抨击封建君主专制。参与领导戊戌变法,失败后被杀,年仅三十四岁。

[3]指鲁国的孔子,大力补缀抢救古代典籍。

[4]谓旧的书籍误人的思想,恰如旧的巢穴束缚乌鸦一样。

[5]祖龙:指秦始皇。他采纳丞相李斯的意见,焚毁民间所藏《诗》《书》与诸子百家书,第二年又因有方士、儒生求仙药不得后逃亡,而在咸阳坑杀诸生四百六十余人,史称"焚书坑儒"。

[6]圣人糟粕:指圣贤之士留下的典籍。

[7]刬(chǎn)尽:除尽。

《述怀》

[民国]敬安[1]

十六辞家事世尊,孤怀寂寞共谁论?悬岩鸟道无人迹,坏色袈裟有泪痕。万劫死生堪痛哭,百年迅速等朝昏[2]。不甚满眼红尘态,悔逐桃花出洞门[3]。

【注释】

[1]敬安(1851~1912):字寄禅,别号八指头陀,近代著名爱国诗僧。俗姓黄,湖南湘潭人,父母早亡,为邻村农家牧牛,一日忽见篱间盛开的白桃花为风雨所摧落,放声大哭,投湘阴法华寺出家。后行脚江南,遍参江浙名宿,至宁波阿育王寺佛舍利塔前礼拜时,燃二指供佛,因号"八指头陀"。敬安最初认为诗为世谛文字,非禅子本分,后改变看法,刊行诗稿《嚼梅吟》,与王闿运等名士往来酬答,加入"碧湖诗社",诗名日盛。光绪二十八年(1902),应请成为宁波天童寺住持,认识到僧众人才的缺乏,大力推广佛教教育事业,被推为宁波僧教育会会长。1912年,中华佛教总会成立,敬安被公推为首任会长,同年圆寂,世寿六十二。

[2]朝昏:早晚。谓百年时光短暂易逝,好似每日早晚交替一般。

[3]唐代刘商《题水洞二首》有"桃花流出武陵洞,梦想仙家云树春",可知"洞"指武陵洞,出洞门就是离开桃源仙境,进入凡俗尘世当中。

《自笑诗》

[民国]敬安

割肉烧灯供佛劳[1],可知身是水中泡。只今十指唯余八,似学天龙吃两刀。

[1]历史上时有用身体供佛的记载,《南史·梁武帝纪》云:"有沙门智泉铁钩挂体,以燃千灯,一日一夜端坐不动。"苏舜钦《闻见录》称大旱之年,宋仁宗祈雨甚切,至"燃臂香以祷",宫人太监同样如此。《清异录》亦有:"齐赵人好以身为供养,谓两臂为肉灯台,顶心为肉香炉。"最常见的还是"燃指",据《法华经·药王菩萨本事品》所述,药王菩萨的前身为"一切众生喜见菩萨",尝燃自身供养日月净明德佛及《法华经》,更于后生自烧臂供养同一佛之舍利。经文又述及,若欲得阿耨多罗三藐三菩提者,能燃手指乃至一足趾以供养佛塔,胜过以国城、妻子及三千大千国土、山林、河地、诸珍宝物供养者。八指头陀的另外两根手指也是"燃指"烧掉的。对于此类做法,从古到今一直存在争议。

《暑月访龙潭山寄禅上人》

[民国]敬安

一瓶一钵一诗囊,十里荷花两袖香。只为多情寻故旧[1],禅心本不在炎凉。

【注释】

[1]故旧:旧友。

392

《山居》

[民国]敬安

一住深山便学呆，通身有口也难开。着衣吃饭成多事[1]，啸月吟风自少才。扫地每嫌黄叶落，闭门常怕白云来。惟将小境勤磨拭，不肯轻轻受点埃[2]。

【注释】

[1]多事：多余的事。

[2]禅宗五祖弘忍的另一位高足，北宗禅的创始人神秀曾做偈曰："身是菩提树，心如明镜台，时时勤拂拭，莫使惹尘埃。"此诗的末二句，当是承之而来。

《出定[1]吟》

[民国]敬安

禅宫寂寂白云封[2]，枯坐蒲团万虑空。定起不知天已暮，忽惊身在明月中[3]。

【注释】

[1]出定：出于禅定，恢复平常状态。

[2]诗句说白云缭绕禅宫，似将其封住一般，为作者静修创

造了良好条件。

[3]末句的"惊"字显示出作者入定的专注,浑然不觉时间流逝,天色变化,足见禅修功夫之深。

《咏白梅》

[民国]敬安

了与人境绝,寒山也自荣。孤烟淡将夕,微月照还明。空际若无影,香中如有情。素心正宜此,聊用慰平生。

《梦洞庭》

[民国]敬安

昨梦汲洞庭,君山青入瓶。倒之煮团月,还似浴繁星。一鹤从受戒,群龙来听经。何人忽吹笛,呼我松间醒?

《大千一粟》

[民国]敬安

大千一粟未为宽,打破娘生赤肉团[1]。万法本闲人自闹,更无何处觅心安。

【注释】

[1]赤肉团:指人的肉体。禅籍记载,临济义玄禅师一日上堂曰:"汝等诸人,赤肉团上有一无位真人,常向诸人面门出入。汝若不识,但问老僧。"时有僧问如何是无位真人,义玄便打。

《题〈寒江钓雪图〉[1]》

[民国]敬安

垂钓板桥[2]东,雪压蓑衣冷。江寒水不流,鱼嚼梅花影。

【注释】

[1]唐代大诗人柳宗元做《江雪》:"千山鸟飞绝,万径人踪灭。孤舟蓑笠翁,独钓寒江雪。"广为流传,诗人所题之画当与之有关。

[2]板桥:木板架设的桥。

《冷香塔铭》

[民国]敬安

佛寿本无量,吾生讵[1]有涯?传心一明月,埋骨万梅花!丹嶂栖灵窟,青山过客家。未来留此塔,长与伴烟霞[2]。

【注释】

[1]讵:副词,表反诘,岂、难道。

[2] 八指头陀于 1912 年 12 日 2 日夜圆寂于北京法源寺，徒众奉龛南归，葬于天童寺前青龙岗冷香塔苑。此铭是敬安对后事的交代。僧人坚信"众生即佛"，自己的寿命也会同佛一样无量，未来不过长住冷香塔中，伴明月艳霞。

《浣溪沙》

[民国]王国维[1]

山寺微茫背夕曛[2]，鸟飞不到半山昏，上方孤磬定行云。
试上高峰窥皓月[3]，偶开天眼觑红尘，可怜身是眼中人[4]。

【注释】

[1]王国维(1877~1927)：初名国桢，字静安，亦字伯隅，晚号观堂，浙江海宁人。是我国近现代享有国际声誉的著名学者，在文学、美学、史学、考古学、古文字学等领域都有很高的造诣。

[2]夕曛(xūn)：落日的余晖。

[3]皓月：犹明月。

[4]天眼是天人的眼，不论远近、前后、内外、昼夜、上下皆悉能见。天眼洞彻宇宙万物，自然看到自己只是广阔红尘中微不足道的一分子，顿悟凡俗众生之平凡渺小，法界之宏大无穷。

《和宋贞题城南草堂图原韵》

[民国]弘一[1]

门外风花各自春,空中楼阁画中身。而今结得烟霞侣[2],休管人生幻与真。

【注释】

[1]弘一(1880~1942):近代名僧。俗姓李,幼名文涛,又名广平,字叔同,别号息霜,法名演音,别号晚晴老人。原籍浙江平湖,生于天津,早年就学上海南洋公学,1905 年留学日本,入东京美术学校学习西洋画、音乐、戏曲,1910 年回国,任编辑、教师等职。1918 年舍俗出家,彻底断除尘心,复兴以精严持戒著称的南山律宗,创设"南山律学院",被列为南山律宗第十一代世祖。提出"念佛不忘救国,救国不忘念佛"的主张,培育学僧,广弘佛法。63 岁卒于泉州温陵养老院,荼毗获大量舍利。

[2]烟霞侣:与山水结成的伴侣。

《红菊花偈》

[民国]弘一

亭亭菊一枝,高标矗晚节。云何色殷红?殉道[1]应流血!

《清凉歌》
[民国]弘一

清凉月，月到天心光明殊皎洁。今唱清凉歌，心地光明一笑呵。清凉风，凉风解愠[1]暑气已无踪。今唱清凉歌，热恼消除万物和。清凉水，清水一渠涤荡诸污秽。今唱清凉歌，身心无垢乐如何。清凉，清凉，无上究竟真常[2]。

【注释】

[1]愠：怨恨，郁结。

[2]无上：无有过于此者。真常：真实常住，没有生灭变迁，多指佛法或涅槃境界。此处说身心无垢的清凉境界才是至上的真实常住状态。

《山色歌》
[民国]弘一

近观山色苍然青，其色如蓝。远观山色郁然翠，如蓝成靛[1]。山色非变，山色如故，目力有长短。由近渐远，易青为翠；自远渐近，易翠为青。时常更换，是由缘会。幻相现前，非唯翠幻,而青亦幻。是幻,是幻,万法皆然[2]。

【注释】

[1]靛(diàn):深蓝色。本句说远观之时,山色由青转翠,似从蓝色变成靛色一般。

[2]歌中写到观山的距离不同,看到的颜色也不一样,和苏轼的"横看成岭侧成峰,远近高低各不同"有异曲同工之妙,得出一切有为法皆为因缘聚会,虚幻不实,瞬息变化的结论。

《绝笔偈》(二首)

[民国]弘一

君子之交,其淡如水。执象而求,咫尺千里[1]。
问余何适?廓尔亡言[2]。华枝春满,天心月圆[3]。

【注释】
[1]"执象"二句:凭借象去寻求,则差之咫尺,谬以千里。
[2]何适:到哪里去。廓尔:空阔貌。此二句说有人问我去向何处,真是空阔难言啊。
[3]华枝:花枝。本句说明万物本就皎洁完满,佛性正蕴藏在其中。

《住西湖白云禅院作此》

[民国]苏曼殊[1]

白云深处拥雷峰[2],几树寒梅带雪红。斋罢垂垂浑入定,庵前潭影落疏钟[3]。

【注释】

[1]苏曼殊(1884~1918):幼名戬,字子谷,又名苏湜,出家后号曼殊,又号元瑛、玄瑛。祖籍广东香山(今中山县),出生于日本横滨,父亲是日本茶行的买办,母亲为日本人,6岁随父返国,15岁得人资助,赴日留学。20岁出家,始漫游四方,1918年病逝,年仅35岁。一生敏感多情,而又狂放不羁,多才多艺,兼善诗、文、小说,与文人志士多有交游。

[2]雷峰:雷峰塔,遗址位于浙江西湖南面的夕照山上,五代时吴越王钱俶建,1924年倾塌。

[3]作者入于禅定,摒除外缘,收摄弛散庞杂之心,不时响起稀疏钟声干扰不到作者,却似融入庵前静默的潭水中,激起微澜。

《过若松町有感示仲兄[1]》

[民国]苏曼殊

契阔[2]死生君莫问,行云流水一孤僧。无端狂笑无端哭,纵有欢肠已似冰。

【注释】

[1]若松町:日本地名。仲兄:本意为二哥,有人认为指与他一同在日本组织成立"青年会"的陈独秀。

[2]契阔:勤苦,劳苦。《诗经》中有:"死生契阔,与子成说,执子之手,与子偕老。"

《本事诗[1]》(节选)

[民国]苏曼殊

丈室番茶[2]手自煎,语深香冷涕潸然[3]。生身阿母无情甚[4],为向摩耶问夙缘[5]。

乌舍凌波肌似雪[6],亲持红叶索题诗[7]。还卿一钵无情泪,恨不相逢未剃时。

春雨楼头尺八箫[8],何时归看浙江潮?芒鞋破钵无人识,踏过樱花第几桥?

九年面壁成空相[9],持锡归来悔晤[10]卿。我本负人今已矣,任他人作乐中筝[11]。

【注释】

[1]苏曼殊的《本事诗》共有十首,据说是写给一位日本歌伎的,诗中弥漫着哀伤与怅惘。

[2]番茶:异国之茶。

[3]潸(shān)然:流泪之貌。

[4]苏曼殊的生母是谁,至今尚无定论,一般认为是个叫若子的日本女子,是他父亲在日本的妾氏河合仙的妹妹,与他父亲私通生下苏曼殊,几个月后被送回乡下,小曼殊转由河合仙抚养,几年后随父返回中国。私生子、混血儿的身份使他饱受家族的歧视欺凌,使其对生母始终怀有难以言说的情感。

[5]摩耶:摩耶夫人,古印度迦毗罗卫城净饭王之妃,释迦牟尼的生母。夙(sù)缘:前生的因缘。

[6]乌舍:印度传说中的神女。凌波:本指在水上行走,亦比喻美人步履轻盈,如乘碧波而行,曹植《洛神赋》有:"凌波微步,罗袜生尘。"全句形容对方神女一般的美态。

[7]用"红叶题诗"的典故,详见宗泐《落叶》注释[2]。

[8]尺八箫:一种古代管乐器,竹制,竖吹,管长一尺八寸,发源于中国,今仍流行于日本。

[9]"九年"句:通过修行悟得空相之理,也可能是僧人发觉自己依旧无法忘怀古人,感叹长久的修行也是空无用处。

[10]晤(wù):见面。

[11]乐中筝:筝的一种。《绀珠集》载,薛琼为"开元中第一筝手",有崔怀宝欲见之,作词曰:"平生无所愿,愿作乐中筝,近得佳人纤手子,砑罗裙上放娇声,便死也为荣。"

《以诗并画留别汤国顿[1]二首》

[民国]苏曼殊

蹈海鲁连不帝秦[2],茫茫烟水着浮身。国民孤愤英雄泪,洒上鲛绡[3]赠故人。

海天龙战血玄黄[4],披发长歌揽大荒[5]。易水萧萧人去也[6],一天明月白如霜[7]。

【注释】

[1]汤国顿:名汤睿,苏曼殊居留日本时的好友,辛亥革命时任中国银行总裁,1916年被军阀龙济光刺杀。

[2]鲁连指鲁仲连,战国时齐国人,智谋超群,常周游各国,排解纠纷,却从来不肯做官,被视为奇伟高蹈、不慕荣利的代表。秦军围赵国都城时,鲁连从多个方面阐述秦国称帝的祸患,劝阻各方尊秦为帝,帮助赵国渡过难关。《史记》称他说若秦国称帝,统治天下,他将"蹈东海而死"。

[3]鲛(jiāo)绡(xiāo):我国神话中有鱼尾人身的"鲛人",他们织出的绡,即为"鲛绡",据说入水不湿,非常珍贵,借指薄

绢、轻纱。

[4]《易·坤》:"龙战于野,其血玄黄。"高亨注:"二龙搏斗于野,流血染泥土,成青黄混合之色。"

[5]大荒:荒远之地。苏轼《潮州修韩文公庙记》:"公不少留我涕滂,翩然披发下大荒。"

[6]《史记》载,荆轲出发行刺秦王时,燕太子丹及众宾客皆着白衣冠,送之至易水之上,时高渐离击筑,荆轲和而歌曰:"风萧萧兮易水寒,壮士一去兮不复还。"

[7]这两首诗创作于光绪二十九年(1903),是诗人现存最早的作品,诗人当时仅有二十岁,即将离开日本归国,遂作诗、画赠予友人。全诗流露出明显的悲愤,应是作者对中国备受欺凌的处境感到不满,却又无可奈何,诗中又弥漫着空灵的禅意,似乎预示着作者第二年将要剃度出家,正是"一生几许伤心事,不向空门何处销?"